KB100803

이흰

윤슬 님과 함께 행복하게 쓴 글이
여러분께도 즐거운 글이 되었으면 합니다.

IN, MORS SOLA
blog https://blog.naver.com/leehuin5
mail leehuin5@naver.com

〈맹수에게 잡아먹혔다〉 출간작
〈악당의 미학〉
〈황제의 멍멍이〉
〈베이비 폭군〉
〈악당 가족이 독립을 반대한다〉

황태자의
약혼녀

황태자의
약혼녀

The Crown prince's Fiancee

윤슬·이훤 장편소설

1

D&C
BOOKS

The Crown prince's Fiancee

prologue. 뜻밖의 재앙 ………………………………… 7

Chapter 1. 황태자의 약혼녀가 되어 버렸다 ……………17

Chapter 2. 예비 황태자비로 산다는 것은 …………… 53

Chapter 3. 황궁의 실세………………………………… 113

Chapter 4. 황태자의 새로운 위기 ………………………… 147

Chapter 5. 그 순간은 돌연 찾아온다 …………………… 207

The Crown prince's Fiancee

Chapter 6. 죽을병에 걸린 기분이 들어 ···················· 257

Chapter 7. 길을 잃으면 찾아오는 사람 ···················· 301

Chapter 8. 황실의 실체 ···················· 351

Chapter 9. 살해당하기 좋은 날 ···················· 383

Chapter 10. 당신이 없는 사이에 ···················· 409

Chapter 11. 내 남자의 전 남자 ···················· 463

prologue. **뜻밖의 재앙**

prologue. 뜻밖의 재앙

내가 지금 뭘 들은 거지?

우연찮게 듣게 된 진실에 두 눈을 크게 떴다.

너무 놀라 나도 모르게 뒷걸음질을 치다 그만 손에 들고 있던 물건을 떨어뜨리고 말았다.

쨍그랑—!

마리에 공주님이 황태자께 전하라고 했던 도자기가 요란한 소리를 내며 산산조각 나 버렸다.

"누구냐!"

오, 내 인생.

방금까지만 해도 들어가려 했던 황태자의 집무실 안쪽에서 커다란 소리가 들려왔다.

이쪽으로 다가오는 발걸음 소리에 내 수명도 같이 줄어들었다.

한 걸음, 두 걸음……

벌컥. 살짝 열려 있던 문이 이윽고 활짝 열렸다.

문 너머 인상을 찡그리며 화를 내던 사람들의 시선이 일제히 나를 향했다. 나를 바라보는 세 쌍의 시선이 매서웠다.

나는 이제 죽었구나.

얼마 살지 않은 인생이었지만 충분히 예견할 수 있었다. 오늘이 내 인생의 끝이라는 걸.

시녀로 들어와 궁정을 돌아다니면서 간혹 먼발치에서 봤던 남자도, 오늘 처음 보는 남자도 보였다.

그들에게 공통점이라는 게 하나 있다면, 다들 권력의 정점에 있는 귀족이라는 것이었다.

오비에도 후작가의 후계자이자 황태자의 최측근인 테르니 아기라 오비에도.

그 옆의 남자는 천재 검사로 불리는 황태자의 측근 기사 디아노 샤비 베네데토였다.

하지만 그 사람들보다도 더 어마어마한 것은, 문을 열어 젖힌 한 남자의 존재였다.

부드러워 보이는 옅은 금색 머리카락이 단정하게 이마를 가렸고, 나는 그 아래의 서늘하고 날카로운 시선과 눈이 마주쳤다.

진홍색 눈동자가 나를 뚫어질 듯 응시했다.

그 새빨간 시선을 마주하자마자 순간 온몸에 소름이 돋았다.

흠칫한 나와 달리 섬세한 외모를 자랑하는 남자는 전혀

감흥이 없는 표정이었다.

말끔한 제복 차림의 절세미남.

아드리안 황태자.

살면서 황태자를 직접 알현할 수 있는 날이 얼마나 있을까?

아무리 내가 황궁에 시녀로 들어왔다고 해도 황태자와 이렇게 가까이서 마주하는 건 흔치 않은 일이었다.

게다가 이렇게 시선을 똑바로 마주 보다니!

본능적으로 시선을 내려야 한다는 걸 깨달았지만 몸이 굳어 버려서 그럴 수가 없었다.

나는 도대체 어쩌다 이런 상황에 처하게 된 거지?

그저 황태자 전하께 선물을 전하라는 마리에 공주님의 명령을 듣고 이곳에 온 죄밖에 없는데…….

어쩐지 선배 시녀들이 하나같이 가고 싶어 하지 않더라.

어쩌다 떠밀려서 오게 된 건데, 하필 황태자 궁 시종들이 하나같이 바쁘다고 날 상대해 주지 않았고!

나는 그저 내 임무를 완수하기 위해 헤매다 드디어 집무실을 찾아온 것뿐인데!

"넌 뭐야."

낮게 깔리는 목소리가 인간의 음성처럼 들리지 않았다.

나도 모르게 손이 덜덜 떨렸다.

황태자가 살짝 인상을 찡그린 것만으로도 내 심장이 덜컹거렸다.

"저, 저는 루피너스 궁 소속 비…….""

"누가 그런 걸 물어봤어? 네 정체가 뭐냐고."

"저, 정체. 그냥 시녀인데요……."

성가시다는 듯 황태자가 눈살을 찡그렸다.

나는 이대로 죽는 걸까?

머릿속이 하얗게 비워져서 아무것도 생각나지 않았다.

"아……. 저, 그……."

무슨 말이라도 해야 한다는 필사적인 마음에 뭐라도 지껄이고 있는데, 내가 말을 더듬으면 더듬을수록 황태자의 시선이 싸늘해졌다.

무슨 말을 해야 하더라?

입을 다물고 어떤 말이든 할 수 없는 상태가 되었을 때, 돌연 황태자가 검을 빼 들었다.

깔끔한 행동에 놀랄 새도 없었다.

귀찮다는 듯 황태자가 차갑게 뇌까렸다.

"됐어, 죽어."

치켜세워진 검이 유난히 예리하게 빛났다.

이렇게 죽는 건가!

반사적으로 두 눈을 질끈 감았다. 이제 곧 죽겠구나 싶어 두 주먹을 불끈 쥐었을 때였다.

갑자기 낯선 목소리가 끼어들어 황태자를 만류했다.

"참아, 아드리안! 여기서 사람 죽어 나가면 의심부터 살 거라고. 그럼 일이 더 복잡해질 거야! 짜증이야 나겠지만 우리 이성적으로 행동하자. 죽이더라도 좀 더 신중하게 죽여야 한다고. 우린 좀 더 조심해야 할 필요가 있어. 이건 네 보좌관이자 소꿉친구로서의 조언이야."

황태자의 최측근, 테르니 아기라 오비에도의 말이었다.

말리는 건지 마는 건지 모를 소리였지만 일단 내 목숨이 단 1초라도 연장되는 데 도움이 되는 소리 같아서 울컥하진 않았다.

듣고 보니 옳은 말인지 황태자가 가만히 검을 내렸다.

그렇다고 뽑아 든 검을 다시 칼집에 집어넣진 않았다.

아직 내 목은 위태롭구나.

"너, 어디서부터 들었어."

"어⋯⋯. 아, 음⋯⋯."

어디서부터 들었다고 해야 죽지 않을 수 있을까?

짧은 순간 내 목숨 하나를 건지기 위해 격렬한 내적 갈등이 일어났다.

눈치를 살피며 어떻게 말하면 좋을지 고민하고 있는데 이런 내 마음을 간파한 건지 냉정한 목소리가 경고했다.

"속일 생각 하지 마."

으르렁거리는 목소리에 나도 모르게 바로 답이 튀어나왔다.

"야, 약혼녀가 도망!"

멀리 갈 것도 없었나 보다. 바로 목에 칼이 들어왔다.

내 인생 이렇게 가나요?

겁에 질려서 바들바들 떨고 있는데 황태자가 무섭게 윽박질렀다.

"그것뿐이야?"

"약, 약혼녀가 남자!"

그러니까 나는 마리에 공주님이 내게 내린 심부름을 완

수하기 위해 이 궁을 돌아다니며 겨우 황태자 집무실을 찾을 수 있었다.

거기까진 좋았다.

문제라면 그때부터였다.

당장 들어가서 '이 도자기를 전해 드리고 돌아가야지!'라고 생각하고 문 앞에 선 그 순간, 살짝 열린 문틈에서 안쪽의 이야기가 새어 나온 것이었다.

그 진실이란 바로 황태자의 약혼녀가 도망쳤다는 것.

게다가 약혼녀가 사실 남자였다는 것이었는데…….

그럼 황태자가 게이인가……?

뭐, 그럴 수도 있지.

하지만 처음 그 사실을 깨달았을 때 깜짝 놀란 건 어쩔 수 없는 일이었다.

어쨌든 그걸 알아 버렸다. 내가 감당할 수 없는 진실이었다.

내 말을 들은 황태자가 뭔가를 곱씹듯 말이 없더니 대번에 결론을 내렸다.

"안 되겠다. 죽어야겠다."

아, 안 돼.

목숨의 위협이 느껴지니 절로 눈물샘에서 눈물이 터졌다. 바로 무릎을 꿇고 두 손바닥을 비볐다.

최대한 불쌍해 보이도록 빌며 황태자에게 있을지도 모를 자비에 호소했다.

죽을 만큼 잘못한 것도 없는데 이대로 한세상을 하직하다니 너무 불공평했다.

아직 난 죽고 싶지 않다고!

"살려 주세요! 뭐든 다 할게요!"

거침없이 검을 들던 황태자가 불현듯 동작을 멈췄다.

뭐, 뭐지?

그러더니 갑자기 손끝으로 내 턱을 치켜들었다.

왜, 왜 이러지……?

내 얼굴을 요리조리 살펴보던 황태자가 나를 빤히 쳐다보았다.

노골적인 시선에 내 얼굴이 확 달아올랐다.

내 반응이 같잖다는 듯 쳐다보던 황태자가 갑자기 피식 웃었다.

사람의 미소가 이렇게 사악하게 보일 수 있다니.

"뭐든?"

끄덕끄덕. 나는 필사적으로 고개를 끄덕였다. 그러자 황태자의 미소가 진해졌다.

"그래? 그럼 너로 하자."

무슨 소리지. 나로 하자니?

눈물을 담은 채로 두 눈을 깜빡이니 황태자가 이채 어린 시선으로 내 눈동자를 똑바로 내려다보았다.

"마침 머리 색도 비슷하고, 눈 색도 비슷하고, 생김새는 뭐 대충 속여 넘기면 되는 거고. 목소리는 어떻게 잘하면 될 거 같고……. 뭐하면 그냥 닥치면 되니까. 아니, 그냥 찍소리 하지 말고 닥쳐."

도대체 무슨 소리를 하는 거지?

"무엇을 하라는 말씀이신가요?"

용기를 내어 황태자에게 물어보았다.

아무래도 날 중심으로 뭔가를 하려는 듯한데 나만 그 일이 무엇인지 알지 못하는 소외감이 느껴졌기 때문에.

황태자가 당연하다는 듯 대답했다.

선연한 미소가 처음으로 무서웠다.

"내 약혼녀."

그렇게 나는 황태자의 약혼녀가 되었다.

Chapter 1. 황태자의 약혼녀가 되어 버렸다

Chapter 1. 황태자의 약혼녀가 되어 버렸다

처음부터 엉망이었다.

아드리안은 인상을 찡그렸다. 아무렇게나 벗어 던진 드레스와 여러 가지 물건들이 방 안에 흐트러져 있었다.

그리고 누구도 없는 텅 빈 방.

사람의 기척이라고는 쥐뿔도 느껴지지 않는 방 안을 둘러보며 아드리안은 이를 악물었다.

속에서 부글부글 끓어오르는 격렬한 감정 때문에 머리가 돌아 버릴 것 같았다.

"에센이 사라졌어!"

아드리안의 뒤를 따라 예비 황태자비 방에 들어온 아드리안의 측근, 테르니가 놀라 소리쳤다.

뒤이어 들어온 또 다른 측근인 디아노도 텅 빈 방을 보고 당황했다.

"와, 이게 무슨……."

넋을 놓고 방 안을 둘러보던 측근들은 아드리안을 놔둔 채 서로의 얼굴을 쳐다보았다.

아드리안은 혼자 주먹을 쥔 채 어두운 기운을 흩뿌리고 있었다.

"어, 그럼 이제 우리 어떻게 하지?"

디아노가 머리를 긁적였다. 테르니는 방 안을 한번 훑어보다 투덜거렸다.

"와, 에셴 이 자식. 튈 거면 말이라도 해 주고 튀지."

테르니의 불평에 디아노가 반박했다.

"그럼 우리가 막았을 테니까 그랬겠지. 너 바보냐?"

"그건 그렇지."

둘은 인상을 찡그리며 아드리안의 옆에 와서 섰다.

아드리안은 이런 상황에서도 태평하게 대화를 주고받는 테르니와 디아노를 한번 노려보다가 옆에 놓인 의자를 쳤다.

가볍게 친 것뿐인데, 의자가 쓰러지면서 동시에 엄청난 소리가 났다.

아드리안은 어떻게 할 수 없는 짜증스러움과 격노를 억누르며 머리를 쓸어 올렸다.

"설마 도망칠 줄이야."

바로 며칠 전의 실랑이를 떠올리며 아드리안이 흥분으로 거칠어지는 숨을 골랐다.

아드리안이 화가 날 때마다 으레 벌이는 난장판 뒤에서 두 사람이 눈치를 보며 슬금슬금 아드리안에게서 물러났다.

아드리안의 전신에서 누구 하나 걸리면 바로 작살낼 것만 같은 어마어마하게 흉흉한 기세가 뿜어져 나오고 있었기 때문이었다.

이를 악물며 감정을 삭이던 아드리안이 눈앞에 서 있는 두 사람을 노려보았다.

"찾아와. 당장!"

살벌한 명령에 디아노가 바로 침실 밖으로 나갔다.

생각 같아서는 직접 뛰어다니며 궁 안팎을 뒤집어 놓고 싶었지만 아드리안은 참았다.

이 일은 모종의 이유 때문에 최대한 비밀로 해야 했다.

하지만 금방 찾을 수 있을 거라는 아드리안의 예상은 틀렸다.

집무실로 돌아온 아드리안을 기다리는 것은 찾지 못했다는 보고뿐이었다.

"샅샅이 뒤진 결과 포인세티아 궁 내엔 없었습니다. 에센 경으로 추정되는 자를 보았다는 목격자는 많으나 한둘이 아니어서 정황을 알아내려면 시간이 좀 필요할 것 같습니다."

"그런데 왜 여기 있지?"

아드리안의 싸늘한 말에 디아노가 멋쩍게 웃었다.

테르니가 실실 웃으며 아드리안을 놀렸다.

"약혼녀가 도망가서 그런지 우리 전하께서 아주 화가 많이 나셨네."

"알면 입 다물어."

"근데 약혼녀가 남자라서 도망치긴 편했나 봐. 우리 어찌지, 이제?"

"뭘 어째?"

찔러 죽일 것 같은 예리한 시선에도 굴하지 않고 테르니가 어깨를 으쓱였다.

"전하, 너 '그 여자'랑 결혼하셔야겠어요?"

순간 테르니를 노려보는 아드리안의 눈에 불꽃이 튀었다.

"찾아와. 어떤 수를 써서든."

엄명이 떨어지고 테르니와 디아노가 고개를 끄덕이던 때였다.

쨍그랑!

집무실 너머에서 들려서는 안 될 소리가 들려왔다.

✦ ♕ ✦

운이 좋았다고밖에 설명할 수 없었다. 어느 쪽이 운이 좋았는지는 굳이 말하지 않아도 상관없으리라.

아드리안은 급했고 때마침 비밀을 알아 버린 시녀의 머리카락과 눈동자 색이 에센과 비슷했다.

처음 아드리안은 시녀를 죽일 생각이었다. 하지만 순간 아드리안의 손이 멈췄다.

계기는 간단했다.

'뭐든 다 할게요.'라는 시녀의 말. 그리고 잠깐이었지만 에센과 비슷하다고 생각했던…….

푸른 눈동자.

"써먹을 수 있는 건 전부 써먹어야지."

단지 그것뿐이다. 아드리안은 이번 일을 그렇게 결론지었다.

이름도 모르는 시녀를 자신의 약혼녀로 만들어 놓고 아드리안이 제일 먼저 착수한 것은 바로 그 시녀의 뒷조사였다.

재상과 여타 귀족들의 끄나풀이 아닐 거라 생각했지만 사실 확인 작업은 꼭 필요한 절차였다.

"비올라 빌바오라. 몰락 귀족이었군."

"특별히 구린 구석은 없어. 정말로 결백하다는 느낌이야."

하루 만에 비올라 빌바오라는 시녀의 모든 조사를 끝내 놓은 테르니가 싱긋 웃었다.

골치 아픈 일이 없다는 건 환영할 만한 일이었지만 아드리안은 딱히 시녀에게 기대 같은 게 없었다.

문득 이 상황을 이렇게 만들어 버린 인간들에 대한 짜증 때문에 머리가 지끈거렸다.

왜 결혼 같은 걸 해야 하지? 다 죽여 버리고 싶다.

황위만 물려받으면, 황위만 제대로 물려받으면 모든 게 끝난다.

아드리안은 이를 갈며 속을 다스렸다. 그리고 테르니를 향해 고개를 들었다.

"에센 찾는 일은 어떻게 되어 가지?"

"디아노가 열심히 찾고 있겠지."

대충 대답하며 테르니는 홍차를 즐겼다. 혼자만 느긋한 꼴을 보니 짜증이 치솟아 아드리안이 인상을 썼다.

"넌 왜 여기 있어?"

"아, 좀 쉬자. 넌 맨날 나를 미친 듯이 부려 먹으려고만 하냐."

테르니가 징징거렸다.

당연히 아드리안은 테르니의 징징거림을 들어 줄 만큼 자비롭지 못했다.

하물며 테르니는 지금 가장 중차대한 문제를 책임지고 해결해야 했다.

그건 바로, 시녀인 비올라 빌바오를 오비에도 후작가의 영애이자 황태자의 약혼녀로 탈바꿈하는 일이었다.

"당장 가서 교육해."

"에에. 왜? 천천히 해도 되잖아?"

"급한 거니까. 당장 꺼져."

"진짜, 쉬지도 못하게 해."

테르니가 입술을 삐죽이며 일어섰다. 아드리안은 테르니의 불평을 귓등으로 흘려들었다.

문가로 향하면서도 테르니의 투덜거림은 끊이지 않았다.

"하. 정말 내가 어쩌다가 이런 지경에 처한 거지."

"책임지고 쓸 만하게 만들어 놔."

아드리안의 단호한 말에 테르니가 싱긋 웃으며 대꾸했다.

"네네. 그러죠, 황태자 전하."

하루아침에 세상이 바뀌었다.

한낱 시녀의 신분이었던 나는 순식간에 황태자의 약혼녀가 되어 버렸다.

어제라면 상상도 못 할 일이 지금 내게 벌어지고 있었다.

여긴 어디, 나는 누구?

"잘 부탁한다, 동생!"

어디선가 갑자기 튀어나온 남자가 웃으며 인사했다.

"나는 네 오빠 테르니야."

밤하늘처럼 새까만 흑발에 반짝이는 금색 눈동자를 가진 서글서글한 인상의 남자가 장난기 어린 눈동자로 나를 보았다.

나는 이 남자를 알았다. 황태자의 최측근 테르니 아기라 오비에도잖아.

이 남자가 갑자기 내 오빠가 되다니, 정말 오래 살고 볼 일이다.

"내가 네 오빠라는 건 알지?"

죄송하지만, 알고 싶지 않아요…….

그렇게 말하고 싶지만 내 목숨은 하나였다. 그마저도 이미 저당 잡힌 지 오래다.

"하아……."

나는 한숨을 내쉬며 그간 내게 벌어진 일을 회상했다.

어제 갑자기 황태자가 나를 약혼녀로 지목한 뒤, 나는 릴리 궁으로 잡혀 왔다.

릴리 궁은 예비 황태자비가 황실의 규율을 배우기 위해 머무는 장소였다. 본격적인 일은 내일 할 거라며 쉬라고 했지만 제대로 잘 수 있을 리가 없었다.

바야흐로 아침.

이제 약혼녀가 되었으니 상식을 배워야 한다며 아침 댓바람부터 이 남자가 쳐들어와서는 나를 응접실 소파에 앉혀 놓았다.

이 상황이 마냥 어색하고 아직도 현실이라는 걸 믿기 어려운데, 나만 빼고 모든 사람이 태연했다.

릴리 궁에서 나를 맞이하는 시녀와 하녀들도, 시종과 심지어 황태자의 측근들마저!

"이미 알겠지만, 확실하게 짚고 넘어가기 위해 한 번 더 설명할게."

이 상황이 대체 뭐가 재미있는지 테르니는 연신 웃음기 어린 표정으로 날 바라보았다.

"나는 테르니 아기라 오비에도. 그리고 넌 오늘부로 아티엔느 셰빌 라바트 오비에도야. 오비에도 후작가의 숨겨진 영애지."

"네?!"

숨겨진 영애라니, 엄청난 얘기를 아무것도 아니라는 식으로 얘기하네.

턱을 쓸며 테르니가 중얼거렸다.

"사실 에센이 도망치지만 않았어도 이런 고생을 할 필요는 없었을 텐데. 아니다, 걔가 도망 안 쳤는데 네가 비밀을 알았으면 죽었으려나?"

게다가 엄청나게 무서운 얘기를 아무것도 아니라는 식으

로 얘기하기까지.

에센. 아마도 황태자의 그녀(?)일 확률이 다분한 남자의 이름이었다.

황태자의 사랑하는 약혼자이자, 그러니까, 여장 남자.

"어쩌다 그런 황태자 놈한테 엮여서. 불쌍하다, 너도 참. 하필 거기서 들키냐?"

테르니가 엄청 불쌍한 걸 봤다는 시선으로 날 동정했다. 동정할 거면 돈으로 줬으면 좋겠다.

아니, 돈은 됐고 이 상황에서 날 해방시켜 줬으면 좋겠다. 나라고 들키고 싶어서 들킨 게 아니란 말이야.

바로 어제까지만 해도 내 삶에는 어떤 파란도 없었다.

비올라 빌바오. 하루 만에 이름이 갈아 치워졌지만, 그것이 원래 내 이름이었다.

귀족으로 태어났으나 가문이 몰락하고, 가족마저 죽어서 혼자 몸을 의탁할 곳이 없어 여러 곳을 전전했다.

그런 나를 딱하게 여긴 아버지의 지인분이 황궁의 시녀로 추천해 주어 이곳으로 들어오게 된 것이 바로 얼마 전이었다.

이제 수습 기간을 어느 정도 끝내고 궁정 시녀로서 본격적으로 생활할 수 있게 되었는데…….

"어쨌든 배워야 될 게 많아. 죽기 싫으면 잘 외워야 돼. 무도회가 2주 남았거든."

테르니가 짐짓 심각한 표정으로 운을 뗐다.

"어떻게 해서든 에센과 비슷해 보이도록 해야 돼. 너도 에센이 한 것처럼 완벽히 약혼녀 역할을 수행해야 한다고. 그래야 뒤지지 않을 테니까."

협박인가 걱정인가 이해할 수가 없었다.

"네. 명심하겠습니다. 오비에도 백작 각하."

"그렇게 딱딱하게 부를 거 없어. 우린 이제 남매니까 말 편하게 해!"

테르니가 빙그레 미소 지었다. 왜인지 그가 기뻐하는 것처럼 느껴지는 건 내 기분 탓일까?

어쨌든 말을 편하게 하라니까 편하게 해도 되겠지?

"네! 백작 각하!"

"말을 편하게 하랬는데 왜 백작 각하야? 편하게 해. 말 놔!"

"아니, 그건 좀……."

"그럼 오라버니라고 부르든가."

"네, 오라버니."

내 대답에 테르니가 만족스럽게 고개를 끄덕였다. 아직도 낯설고 불편했지만 호칭이 달라지니 그나마 마음이 편해졌다.

"시녀 일을 하고 있었으니까 귀족들 얼굴은 잘 알고 있겠지?"

"네. 대충은……."

"대충하면 죽어."

"알아요! 완전 잘 알아요!"

아무것도 몰라도 알아야 되는 상황이었다. 원하는 답을 들은 테르니가 만족스러운 듯 웃었다.

웃음이 나와서 좋겠다. 나는 웃고 싶어도 웃음이 나오지 않는 상황인데……

어떻게 해도 죽을 것 같다는 생각밖에 들지 않았다.

아, 어쩐지 어제는 운수가 좋더라니.

"교육은 다 끝났겠지."

낮고 매끄러운 목소리에 화들짝 놀라 고개를 들었다.

정복 차림의 황태자가 돌연 응접실에 들어서더니 나는 인간 취급도 하지 않고 테르니만 바라보았다.

그냥 들어온 것뿐이었는데도 풍기는 존재감에 기가 질릴 정도였다.

"어, 대충 끝나 가!"

테르니가 환하게 웃으며 대답했다. 명쾌한 그의 대답과 달리 교육은 아직 시작도 하지 않았다.

뭐가 끝나 가는 거지? 내 인생?

테르니의 말에 황태자가 인상을 찡그렸다.

뭐가 불만스러운 건지 황태자가 나를 물끄러미 보았다. 마치 벌레를 훑는 시선 같았다. 그는 움츠리는 나를 보더니 미미하게 인상을 찡그렸다.

내가 뭘 잘못한 걸까?

연신 못마땅한 표정으로 나를 보던 황태자가 다시 테르니를 바라보았다.

"대충하고 나와. 그게 급한 게 아니니까."

싸늘하게 뇌까린 말에 테르니가 바로 인상을 썼다.

"이거 급한 거라며!"

"나와."

쉽게 나오지 않을 것 같았는지 테르니의 뒷덜미를 잡더니 그대로 끌고 나가 버렸다.

황태자의 괴력에 나는 소리 없이 숨죽였다.

문이 닫히기 직전의 찰나, 황태자와 눈이 마주쳤다.

붉은 눈동자가 일순 보인 알지 못할 감정에 나는 고개를 갸웃했다.

뭐지?

✦ 👑 ✦

나의 교육 담당은 두 사람이었다.

하나는 내 오빠라는 테르니, 그리고 다른 하나는 마담 루시라는 이름의 예비 황태자비의 수석 시녀.

마흔 정도 되어 보이는 성숙한 숙녀는 흐트러짐 없는 자세로 언제나 우아했다.

"오호호호홋!"

딱 하나. 웃을 때만 제외하고.

"저를 누구라고 소개해야 하는 걸까요? 그러니까, 저는 아티엔느 아가씨의 수석 시녀인 루시라고 한답니다. 마담 루시라고 불리죠, 호호호. 이제는 아가씨의 시녀겠죠? 오호호."

불과 며칠 전만 해도 시녀였는데 갑자기 나를 따라다니는 시녀가 붙었다.

"걱정 마세요. 저만 믿고 따라오시면 뭐든 해결될 테니까요. 오호호홋."

이 암울한 현실의 한 줄기 빛이나 다름없는 소리였다.

마담 루시는 나를 만나자마자 할 일을 정했다.

"일단 체형이 다르니 옷부터 전부 수선해야겠어요."

당연하다는 듯 말하는데 불현듯 내가 알게 된 진실 하나가 머릿속에 스쳤다.

혹시 이분도 그걸 알고 있는 건지 궁금했다.

그래, 모르고 있진 않겠지? 하지만 혹여 실수라도 하게 되면 곤란했다.

슬그머니 눈치를 보며 운을 뗐다.

"시녀님도 아세요? 그 약혼녀가…… 남……."

"그럼요, 당연하죠! 제가 그분을 여장시켰는걸요? 그 가슴도 제 아이디어였어요. 아무도 남자인 줄 모르던걸요? 오호호호!"

내가 말을 다 끝내기도 전에 알아서 마담 루시가 설명을 해 주었다.

"지금 다급하게 수선해야 할 드레스가 2주 후에 입으셔야 하는 황후 폐하의 탄신 축하 파티 드레스인데, 정말 아름답답니다. 아티 양도 한번 보면 꼭 입고 싶어서 자다가 꿈에 나올 거예요!"

아, 내가 참여해야 하는 빠질 수 없는 무도회가 황후 폐하의 탄신 축하 파티였구나.

"에센 님께서도 무척이나 좋아하셨는데 갑자기 사라지셔

서 슬프네요. 어쩐지 두 분 분위기가 심상치 않더라니."

"두 분이라면……?"

"당연히 에센 님과 아드리안 황태자 전하시죠. 오호홋! 두 분께서 얼마나 각별한 사이셨다고요."

"아……."

"어렸을 때부터 아주 유명했죠. 두 분의 우애에 관해서 말이에요."

"아……."

과연 우애일까?

"아드리안 황태자 전하께서는 에센 님만 한 분이 아니면 절대 같이 파티에 입장도 하지 않겠다고 하셨어요."

"아……."

한순간 착각일지도 모른다고 생각했는데 정말이었던 모양이었다.

그들의 깊은 우애를 응원하고 싶다. 그러면 나는 살 수 있겠지?

뭐 때문인지는 모르겠지만 마담 루시는 신나 보였다. 그에 반해 나는 점점 우울해져만 갔다.

"걱정 마세요, 아가씨도 금방 잘 적응할 수 있을 거예요. 들키지 않을 거라고요!"

정말 그랬으면 좋겠지만, 내 목숨은 너무나 촛불이었다.

"자, 지금 당장 치수를 재죠!"

마담 루시의 말과 함께 하녀들이 하나둘 줄자와 드레스를 가지고 침실로 들어섰다.

설마 이 하녀들이 보는 데서 치수를 재야 하는 건가?

순간 두려웠지만 마담 루시가 줄자를 집어 든 순간 모두 방 밖으로 빠져나갔다.

"괜찮아요. 아티엔느 아가씨의 속옷 차림은 오로지 저만 볼 예정이랍니다. 호호호."

"하하……."

그것참 다행이네요.

누군가의 시중을 받는 것도, 맨몸을 보여 주는 것도 익숙하지 않아서 순간 긴장했다. 황족은 어쩜 그리 시녀나 하녀들에게 쉽게 자신의 몸을 맡길 수 있는 걸까?

목욕도 하녀가 시켜 주고 옷도 하녀가 입혀 주고…….

황태자는 여자를 싫어해서 그 일을 다 남자한테 시킨다는 소리를 듣긴 했는데, 역시 그럼 게이인가?

"자, 여기에 서세요. 아가씨."

마담 루시가 가리킨 곳에 서니 거침없이 걸쳐 입었던 옷이 벗겨졌다.

윽. 역시 부끄러운데.

슈미즈 차림이었지만 어찌할 바를 모르고 쩔쩔매며 서 있으니 무엇이 웃긴지 마담 루시가 웃었다.

"이제 이런 것에 익숙해지셔야 합니다."

"그런가요?"

"당연하죠!"

영원히 익숙해지지 않을 것 같은걸.

다행히 치수 재기는 금방 끝났다.

"그럼 다음으로!"

드디어 교육의 시작인가 싶었지만 마담 루시가 한 말은 내 예상과는 전혀 다른 말이었다.

"다음으로는 새로운 아티 양과 어울리는 색상을 찾아보도록 하죠!"

저기, 제 교육은요?

✦ ♛ ✦

아드리안 브리스흐 카이텔 반 자켈 아펜슨.

아펜니노의 황태자 아드리안은 제국의 유일한 후계자로 장차 완벽한 황제가 될 것이라고 칭송이 자자했다.

두뇌는 말할 것 없고 모든 분야에서 유능했다. 거기다 황후 소생이라 정통성까지 충족한 완벽한 황태자였다.

도덕성…… 은 뭐, 그래 그럴 수 있다 쳐.

알려진 바로는 도덕성에 문제는 없다고 했다. 내 목숨을 파리처럼 대하는 걸 보면 그건 또 아닌 것 같지만.

그리고 황태자에겐 대중들에게 알려지지 않은 심각한 하자가 하나 있었다.

그건 바로 성격이 아주, 무척이나 나쁘다는 것이었다.

아니, 이게 왜 소문이 안 났지? 저 지랄 맞은 성격이 감춘다고 감춰지는 게 아닌데. 이건 사기라고!

저게 어떻게 엄격한 성정이라는 말로 포장이 될 수 있는 거야?

게다가 황태자는 여자를 너무 싫어해서 결혼하라는 위의 압박에도 무시로 일관하고 있다고 했다.

그러던 중 운명의 상대가 나타났으니, 그게 바로 '아티엔느 셰빌 라바트 오비에도'였다.

5대 독자 하나밖에 없던 오비에도 후작가에 갑자기 생긴 딸.

그런데 어떤 수작을 부렸는지 사람들은 그녀의 등장에도 의문을 갖지 않았다.

어쨌든 그 딸은 사실 여장 남자였고, 나는 황태자가 그런 취향을 가지고 있을 줄은 전혀 상상도 못 했다.

어쩐지 여자를 싫어하다 못해 혐오한다는 소문이 자자하더라.

그런데 약혼자는 왜 도망을 친 걸까? 약혼자도 저 더러운 성질머리를 견디지 못한 걸까?

오, 일리 있다. 왠지 약혼자가 왜 도망갔는지 납득할 수 있을 것만 같았다.

"야."

"네?"

갑작스레 들려오는 낮은 목소리에 잠에서 깨어나듯 화들짝 놀랐다.

눈을 크게 뜨고 정면을 보니 황태자가 무시무시한 표정을 지으며 나를 노려보고 있었다.

뭐, 뭐지. 또 죽을 위기인가?

……아무래도 그런 것 같았다.

"무슨 생각 하고 있지?"

“아…… . 저기, 음…… 그게…… .”

차마 너의 약혼자가 불쌍하다는 생각을 했다는 말을 그대로 전할 수가 없었다.

내가 우물거리고 제대로 말을 못 하고 있자 황태자가 칼집에 손을 가져갔다.

“그냥 여기서 이 세상을 하직하고 싶나?”

“자, 잠시 딴생각을 했어요!”

내 변명에 황태자는 오히려 표정을 굳혔다.

뭔지 몰라도 심기를 단단히 거스른 것 같았다.

“감히 내가 앞에 있는데 딴생각을 하다니, 이제 그만 이 세상과 작별을 고하고 싶은 모양이군?”

“살려 주세요! 잘못했어요!”

“그건 두고 봐야지.”

두고 보다가 죽일 생각인가 보다. 우리를 옆에서 지켜보던 테르니가 끼어들었다.

“아드리안, 그만 놀려~ .”

설마 나를 놀린 건가?

하지만 황태자는 테르니의 말 따위는 들은 척도 안 했다.

나는 칼집에 아직도 향해 있는 황태자의 손을 응시했다. 곧 뽑힐 듯 아슬아슬했다.

저게 뽑히면 나는 곧 목이 베어 죽겠지. 흑흑. 죽고 싶지 않아! 아직 내 집 마련의 꿈을 이루지 못했다고!

애절한 표정으로 황태자를 바라보자 그가 차갑게 뇌까렸다.

“내가 무슨 말 했는지 대답해 봐.”

"어……."

다른 생각에 빠져 있던 터라 황태자가 뭐라고 했는지 알리가 없었다.

아, 이대로 여기서 세상을 하직하나.

마지막 희망을 품고 슬쩍 황태자의 뒤편에 서 있는 사람들을 쳐다보았다.

황태자의 뒤에는 남자 두 명이 서 있었다.

한 명은 옅은 분홍빛 머리와 연두색 눈동자를 가진 남자였다. 언젠가 보았던 장미석을 떠올리게 하는 머리 색이었다.

연두색 눈동자가 아무 관심도 없는 듯 나를 무심하게 훑었다.

역시 황태자의 측근 기사 디아노는 검술밖에 모른다는 소문이 진짜였구나.

그리고 그 옆에는 자칭 나의 오빠라고 하는 남자, 테르니가 서 있었다.

썩은 동아줄이라도 잡는 심정으로 그들을 훑다가 테르니와 눈이 마주쳤다.

무심한 태도의 남자, 디아노는 내게 아무 도움도 주지 않을 것 같아서 나는 테르니를 애절한 시선으로 바라보았다.

오빠, 아까처럼 한 번만 더 도와주세요. 여동생을 이렇게 저세상으로 보내실 겁니까?

그러나 테르니는 웃음기 있는 얼굴로 나를 바라볼 뿐 아무런 태도도 취하지 않았다.

……보내실 건가 봅니다.

이 집안은 콩가루 집안이었던 건가.

매섭게 바라보는 황태자의 시선에 나는 금방이라도 녹아 없어질 것만 같았다. 그만큼 내 목숨은 간당간당했다.

나는 그 앞에서 기억에도 없는 황태자의 대사를 추측했다. 하지만 아무것도 떠오르지 않았다.

당연하지! 들은 게 없는데 떠오를 리가!

망했어! 난 이제 죽었어!

"아직 대답이 안 들리는데."

황태자의 목소리에 짜증이 묻어났다.

무심코 고개를 살짝 들었다가 뭐라고 중얼거리는 듯한 테르니를 발견했다.

뭐라고 하는 거지? 나는 잠자코 그 입 모양에 집중했다.

게……, 게 뭐?

"갑자기 말하는 법을 잊어버리기라도 했나?"

차가운 황태자의 말에 나는 깜짝 놀라 말을 내뱉었다.

"게, 게이?"

"뭐? 그게 무슨 헛소리야?"

뭐야. 게이라고 한 거 아니었어?

황급히 고개를 돌려 테르니가 있는 쪽을 보았다. 놈은 소리 없이 꺽꺽대며 웃으며 서서히 침몰하고 있는 중이었다.

저 인간이 일부러 나를 엿 먹이기 위해서 그런 게 틀림없었다.

본인에게는 일상의 소소한 재미겠지만, 내게는 목숨이 걸려 있다는 것을 조금만이라도 생각해 주면 안 될까.

황태자가 조용히 검을 뽑았다.

나는 살기 위해 자존심 따위 내던지고 빌었다.

"죄송해요! 잘못했어요! 살려 주세요!"

하지만 황태자는 내 애절한 목소리는 들리지 않는다는 듯 날카롭게 웃었다.

"내가 기회를 그렇게 여러 번 줬는데도."

와, 거짓말…….

입에 침도 안 바르고 거짓말을 하다니. 기회를 준 적은 단 한 번도 없었다!

따지고 싶은 마음이 굴뚝같았지만 안타깝게도 내 목숨이 더 소중했다.

두려움을 꾹 눌러 참으며 애절하게 황태자를 올려다보았다.

"뭐라고 하셨는지 못 들었어요. 죄송해요."

"귀는 왜 달고 다니는 거지?"

"그러게요, 쓸모없는 귀……. 장식인가 봐요……."

나는 황태자의 말에 수긍하며 자학했다.

감히 고귀하신 황태자 전하의 존엄하신 음성을 듣지 못했습니다. 모두 다 제 잘못입니다…….

곧 사라질 내 목숨에 스스로 애도하고 있는데, 황태자가 뒤를 돌아 테르니에게 시선을 주었다.

"애 멍청한 거 같은데 쓸모없지 않을까? 금방 들킬 것 같은데."

"그래도 없는 것보단 낫잖아!"

발랄한 대답에 속에서 뭔가가 울컥했다. 때리는 시어머

니보다 말리는 시누이가 밉다더니 딱 그 짝이었다.

이 나쁜 자식!

내 오빠라더니, 오빠는 개뿔 나를 사지로 밀어 넣고 있었다.

아무래도 정말 나를 죽이려고 결심한 모양인데, 왜 저 오빠라는 자식은 갑자기 게이라고 중얼거려서……

그 입 모양을 말로 내뱉은 죄밖에 없는 나로선 아주 억울했다.

게이라고 말했다는 죄로 죽는 건 너무 비참하잖아! 비참하다 못해 우스꽝스러운 죽음이었다.

하늘에 있는 부모님께 내가 죽은 이유를 말하기 너무 수치스러울 것 같았다.

딸이 게이라고 말한 죄로 황태자에게 죽임당했습니다, 어머니…….

황태자는 검에서 손을 뗄 생각이 없어 보였다.

"그래도 눈치는 있는 것 같은데요."

잠자코 상황을 지켜보기만 하던 분홍색 머리의 남자, 디아노가 끼어들었다.

나에게는 관심도 없어 보였는데 갑자기 나서는 모습에 의아했지만, 일단 내 목숨이 연장되었다는 사실에 감사했다.

이때까지 이 남자가 했던 행동으로 보아 황태자의 추종자인 게 분명했다.

이 인간은 황태자가 무슨 말이나 행동을 하면 눈을 빛내고 관찰했으니까.

황태자는 못마땅한 표정으로 디아노를 쏘아보았다.

"지금 반항하는 건가?"

"아닙니다. 제가 어찌 감히 전하의 명에 반박하겠습니까."

"반박했어, 너."

"아, 아닌데……."

도와주는 척하더니 아무짝에도 쓸모없었다. 게다가 은근히 허당 같은 구석이 있었다.

이런. 사방이 적이었다. 이 인간들은 나를 죽이지 못해서 안달이 난 것 같았다.

죽고 싶지 않아요, 엄마…….

하지만 상황을 봐선 오늘이 내 제삿날인 것 같았다.

상황을 지켜보던 테르니가 의미심장하게 웃었다.

"전하. 너 그럼 '그 여자'랑 결혼할 거예요?"

존댓말을 하든 반말을 하든 하나만 고르지, 테르니는 웬해괴한 어투를 구사했다.

"너도 죽고 싶냐?"

"앗, 죄송."

테르니는 금세 입을 닫았다.

그나저나 '그 여자'는 대체 누구일까? 마리에 공주님의 심부름을 왔을 때에도 '그 여자'라고 하는 걸 들은 기억이 났다.

안타깝게도 그들은 내게 설명해 줄 생각이 전혀 없는 듯했다. 당사자인 나를 두고 열심히 대화를 나누기 시작했으니까.

다행이라면 주제가 '내 죽음'에서 '그 여자'로 바뀌었다는 것일까. 나는 그 사실 하나만으로도 너무 기뻤다.

　계속 나를 왕따시켜 주세요.

　저들끼리 대화를 하던 중, 디아노가 갑자기 나를 돌아보았다.

　"공주님이 이 시녀를 찾던데요. 전하께 심부름 보냈는데 안 돌아왔다고."

　디아노의 표정은 심각했다.

　그랬지, 나. 황태자 전하께 도자기 전달하라는 심부름 왔었지.

　그런데 졸지에 내 존재는 이 세상에서 사라지고 난데없이 '아티엔느 셰빌 라바트 오비에도'라는 이름을 갖게 되었다.

　보통 사람이라면 신분 상승인가 하고 기뻐할 수도 있겠지만 나는 아니었다.

　신분이 상승하면 뭐 해, 뭐만 하면 죽을 위기에 처하는데!

　오늘만 해도 여러 번 죽을 고비를 넘기지 않았는가.

　"죽었다고 하라고 했잖아."

　"아니, 그걸 누가 믿어? 안 믿던 눈치던데."

　"적당히 알아서 해."

　황태자는 디아노와 테르니에게 귀찮다는 듯 손을 내저었다.

　나는 적당히 알아서 해야 하는 것이 되었다.

　"아, 또 어려운 거 시키시네."

　어려운 것도 되었다.

　테르니는 정말 귀찮다는 듯 인상을 썼지만 이내 나와 눈을 마주치고 본래의 웃음기 있는 표정으로 되돌렸다.

그러든가 말든가 나는 이 대화에 도저히 낄 수가 없었다. 대화의 주제는 난데, 여기서 나는 철저히 소외당하고 있었다.

그 사실에 더없이 만족하고 있는데 난데없이 디아노가 입을 열었다.

"전하. 죽일 거면 차라리 빨리 죽여서 치워 버리는 게 낫지 않을까 싶습니다."

저, 저 입을 꿰매 버려야 돼. 저 자식은 왜 갑자기 남의 목숨 가지고 막말이야.

아까는 나더러 눈치 있다더니 이제는 갑자기 죽이란다.

안 죽을 거라고! 살고 싶다고, 진짜로!

그러나 내 마음의 소리는 그 누구에게도 들리지 않은 듯했다. 이대로 죽는 건가 싶어 황태자의 표정을 살폈다.

"저건 또 무슨 헛소리야."

황태자의 말에 내 표정이 환해졌다. 다행히 나를 죽이진 않을 모양이었다.

처음으로 우리의 마음이 맞았다.

황태자는 짜증이 가득 묻은 목소리로 디아노를 노려보았다.

"그럼 네가 그 미친 여자랑 결혼할 거냐?"

"아니, 전하. 해도 되는 말이 있고 안 되는 말이 있는 법인데, 어떻게 그런 심한 말을……."

미친 여자가 도대체 누군데 디아노가 충격과 공포로 점철된 표정을 짓는 거지?

정말 들어선 안 되는 말을 들은 듯 디아노의 얼굴은 사색이 되어 있었다.

딱 봐도 미친 여자가 싫다 못해 공포스러워 보였다.

이내 그는 고개를 아래로 떨어뜨리며 머리를 쥐었다. 괴로워 보였다.

"……차라리 죽겠습니다."

"아니, 죽을 필요까진 없어."

부럽다. 난 살고 싶어도 죽이겠다고 난린데.

대화를 가만히 듣고 있다가 궁금한 게 생겼다. 가만히 눈치를 보고 있다가 조용한 틈을 타 슬쩍 입을 열었다.

"그런데…… 꼭 약혼녀가 있어야 하나요?"

지금까지 황태자는 약혼녀가 없어도 웃어른들의 압박을 잘 견뎌 왔었다.

오히려 난데없이 데리고 온 약혼녀의 존재에 사람들이 놀라워했던 게 기억났다.

굳이 대타까지 구할 거 없이 그냥 없어도 될 것 같은데…….

황태자는 내 질문이 귀찮은 듯 입을 꾹 닫고 있다가 대충한 음절 내뱉었다.

"어."

"왜요?"

"네가 그걸 알아야 할 이유가 있나?"

"……아뇨."

"네 할 일에 집중하도록."

"네, 그러겠습니다."

고개를 숙이고 있으려니 테르니가 끼어들었다.

"애한테 왜 그러냐, 궁금할 수도 있지. 그치?"

끄덕.

결국 내 질문에 대답한 건 황태자가 아니라 테르니였다.

"황후 폐하께선 하루빨리 황태자 전하가 결혼하길 원하거든. 그동안은 나이가 어리다고 어떻게든 피해 다녔는데 이제 스무 살이 넘어서 슬슬 결혼 적령기가 되어 버리는 바람에 그것도 실패했어!"

"아, 그렇군요."

"그런데 황후 폐하께서는 아드리안이 마땅한 상대가 없으면 어떤 영애랑 결혼하길 밀고 계신데, 그 여자가 아주…… 굉장해."

테르니는 고개를 절레절레 저었다. 인상을 잔뜩 쓴 표정이 썩어 있었다.

테르니도 디아노와 마찬가지로 그 영애를 싫어하는 기색이었다.

"그 미친 여자를 황태자비로 만드느니, 차라리 이 제국을 멸망시키는 게 낫지."

황태자는 차갑게 웃으며 냉소적으로 중얼거렸다.

정말 여자를 싫어하는구나.

역시 게이인가 보다.

그의 발언은 내 확신에 확신을 더해 주었다.

얼마나 여자가 싫으면 사랑하는 남자를 데려다가 여장을 시켰을까?

황태자도 어지간히 불쌍한 남자였다. 황태자로 태어나서

게이라니, 이 얼마나 슬픈 인생인가.

내가 황태자를 동정하는 사이 또 다른 대화가 이어지고 있었다.

황태자와 두 명의 떨거지들은 심각하게 이야기를 나눴다.

"에셴 찾았어?"

"아니, 도망쳤나 봐. 엄청 멀리."

"네가 침대에서 너무 격렬했잖아."

투덜대는 테르니의 말에 내 손에 들려 있던 찻잔이 바닥으로 수직 하강했다.

털거덕―.

다행히 카펫 덕분에 잔이 깨지진 않았지만, 세 남자의 시선이 내게 집중되는 건 막을 수 없었다.

치, 침대, 격렬.

그 단어의 조합에 내 시선이 방황했다. 나는 어색하게 웃으며 떨어진 찻잔을 주웠다.

"저는 공기예요. 하시던 거 마저 하세요."

"요즘 공기는 소리도 내나 보군."

"하하……. 거참 신기하죠?"

내 헛소리에도 불구하고 다행히 황태자는 금세 내게 관심을 껐다.

내가 다시 소파 한구석에 쭈그러지자 그들은 멈췄던 대화를 시작했다.

나는 조용히 그 이야기에 귀를 기울였다. 단서가 최대한 많은 편이 내 생존에 유리했으니까.

지금까지 이야기를 전체적으로 조합해 볼 때, 에센이라는 사람이 바로 황태자의 약혼녀이자 황태자의 친위 기사였던 모양이었다.

약혼녀라기엔 남자인 게 문제지만, 뭐 아무튼.

황후가 어떤 여자와 결혼을 추진하자 황태자가 평소에 사랑하고 있던 에센이라는 기사에게 새로운 신분을 부여하여 약혼녀로 삼은 것 같았다.

그 어떤 여자가 바로 대화에 종종 등장했던 '그 여자'고.

음, 그렇게 된 거군. 이제 슬슬 정리가 되는 것 같았다.

"작정하고 튀었어. 어디로 갔는지 못 찾겠어."

"설마 집으로 간 건 아닐까요?"

"아니. 내가 그쪽에 연락을 해 봤는데 안 갔더라고."

에센이라는 기사가 꼭꼭 숨었나 본데, 대체 침대에서 얼마나 격렬했으면 그렇게 필사적으로 도망치는 건지 궁금했다.

슬쩍 황태자를 바라보았다가 행여 눈을 마주칠까 싶어서 다시 시선을 찻잔에 처박았다.

흑흑, 비굴한 인생.

"그럼 어디로 간 거지? 걔를 빨리 찾아야 될 텐데."

"대타가 있는데 군이 찾아야 할 필요가 있을까?"

테르니와 디아노의 대화에 황태자가 끼어들었다. 그는 턱짓으로 가만히 나를 가리켰다.

나는 깜짝 놀라며 허리를 곧추세웠다.

왜? 뭐, 뭔데?

"……저걸 믿고?"

어느새 세 남자의 시선이 다시 내게 향해 있었다.

와, 조금 부담스러운데요.

나는 어색하게 웃으며 몸을 움츠렸다. 어쩐지 그래야 할 것 같았다.

"어쨌든 2주일 동안 쓸모 있게 만들어 봐. 황후 탄신 기념 파티는 어떻게든 무사히 넘겨야 한다고."

황후 탄신 기념 파티라는 말에 얼굴에 핏기가 가시는 게 느껴졌다.

2주일 후에 열린다는 그 파티에는 내가 속여야 할 인물들이 대거로 참석했다.

황후 탄신 기념 파티니 당연히 황후 폐하도 오실 테고, 황제 폐하도 오시겠지.

오, 황제라니…….

감히 그 자리에서 약혼녀 연기를 제대로 할 자신이 없었다.

"저기 만약, 제가 가짜인 걸 들키게 되면 어떻게 되나요?"

"죽거나 뒤지겠지."

아, 숙연…….

세 명의 남자는 다시 자기들끼리 이야기하기 시작했다.

"하하. 그 여자도 오겠지?"

"그 파티광이 안 올 리가 없지."

테르니가 질문하자 황태자가 질린다는 듯 썩은 표정으로 대꾸했다.

아무래도 모두가 기피하는 그 여자는 파티광인 모양이었다.

파티라. 몰락 귀족 출신이긴 하지만 몰락했기 때문에 파티에 가 본 적은 없었다.

또한, 입궁한 지 6개월이 되었음에도 파티가 열리는 장소 근처에도 간 적이 없었고.

2주일 후의 내 미래가 심히 두려워졌다.

"그런데, 대체 뭘 해야 돼?"

테르니가 대화를 하다 말고 내 쪽으로 턱을 괴었다. 그 시선을 그대로 마주한 난 두 눈을 크게 뜨고 살짝 뒤로 물러났다.

테르니의 질문에 대답한 건 가만히 지켜보기만 하던 디아노였다.

"에센은 일단 기본적으로 말을 안 했어."

"그건 그냥 지가 내키는 대로 말하기 싫어서 그런 거잖아."

"똑같이 해야지. 갑자기 성격이 바뀌면 이상하니까."

평소에 말을 하지 않았다는 정보는 내게 큰 도움이 되었다. 적어도 말실수로 목이 날아갈 위험은 덜었으니까.

"그리고 또 그 자식이 뭘 했지?"

"글쎄. 워낙 알아서 잘해서 기억이 안 나는걸."

에센이라는 기사가 어떻게 약혼자 역할을 수행했는지에 대해서 황태자를 제외한 두 남자가 격렬하게 고민했다.

그 모습을 말없이 응시하던 황태자가 인상을 와작 찡그리며 손을 내저었다.

"니들끼리 알아서 해. 내가 왜 이런 걸 신경 써야 하지? 그만 꺼져."

그 대사에 한순간 주위가 고요해졌다.

멍한 표정으로 황태자를 바라보던 테르니가 갑자기 박수를 쳤다.

"폭군의 자질이 보인다."

포, 폭군.

저러다가 황태사에게 죽는 건 아닐까 싶을 정도로 참신한 비아냥거림이었다.

그리고 가만히 있을 것만 같던 디아노도 함께 거들었다.

"훌륭한 폭군이 되실 겁니다, 전하."

빙그레 웃으며 하는 말에는 한 조각의 의심도 담겨 있지 않았다. 정말로 저 황태자가 훌륭한 폭군이 될 거라는 믿음이 담겨 있었다.

이 인간들, 어떻게 지금까지 살아 있는 거지? 황태자 앞에서 이렇게 굴다간 목숨이 사라질 게 뻔한데…….

역시나 이들의 반응에 심기가 불편한지 황태자의 표정이 더 무시무시해졌다.

그는 디아노를 노려보았다.

"넌 지금, 그게 칭찬이냐?"

그러자 디아노가 정중하게 예를 표하며 황태자의 앞에 무릎 꿇었다.

"죄송합니다, 죽여 주십시오."

"아니, 죽일 건 없고."

부럽다. 계속 죽여 달라고 하는데도 안 죽이고. 난 살려 달라고 비는데도 죽여 버린다고 난린데.

"알아서 잘해 봐."

황태자가 귀찮은 듯 고개를 내젓자 우리는 그대로 내쫓겼다.

그런데 행복했다. 이대로 영원히 내쫓김당하고 싶었다. 할 수 있다면 황궁 바깥으로 꺼져 버리고 싶었다.

황태자가 있는 한 여긴 너무 위험했으니까.

어느새 내 옆에 바짝 붙은 테르니가 내게 손짓했다.

"자, 그럼 우린 단란한 남매의 대화를 해 볼까?"

대체 언제 봤다고 남매래. 피 한 방울 안 섞인 남인 주제에.

하지만 나는 아무런 힘이 없었으므로 어색하게 웃으며 테르니의 뒤를 따라갈 수밖에 없었다.

Chapter 2. 예비 황태자비로 산다는 것은

Chapter 2. 예비 황태자비로 산다는 것은

황태자의 약혼녀가 된 지 이제 사흘.

나는 열심히 공부 중이었다. 왜냐하면 내가 살 길은 이것뿐이니까!

처음엔 이대로 도망을 치고 싶다는 충동에 휩싸였으나 그런 마음도 오래가지 못했다.

"아티, 설마 탈출하려고 하는 건 아니겠지?"

"서, 설마 탈출이라니요."

"흐음. 그냥 걱정돼서 한마디 하는 건데. 아티, 잊지 마. 상대는 아드리안이야."

"네, 잘 알고 있어요……."

테르니가 갑자기 어디서 냄새를 맡고 물어보는 건지 모르겠지만 무척이나 뜨끔했다.

"저기, 근데, 만약에 탈출을 시도하다가 발각되면 이후에는 어떻게 될까요……?"

"뭘 어떻게 돼. 죽거나 뒤지겠지."

"아."

"너도 잘 알고 있겠지만 황족이 사는 내궁은 황궁에서도 가장 경비가 삼엄하고, 특히 릴리 궁과 포인세티아 궁은 에센 때문에 요즘 더 경비를 늘렸어."

"아, 그렇군요."

"그리고 아드리안은 자비가 없다? 지금 네가 살아 있는 것도 아드리안의 유례없는 자비일 거야."

핏기가 싹 가셨다. 테르니는 하하 웃더니 고개를 끄덕였다.

"그냥 그렇다고~!"

그냥 그렇구나!

"아티. 이 오라버니는 오라버니니까 아드리안한테 까불어도 살아남지만 넌 아냐. 오래도록 살아남길 바란다, 내 동생."

그날로 나는 탈출을 하려던 생각을 완전히 접어 버렸다. 테르니가 의도한 것이든 아니든 그 말에 거짓이 없다는 것은 확실했다.

그 이후로 나는 공부에 필사적으로 매달리기 시작했다.

지금은 황궁의 돌아가는 사정이나 귀족으로서 갖춰야 할 여러 가지 것들에 대해서 배우고 있었다.

내 출신 성분이 몰락 귀족이라서 그나마 열심히 배워서 따라갈 수 있었던 거지 아니었으면 이미 황태자의 손에 죽었을 것이다.

그만큼 수업은 자비 없었고 엄청나게 빡빡했다. 하지만 나는 기뻤다.

공부를 할수록 살아남을 확률이 높아지는 것이니까!

"이 옷은 어때요? 호호호."

그러나 나는 지금, 마담 루시의 웃음소리를 들으며 말라가고 있었다.

일명 황태자의 유모이자 지금은 약혼녀인 아티엔느의 수석 시녀가 된 마담 루시였다.

"저기…… 교육은……."

하루빨리 더 많은 지식을 머리에 넣어서 나의 생존 확률을 높여야 하는데 마담 루시는 전혀 거기에 관심이 없었다.

조금만 테르니와 황태자의 관심이 멀어지면 날 붙잡고 이 옷을 입힐까, 저 옷을 입힐까에 열중해 버렸다.

"이 옷도 예쁘죠? 하하하하."

저 옷이 예쁘건 말건 내 목숨이랑 하등 상관이 없었다. 내가 바라는 건 생존을 위한 공부였다.

나를 가르쳐야 할 마담 루시는 교육에는 전혀 관심이 없으니, 내 미래가 어두컴컴했다.

아무래도 나는 불운을 타고난 게 분명하다. 절망에 빠져 있던 나는 주먹을 불끈 쥐었다.

아니야. 아직 죽지 않았어. 뭔가 살 방법이 있을 거야!

"저, 마담 루시."

"색깔은 이것도 좋을 것 같죠? 오호호호."

으아악! 마담 루시는 사실 나를 죽이러 온 암살자인 게 분명했다.

그렇지 않고서야 내 교육을 이렇게 완벽하게 방해할 순 없었으니까.

이대로 가다간 오늘 정말로 드레스와 액세서리만 고르다 끝날 것 같아서 목소리를 가다듬고 짐짓 심각하게 입을 열었다.

"아니, 저기 교육은 언제⋯⋯."

내가 말을 끝맺기도 전에 마담 루시가 들고 있던 드레스를 옆에 걸어 놓으며 뭐가 문제냐는 듯 화사하게 웃었다.

"호호호, 괜찮아요! 잘하실 거라는 느낌이 들어요!"

아는 게 없는데 뭘 잘해요!

도대체 뭐라고 따져야 하는지 알 수가 없어서 막막해하고 있을 때였다.

똑똑. 노크와 함께 문이 천천히 열렸다.

"네~. 들어오세요~."

또 황태자인가?

긴장했는데 다행히 황태자는 아니었다. 이번에 나를 방문한 사람은 디아노였다.

황태자의 추종자⋯⋯.

다분히 귀찮다는 표정을 짓고 들어온 녀석이 나는 쳐다보지도 않고 바로 마담 루시를 향해 물었다.

"잘돼 가죠?"

"그럼요! 완벽해요! 퍼펙트! 오호호호!"

"그래요? 잘됐네."

뭐가 완벽하다는 거지? 완벽하게 망하는 거라면 완벽했다. 나는 지금 완벽하게 죽음을 준비하고 있었으니까.

예쁜 드레스를 차려입고 죽는 게 지금 내게 놓인 미래였다.

디아노는 별 확인도 안 하고 마담 루시의 말만 듣고 방을 나가 버렸다.

저, 저……. 완전히 직무 유기잖아. 내가 준비가 잘 되었는지 꼼꼼히 확인하고 가야 할 것 아니야!

디아노의 뒷모습을 보고 뒷목을 잡고 있는 나를 보며 마담 루시는 오호호홋 하고 웃었다.

✦ ♛ ✦

아티엔느가 완벽한 예비 황태자비 노릇을 하기 위해 교육에 들어간 지 벌써 며칠이 지났다.

아드리안으로서는 별 기대 없이, 아니지, 쟤가 뭘 할 수 있겠나 싶은 마음 반, 지푸라기라도 잡자 하는 심정 반으로 시킨 일이었는데 의외로 시간이 지날수록 성과가 괜찮았다.

아드리안은 냉정하게 새로운 아티엔느에 대해 평가해 보았다.

애가 얼이 빠지고 멍청하고 부족해 보이긴 하지만 눈치는 있고 상황 파악 능력도 괜찮았다.

기분 맞출 줄도 알고 나름 목숨을 걸어서인지 수업 내용의 습득도 빠르다는 보고도 있었다.

뭐, 지가 안 죽으려면 목숨 걸고 노력하는 건 당연한 것이었지만, 별개로 점점 쓸 만해졌다.

이건 예상외의 성과였다.

가르쳐 놔도 쓸모없을 것 같았는데.

"원래 귀족이라 그런지 몰라도, 정말 자질이 있다니까?"

테르니가 아티엔느를 적극적으로 옹호했다.

'우리 아티'거리면서 챙겨 대는 꼴이 여간 가관이 아니었다. 진짜 남매도 아닌 주제에.

그나저나 자질? 아드리안이 의문을 표했다.

"무슨 자질? 황태자비가 될 자질 말이냐?"

"아니!"

"그럼 뭔데."

"내 동생이 될 자질♥."

저걸 죽여 버릴까.

죽이라면 여기서 당장 죽일 수 있었으나 참아 냈다.

아직 아드리안 안에 있는 1할의 이성이 저 자식을 죽이면 자신이 떠맡을 귀찮아질 일이 넘쳐나기에 안 된다며 말리고 있었다.

후. 그래. 아직은 아니야.

아드리안은 어릴 적부터 다짐했다.

저 자식이 없어서 귀찮아질 일을 감수할 정도로 열 받으면 그땐 직접 죽일 것이라고.

다행인지 불행인지 테르니는 수위 조절을 할 줄 알았다.

"귀여운 동생이 생겨서 너무 좋아. 어찌나 내 말을 잘 듣는지."

"그건 네가 협박해서, 읍!"

테르니 옆에 앉아 있던 디아노가 의문의 신음을 흘렸다. 테르니는 서류철로 디아노의 입을 막은 뒤 싱긋 웃었다.

"아 참, 아드리안. 오늘은 드.디.어. 댄스 수업을 시작하는데 상대해 주러 올 거야?"

"가겠냐, 멍청아."

"그렇지? 어쩔 수 없이 이 너그러운 오라버니가 가 줘야겠네. 흑흑, 불쌍한 내 동생."

테르니는 혼자 뭔가를 중얼거리더니 다 본 서류를 아드리안에게 넘기고 그대로 아티엔느의 수업을 하러 가 버렸다.

아드리안은 눈을 가늘게 뜨며 사라지는 테르니의 뒷모습을 보았다.

분명 처음엔 귀찮아했던 것 같은데.

갑자기 뭐가 그렇게 좋아진 건지 테르니는 요즘 거의 신이 나서 아티엔느를 붙들고 놀고 있었다.

에센이 아티엔느 노릇 하던 시절에도 놀리는 게 재미있다며 오빠 놀이를 즐기던 놈인데 이번에도 그 비슷한 모양이었다.

오히려 묘하게 에센을 놀렸던 때보다 더 좋아하는 것 같다는 생각을 했다.

✦ ♛ ✦

"일단 옷을 50벌 정도 주문해 놨답니다."

"무슨 50벌씩이나……."

나는 오늘도 나를 가르쳐 줄 생각이 없는 마담 루시를 바라보았다. 마담 루시는 오로지 무도회 준비만을 바라보고 있었다.

그 옷을 평생 다 입을 수 있긴 한 건가?

내가 창백해진 안색으로 마담 루시를 바라보는데 마담 루시가 두 눈을 동그랗게 뜨더니 고개를 절레절레 저었다.

"아가씨는 처음이라서 일부러 검소하게 주문했다고요. 다음엔 한 200벌씩 사도록 해요. 오호호홋! 고르는 재미가 있겠죠?"

나를 이용해서 인형 놀이를 하고 싶은 모양이었다.

200벌에 기가 질려서 아무 말도 못 하고 있는데 마담 루시가 내 몸을 위아래로 쓱 훑어보더니 손으로 입을 가리며 웃었다.

"내일은 액세서리도 같이 고르도록 해요. 오호호."

빌어먹을 오호호. 나도 모르게 험악한 속마음이 튀어나왔다. 저 웃음소리에 노이로제가 생길 지경이었다.

마담 루시는 내 교육을 도와주지 않았고, 고로 생존은 오로지 내 몫이었다. 오히려 오호호 웃으며 나를 꾸미는 데에만 열중했다.

엄마, 살고 싶어요…….

도무지 나를 도와줄 생각 없는 마담 루시를 외면하고 소파에 앉아 한숨만 연거푸 내쉬는데 이번에도 작은 노크 소리가 문 쪽에서 들렸다.

마담 루시가 드레스를 갈무리하며 대답했다.

"네~."

이번에는 또 누구지?

제발 테르니였으면 좋겠다는 생각이 들었다. 그나마 테르니가 내가 살아남는 데 필요한 정보를 제일 많이 주었기 때문이다.

하지만 문을 열고 들어온 건 한 하녀였다.

하녀가 쪼르르 마담 루시에게 가더니 귓속말로 무어라 소곤거렸다. 잠시 후 마담 루시가 나를 보며 양해를 구하는 표정으로 웃었다.

"호호호, 거기 잠깐 앉아 계세요."

"네?"

무슨 일인지 설명도 하지 않고 마담 루시가 그대로 하녀와 함께 방을 나가 버렸다.

졸지에 혼자 남은 나는 황당해졌다. 혼자 남아서 뭘 어쩌라는 걸까?

방 안을 한번 둘러보았다.

기가 질리도록 넘쳐나는 드레스와 액세서리가 이리저리 쌓여 있었다. 새삼 감회가 새로웠다.

나는 싸구려 드레스 하나 사는 것도 엄청난 부담이었는데.

엄마는 낡은 파티용 드레스 하나를 애지중지하면서 일 년에 몇 번 없는 파티에 초대받으면 그걸 차려입고 나가곤 했었다.

드레스가 얼마나 비싼 물건인지 잘 알고 있기 때문에 지금 내 주위에 한가득 쌓여 있는 비싼 드레스들이 부담스럽기만 했다.

잘못 만져서 때가 타거나 구겨지거나 하면 물어내야 할지도 몰라서 아예 만질 엄두도 나지 않았다.

보석을 훔쳐 가서 나중에 걸리면 진짜 죽을 테니 액세서리도 아예 건드리지 않았다.

괜히 만졌다간 가지고 가고 싶어질 것 같아서.

이거 하나면 거의 평생은 놀고먹을 수 있는 돈이 내게 떨어지는 것이었으니까.

아마 훔쳐 가면 어디다 팔기 전에 잡혀서 죽겠지.

바로 떠오르는 황태자의 얼굴과 함께 온몸에 소름이 돋았다.

몸을 부르르 떨며 나는 왜 이렇게 마담 루시가 돌아오지 않는지 의아해 방문 쪽으로 걸어갔다.

나가도 되나?

나는 문을 열려다가 멈칫했다.

"가브리엘 님이 황후 폐하께 가 있다며?"

"지금?"

나갈 때 문을 꽉 닫고 가지 않은 건지 살짝 열린 문 사이로 하녀들의 수다 소리가 흘러들어 왔다.

"정말 뻔질나게도 드나든다. 쯧쯧."

"황태자 전하와 결혼하고 싶어서겠지."

혀를 차는 소리가 들려왔다.

가브리엘이라면 유명한 재상가의 영애였다.

아, 설마 황태자가 말하는 미친 여자가 이 사람인 것일까?

문가에 귀를 대고 하녀들의 목소리를 더 듣기 위해 귀를 기울였다.

마침 한 하녀가 영문을 모르겠다는 듯 중얼거렸다.

"황태자 전하께선 가브리엘 영애를 왜 그렇게 싫어하실까? 그렇게 예쁜데 말이야."

"너 그 소문 몰라?"

다른 하녀가 아는 척을 했다.

"뭐? 무슨 소문?"

나도 호기심에 가득 차 귀를 쫑긋 세웠다.

"황태자 전하, 남자 좋아하시잖아!"

"헉, 진짜?"

다른 하녀들의 숨넘어가는 소리가 크게 들렸다.

나도 놀랐다.

이미 알고 있는 사실이었지만 다른 사람 입으로 들으니 감회가 새로웠다.

소문을 말한 하녀가 확신에 차 지껄였다.

"그래! 가브리엘 님도 싫어하시고 다른 영애도 싫어하시잖아."

"아니, 그렇다고 남자를 좋아한다고 단언하기에는 좀……."

다른 하녀들이 손사래를 쳤다.

"그래, 아티엔느 님이 계시잖아."

쯧쯧. 소문을 말하던 하녀가 뭘 모른다는 듯 혀를 찼다. 그러더니 한층 낮게 깐 목소리로 음흉하게 입을 열었다.

"사실 아티엔느 님이 연막이라는 소문이 있어."

나……. 연막이었나…….

"아티엔느 아가씨!"

아티엔느가 누구지? 아, 나였지! 익숙한 이름이 아니라서 뭔가 했다.

문가에 서 있다가 마담 루시가 나를 부르는 걸 보고 고개를 끄덕였다.

어디를 다녀온 건지 알 수 없는 마담 루시의 손에는 엄청나게 두꺼운 백과사전 같은 녀석이 들려 있었다.

다시 방 안으로 들어와 의자에 앉자 마담 루시가 엄청나게 두꺼운 그것을 내 앞에 탁 내려놓았다.

"자, 이제 이걸 외우실 거예요! 오호호."

마담 루시가 내려놓은 것은 흉기였다.

그래, 저건 흉기야. 저게 책일 리가 없어……!

"오늘부터 습득하실 거예요!"

황망한 시선으로 내 앞에 놓인 책을 응시했다.

두께가 실로 어마어마했다. 게다가 표지가 양장이라 더 무시무시했다.

저걸 남은 시간 안에 독파하는 건 아무래도 무리였다. 하루 종일 책만 읽고 있어도 불가능한 분량이었다.

나는 슬그머니 책을 폈다가 도로 덮었다.

그러거나 말거나 마담 루시는 그런 나를 보며 쾌활하게 외쳤다.

"일곱 시부터는 춤 연습을 할 거예요! 오호호호호!"

"……."

마담 루시 웃음소리가 나를 저승으로 인도하는 것만 같았다.

죽음은 확정이구나.

나는 살기 위해서 그 흉기 같은 백과사전을 펼쳤다.

✦ ♛ ✦

"그 시녀는 어떻지?"

"어머나, 전하. '내 약혼녀'라고 말씀하셔야죠."

마담 루시가 두 눈을 동그랗게 뜨고 지적했다. 아드리안은 마뜩잖은 표정으로 마담 루시를 바라보았다.

결국 한발 물러난 것은 아드리안이었다.

"그래. '내 약혼녀'는 어떻지?"

"매우 잘하고 계십니다! 어쩜, 어디서 이런 귀엽고 사랑스러운 분을 데리고 오셨나요? 오호홋."

"귀엽고 사랑스러운 분?"

같은 사람을 칭한 것이 맞는지 의심스러운 호칭에 아드리안이 살짝 표정을 구겼다.

"정말 순하고 저를 잘 따르신답니다. 미모는 에센 경보다는 좀 못할지 몰라도, 오히려 그래서 꾸밀 맛이 나요! 꾸미는 대로 매력이 터지는 미모랍니다!"

"대체 그 어디가?"

아드리안의 반문은 들리지도 않는지 마담 루시는 그대로

혼자만의 칭찬을 늘어놓았다.

"아침부터 저녁까지 예법과 시문학, 노래, 춤, 악기, 역사, 철학에 이르기까지 많은 분야를 열심히 공부하고 계세요. 싫은 소리 한 번 안 하고 그렇게 성실하게 공부하시는 건 정말 쉽지 않은 일이죠!"

테르니에 이어 마담 루시도 새로운 아티엔느에 대해 호평이었다.

"디아노."

"예, 전하."

"너는 아티엔느를 어떻게 생각하지?"

"저는 잘 모르겠지만 궁내의 사람들과 잘 지내는 걸 보아 괜찮은 것 같습니다. 좀 더 지켜보시는 건 어떠십니까?"

"좀 더 지켜보자라……."

종합해 보면 주변의 평가가 썩 나쁘지 않았다.

"이대로 두고 봐도 되려나."

아드리안은 솔직히 불안했다.

얼마 뒤에 있을 무도회에서 과연 별일 없이 넘어갈 수 있을 것인가? 조금이라도 잘못되면 바로 미친 여자랑 결혼하게 된다.

그런 일은 무조건 피하고 싶었다. 차라리 이 나라를 멸망시키고 말지.

"에센에 대한 소식은 아직인가?"

"예, 전하."

이쯤 되면 에센을 못 찾는 건 자신의 수하가 무능한 탓이 아니라 에센이 너무 유능한 탓이 아닐까 하는 생각이 들었다.

아드리안은 며칠 전 에센과 격렬했던 침실에서의 대화를 떠올렸다.

"도대체 이 짓을 언제까지 해야 돼?!"

아드리안만큼은 아니지만 나름 까칠하고 두 배는 예민한 에센이 그날도 어김없이 쓰고 있던 가발을 집어 던지면서 화를 냈다.

에센은 일명 '아티엔느'라는 이름으로 약혼녀 행세를 하고 있던 남자로, 원래는 아드리안의 수호 기사였다.

에센이 그러는 게 하루 이틀도 아니라서 그날도 아드리안은 아무 감흥 없이 에센의 항의를 흘려 넘겼다.

"언제까지긴. 내가 황제가 되기까지지."
"너 죽이면 이제 그만해도 되냐?"
"반역이냐?"
"난 이러려고 네 기사가 된 게 아냐!"

에센이 항의했지만 아드리안은 받아들이지 않았다.

"알아. 그러고 있어도 넌 내 기사야."
"드레스 입은 기사 봤냐?"
"네가 처음이니 영광으로 여겨."

"지금 내 칼에 죽고 싶어서 그러는 거지?"

"날 죽이기 전에 네가 죽을걸."

딱히 반박할 수 없는 건지 에센은 대꾸하는 대신 인상만 찡그렸다.

사실 에센은 남자라고 생각되지 않을 정도로 완벽하게 예뻤다.

달빛을 머금은 듯 찬란한 은발과, 눈결처럼 새하얀 피부.

아이스 블루의 눈동자.

인간이라기보다 하나의 예술 작품이라고 일컫는 게 더 어울릴 것 같았다.

숨을 쉬는 게 맞는 건지 의심 가는 미모로 입술을 앙다물다 에센이 소리쳤다.

"안 해!"

에센이 입고 있던 볼레로를 벗어 던지며 침실을 나갔다.

테르니며 디아노며 다들 에센을 걱정했지만 아드리안은 늘 있던 일이라는 듯 무시했었다.

하, 그때 완전히 작살내 줬어야 했는데.

"설마 될 줄이야."

다시금 슬금슬금 끓어오르는 격노와 함께 에센을 억지로 급하게 약혼녀로 만들었을 때가 생각났다.

더불어 이 모든 사건의 원흉인 황후도 떠올랐다.

일명 '그 여자'도.

"그 여자만 아니었어도."

아드리안은 이를 갈았다.

세간에는 아드리안이 여자를 싫어한다고 알려져 있지만 그건 사실이 아니었다.

그는 여자든 남자든 인간이면 다 싫어했다.

오죽하면 어렸을 때부터 함께 자란 측근이 아니면 말 한마디 섞는 것조차 싫어할까?

다른 사람들은 낯을 가린다고 포장해 주었지만 아드리안을 잘 아는 사람들은 그게 아니라는 걸 알고 있었다.

황후는 늘 여자에 별 관심 없는 아드리안을 못마땅하게 여겼다.

그건 다 어릴 적부터 '그 여자'를 붙여 놔서 생긴 일종의 인간 혐오증 같은 거였는데, 그런 건 고려치도 않고 황후가 아드리안에게 갑자기 엄명을 내린 것이었다.

당장 일주일 내로 결혼할 영애를 데려오지 않으면 무려 그 여자랑 결혼을 시키겠다는!

아드리안이 '그 여자'를 꺼리고 싫어하는 이유는 다양하고 수없이 많지만 대표적인 사건은 역시 그것이었다.

아드리안이 아끼던 말을 죽게 내버려 둬야 했던 사건.

아드리안은 아직도 그날만 생각하면 악몽을 꿨다.

7살의 그 여자는 자신과 놀아 주지 않고 말만 탄다는 이유로 아드리안의 말을 숨겨 놓았고, 장소를 알려 주지 않아 결국 굶어 죽고 말았다.

심지어 '그 여자'는 자신이 숨겨 놓았다는 사실도 잊고 있었다. 이후에 추궁했더니 했던 말은 가관이었다.

"어라. 죽어 버렸네?"

이것이 아드리안이 '그 여자'를 포함한 인간을 싫어하게 된 결정적인 사건이었다.

결코 '그 여자'와 결혼을 할 수 없다. 아드리안은 부랴부랴 일주일 내내 마음에 드는 영애를 찾기 위해 무도회를 열었지만, 역시 무리였다.

아드리안은 그 여자도 싫었지만 그렇다고 다른 영애들이 좋지도 않았다.

결국 그렇게 운명의 일주일은 지나갔고, 당장 그 여자와 결혼하게 생긴 아드리안이 내린 최후의 결정은 바로 에센을 여장시켜 위장 약혼을 한다는 것이었다.

물론 거기에 에센의 동의는 없었다.

"잡아 오라고 해. 무조건."

"알겠습니다, 전하."

디아노가 아드리안의 명령을 하달하러 가기 위해 일어섰을 때였다.

똑똑.

노크와 함께 시종의 목소리가 들렸다.

"전하, 그레이스 궁의 앨버트가 왔습니다."

그레이스 궁은 황후의 궁이었다.

"없다고 전해라."

"전하, 안에 계신 것 다 압니다."

문밖에서 앨버트의 음성이 들려왔다. 아드리안이 입술을 사리물었다. 자신의 맘대로 되는 게 없었다.

"황후 폐하께서 명령하셨습니다. 가브리엘 양이 오셨으니 티타임에 꼭 참석해 달라 하셨습니다."

"……."

검 손잡이를 쥐고 달싹거리는 아드리안을 디아노가 필사적으로 말렸다.

"안녕, 내 동생?"

춤을 배우기 위해 도착한 작은 홀에서 테르니가 인사했다.

"공부는 많이 했어?"

"뭐, 그럭저럭……."

"그럭저럭하게 죽고 싶지 않으면 열심히 해야 될 거야."

그럭저럭하게 죽는 건 대체 어떻게 죽는 거지? 협박인지 염려인지 알 수 없었다.

나는 테르니와 대화하다 말고 주위를 둘러보았다. 당연히 황태자가 있는지 없는지 확인하는 거였다.

그런 나를 보던 테르니가 의미심장하게 웃었다.

"황태자 전하께서는 안타깝게도 오지 못하셨어."

하나도 안타깝지 않은데요.

썩은 표정으로 테르니를 바라보았다.

"그 대신 내가 왔단다!"

그건 좀 안타까웠다.

그냥 둘 다 내 인생에서 사라졌으면…….

테르니를 썩은 시선으로 바라보며 한 발짝 물러나자 그가 어리둥절한 표정으로 내게 다가왔다.

"왜 피해? 동생아. 이리 오지 않으련?"

절레절레. 나는 고개를 저었다.

테르니가 이해할 수 없다는 얼굴로 나를 응시했다.

"내가 더러워?"

끄덕끄덕.

두어 번 고개를 끄덕이자 테르니가 비련의 여주인공 같은 표정을 지으며 구석에 처박혔다.

그러고는 세상의 불행이란 불행은 다 짊어지고 있는 것처럼 구슬프게 징징댔다.

"흑흑. 하나밖에 없는 동생이……. 흑흑. 흑흑흑……."

신경 쓰지 말자. 테르니를 애써 무시하며 초조하게 시계를 보았다.

벌써 15분 지났어! 봐야 할 책 페이지가 아직 한참 남았는데 여기서 이렇게 시간을 죽일 수 없었다.

아무 생각 없이 호호호 하고 웃고 있는 마담 루시를 재촉하자, 마담 루시가 테르니를 질질 끌어다 세웠다.

"흑흑. 못된 아티……."

테르니가 나를 노려보며 계속 징징댔다.

"자, 이제 시작하죠. 오호호홋!"

마담 루시의 쾌활한 웃음과 함께 방 안 가득 왈츠의 선율이 흘렀다. 나는 테르니와 손을 잡고 춤을 추기 시작했다.

"더럽다더니 내 손을 잡고 있네."

테르니는 못마땅한 표정으로 연신 투덜댔다. 농담 좀 한 것 가지고 너무 뒤끝이 긴 게 아닐까.

"더러운데 왜 내 손을 잡고 있지?"

"……."

계속 비아냥대는 게 듣기가 괴로웠다. 진짜 이 인간 동생 노릇 하기 힘들다. 나는 테르니의 투덜거림을 한 귀로 듣고 한 귀로 흘렸다.

나도 예전엔 사교계 데뷔를 위해 춤 연습을 한 적 있었다.

몰락하지만 않았으면 나도 데뷔를 했겠지. 아쉽진 않았다.

아무튼 배워 본 덕분에 나는 테르니와 함께 그럭저럭 호흡을 맞춰 나갈 수 있었다.

한창 왈츠를 추던 테르니가 놀랍다는 표정으로 나를 내려다보았다.

"어. 쓸 만한데?"

생존 확률이 1퍼센트 상승했다!

기쁨의 미소를 지으며 만족하고 있는데 뒤에서 높은 옥타브의 목소리가 들려와 나의 흥을 와장창 깨부쉈다.

"오오오! 생각보다 잘 따라 하시네요. 오호호!"

저 웃음소리만 들어도 이제 누군지 알 수 있을 지경이었다. 마담 루시가 호호 웃으며 우리를 향해 다가왔다.

"춤을 어디서 배우신 적이 있으신가요?"

"아. 집안이 망하기 전에 잠깐……."

"저런……."

몰락한 집안 이야기까지 나오자 마담 루시가 측은한 듯 나를 바라보았다.

난 딱히 상관없는데.

시녀로 들어온 데에 꽤 만족했기 때문에 오히려 내게는 지금 상황이 더 재앙이었다.

내 이야기를 가만히 듣고만 있던 테르니가 돌연 끼어들었다.

"괜찮아, 동생. 우리 가문은 절대 망할 일이 없어! 넌 혼자가 아냐!"

차라리 혼자이고 싶다.

어쨌든 춤을 배워 둬서 망정이지 아니었으면 내 목숨은 이미 이 세상에 존재하지 않았을 것이다.

책 읽을 시간도 없는데 춤 연습할 시간이 줄어서 다행이었다.

"그럼 춤은 이 정도로만 할까요?"

"네……?"

이 사람들 지금 귀찮은 게 분명하다. 왈츠 딱 한 곡 하고 괜찮다고 끝내 버리다니.

나, 살 수 있을까?

또다시 미래가 심각하게 걱정됐지만 나를 제외한 다른 사람은 전혀 신경 쓰지 않았다.

역시 믿을 건 오로지 나밖에 없었다. 이러다 일주일도 안 돼서 죽는 건 아니겠지?

"이제 보고하러 가야지."

테르니가 가벼운 발걸음으로 방을 빠져나갔다.

드디어 사라졌다. 끈질긴 인간.

"휴."

가슴을 쓸어내리며 끝까지 버텨 준 나 스스로에게 찬사를 보냈다.

진이 빠진 채 그대로 늘어지려고 하는데 문밖에서 테르니의 얼굴이 삐쭉 튀어나왔다.

"뭐 해, 동생! 너도 같이 가야지."

"네……?"

날 좀 가만히 내버려 두면 안 될까.

테르니는 허망한 표정을 짓고 있는 나를 질질 끌고 어딘가로 향했다.

반항이 부질없다는 걸 알기 때문에 나는 힘없이 그 뒤를 따랐다.

"그래서 내가 왜 더러운데? 나 손 깨끗이 씻었어!"

정신력 한계의 시험은 계속됐다.

속았다.

아드리안은 이를 빠드득 갈았다. 설마 그럴 리가 있겠

어, 하는 마음이었는데 정말로 이럴 줄이야.

황후가 티타임 장소로 알려 준 곳은 그레이스 궁 옆의 정원이었다.

당연히 황후와 그 여자가 함께 있을 거라고 생각했건만, 티타임 장소에 있는 것은 오로지 가브리엘뿐이었다.

"전하, 너무너무 보고 싶었어요."

아드리안을 발견한 가브리엘이 애교 섞인 목소리로 그를 반겼다.

그는 곧바로 얼굴을 구기며 몸을 돌렸다.

황후의 명령으로 억지로 오긴 했다만 황후가 없다면 이곳에 있을 필요가 없었다.

"어머나. 전하, 어딜 가시나요? 저를 보고 그만큼이나 수줍어지셔서 숨으시는 건가요?"

"……."

"그럴 필요 없으세요! 이 가브리엘도 전하와 같은 마음이니까요. 우리 마음 더 이상 숨길 필요 없잖아요?"

아드리안은 귀를 틀어막고 싶은 충동에 휩싸였다.

다소 높은 목소리가 뒤에서 헛소리를 계속 내뱉었지만 아드리안은 깔끔하게 무시했다.

아주 어릴 때부터 황후는 아드리안의 옆에 가브리엘을 못 붙여서 안달이 났고, 아드리안은 가브리엘을 치가 떨리도록 싫어했다.

어떠한 방법을 써도 그녀를 떨쳐 낼 수 없자, 조금 더 시간이 흐른 후에는 최대한 마주치지 않도록 피하는 편이었다.

가브리엘만 따로 만나느니 차라리 황후가 있을 때 함께 만나는 편이 나을 거라고 판단했건만, 이 사달이 벌어질 줄이야.

"빌어먹을."

앞으로 몇 달간은 어머니가 불러도 절대 응하지 않을 테다.

하지만 아드리안은 바라던 대로 정원을 빠져나갈 수 없었다.

"이대로 떠나신다면 황후 폐하께서 서운해하실 텐데……."

가브리엘의 말은 아드리안에게 어떤 영향도 미치지 못했다.

서운하라지.

그러나 가브리엘의 말은 계속 이어졌다.

"어머, 전하. 그러고 보니 황후 폐하께서 전하께 전하라고 하셨던 말씀이 있어요."

전하라고 했던 말? 순간 엄청난 불안감이 엄습했다.

아드리안은 갈등했다. 미래에 무슨 일이 들이닥치든 그냥 박차고 나가 버릴까, 아니면 일단 들어나 볼까.

그 고민이 끝나기도 전에 가브리엘이 입을 열었다.

"폐하께서 이곳에 돌아오셨을 때 전하께서 계시지 않는다면, 더 엄청난 선물을 준비하시겠대요!"

"……하."

가브리엘보다 더 엄청난 선물이라니. 재앙이다.

결과적으로 황후의 협박은 성공적으로 먹혔다. 아드리안이 썩은 표정을 한 채 가브리엘의 맞은편에 앉았기 때문이다.

가브리엘은 자신의 앞에 황태자가 앉아 있다는 사실에

한층 들떠 행복해했다.

"정말 오랜만이에요, 전하. 제가 보고 싶어서 밤잠을 설치셨겠죠? 물론 저는 그랬답니다."

빠직. 아드리안이 들고 있던 찻잔 손잡이가 으스러졌다.

"나는 아닌데."

잔뜩 억누른 듯한 아드리안의 목소리에는 숨길 수 없는 살의가 어려 있었다.

그 살벌한 기세에도 가브리엘은 뭐가 그렇게 좋은지 행복하게 웃었다.

"아이, 참. 전하께서도 저를 보고 싶어 하셨다고요? 말씀 안 하셔도 다 알아요."

"아니라고."

"강한 부정은 강한 긍정이라는데, 제가 그렇게 보고 싶으셨던 거예요? 어머, 전하도 참!"

"하······."

달그락달그락······.

아드리안의 손이 검 손잡이를 매만졌다. 1초에도 몇 번씩 강렬한 충동에 휩싸였다.

가브리엘은 알지 못했다. 자신의 목숨을 살린 것이 충동과 인내심 중 고작 1퍼센트 많은 아드리안의 인내심이라는 것을.

✦ ♛ ✦

홀을 빠져나온 테르니가 향한 곳은 황태자의 집무실이었다.

벌컥! 테르니는 예고도 없이 집무실 문을 열어젖혔다.

무례한 행동에 집무실을 지키던 시종도 놀라 눈을 홉떴다.

"아드리안! 글쎄, 우리 아티가……! 어라? 아드리안 어디 갔어?"

테르니의 어깨 너머로 보이는 집무실에는 디아노밖에 없었다.

테르니는 나를 끌고 디아노에게 다가갔다. 멀거니 서 있는 디아노의 안색은 아주 어두웠다.

"……나타났다."

"뭐가?"

"그 여자……."

"뭐? 그 여자가 왔어?!"

디아노가 고개를 끄덕였다.

"황후 폐하께서 그 여자와 티타임을 가질 예정이니 전하도 함께 참석하라고 부르셨다."

"저런!"

기쁨인지 안타까움인지 모를 감탄사를 내뱉은 테르니가 방긋 웃으며 나를 돌아보았다.

"아티, 네가 출격할 시간이다!"

"네?"

테르니는 자세한 설명도 하지 않고 다시 나를 끌고 집무실을 빠져나왔다. 디아노가 난감한 얼굴로 뒷머리를 긁으며 따라왔다.

테르니가 나를 끌고 온 곳은 다시 내 침실이었다.

"마담 루시!"

"어머, 테르니 공자님? 벌써 보고가 끝났나요?"

"지금 그게 문제가 아니야. 그 여자가 나타났대! 드디어 우리 아티가 나설 때라고!"

왜 내가 나서야 하는 걸까? 알 수 없었지만, 나는 의견을 낼 수 없는 처지였다.

잠깐 두 눈을 휘둥그레 뜬 마담 루시가 '오호호호' 웃었다.

"그렇군요. 가브리엘 님이 오셨다면 당연히 아티엔느 아가씨께서도 가셔야죠."

"가브리엘?"

"모르세요? 재상의 고명따님이시죠."

"아뇨, 알기는 아는데……."

역시 '그 여자'는 가브리엘이라는 영애였구나.

새삼스러운 깨달음에 말끝을 흐리자, 내가 잘 모른다고 생각한 건지 마담 루시가 설명을 덧붙였다.

"가브리엘 양은 황후 폐하의 외척 가문인 발라리오 가문과 절친한 네벨 가문 출신의 영애예요. 덕분에 황후 폐하의 총애를 한 몸에 받고 있죠."

그녀의 말투에서 왠지 마담 루시가 가브리엘을 그다지 좋아하지 않는다는 느낌을 받았다.

단순한 나의 착각인가?

가브리엘의 가문 이름을 들으니 좋지 않은 기억이 떠올랐다.

아주아주 돈이 많은 집안이라는 사실은 익히 알고 있었

다. 네벨 가문의 돈지랄은 너무 유명해서 평민들까지 알고 있을 정도였으니까.

게다가 몰락할 당시의 우리 집안 애장품들도 웬만한 건 다 네벨 가문으로 넘어갔었다. 가브리엘이 그 가문의 고명딸이었구나.

"평판은 그리 좋진 않지만 사교계에선 인기가 좋지요."

"아, 그렇군요."

"괜찮아, 동생! 우리 가문이 훨씬 더 잘나가!"

테르니가 헤실헤실 웃으며 내 어깨를 두어 번 쳤다. 그게 은근히 아파서 살짝 미간을 좁히는데, 마담 루시가 나를 잡아끌었다.

"그럼 준비하셔야겠어요, 오호호호!"

"무슨 준비요?"

문득 불안한 예감이 들었다. 그리고 불행하게도, 그 예감은 틀리지 않았다.

"당연히 황태자 전하께 가셔야죠!"

"……왜, 왜요?"

겁에 질린 목소리로 되물었다. 내가 왜 그래야 하지? 도저히 이유를 알 수가 없었다.

오늘은 황태자 얼굴 안 본다고 좋아했는데, 왜 직접 보러 가야 하냐고! 차라리 도살장에 끌려가는 소가 되고 싶었다.

하지만 마담 루시와 테르니는 끈질겼다.

"약혼녀니까요, 오호호! 당연히 황태자 전하를 가브리엘 님에게서 쟁취해 내셔야죠!"

"맞아, 맞아!"

아니, 내가 왜……? 필요 없는데, 가지라고 하세요…….

황태자를 굳이 가지고 싶다니 가브리엘이라는 사람의 취향도 참 독특한 것 같았다.

그리고 왜 내가 갖고 싶지도 않은 그를 쟁취하기 위해 긴 모험을 떠나야 하는지도 모르겠다.

"자, 자. 어서 일어나세요! 무도회의 리허설이라고 생각하세요! 호호홋!"

그렇지 않아도 춤 연습 때문에 무지막지한 무도회 의상을 입고 있는데, 마담 루시는 뭔가 부족하다며 장신구를 더 달았다.

그녀가 흡족한 표정이 돼서야 손아귀에서 벗어나 황태자가 있다는 곳으로 향할 수 있었다.

✦ ♛ ✦

몸이 너무 무거운 나머지 걸음걸이가 절로 축 처졌다.

이 길에 끝이 없었으면 좋겠다고 간절히 바랐건만, 나는 금세 목적지에 도착했다.

하아, 인생은 너무 가혹해.

"괜찮아, 동생! 우리가 함께란다!"

와, 그것참 의욕이 나지 않는 소리다.

불신의 눈으로 거리를 두고 있는데, 나를 빤히 바라보던 디아노가 입을 열었다.

"잠깐."

그는 주섬주섬 품에서 뭔가를 꺼내더니 말없이 나에게 건넸다. 뭐지? 멀뚱하게 서 있으려니 테르니가 설명을 덧붙였다.

"써. 에센은 늘 면사를 썼거든."

여태껏 에센의 역할을 해 왔는데 이제 와 거절할 이유는 없었다. 나는 얌전히 면사를 받아서 썼다.

아티엔느가 예쁘다는 소문이 생긴 데에는 이 면사의 효과도 한몫한 것 같다는 생각이 들었다.

이 반투명한 얼굴 가리개가 상당히 예뻐 보이는 효과를 주었다.

우리가 도착한 곳은 그레이스 궁 바로 옆에 있다는 정원이었다. 저 멀리 누군가의 목소리가 어렴풋이 들려왔다.

1초라도 더 늦게 가고 싶었지만 테르니가 계속 나를 밀어 대는 바람에 그럴 수 없었다. 전혀 도움이 되지 않는 오빠였다.

이윽고 황태자의 뒷모습이 보였다. 우리가 가까이 다가왔다는 건 눈치채지 못한 듯했다. 그러다 머지않아 나는 듣고 말았다.

달그락, 달그락…….

뭘까. 검 손잡이는 왜 만지작거리고 있는 거지?

"빨리 가자. 저러다 뽑겠어."

테르니가 나를 붙잡고 걸음을 재촉했다. 나는 웃는 그대로 굳었다.

저게, 뽑을까 말까 고민한 거였구나…….

좀 더 가까이 다가가자 강렬한 시선이 느껴져 고개를 들었다. 제비꽃을 닮은 눈동자가 나를 적대적인 시선으로 바라보고 있었다.

저 사람이 바로 '그 여자'구나.

푸른 머리칼에, 제비꽃을 닮은 보라색 눈동자를 가진 새침해 보이는 미녀.

그녀는 나를 노려보고 있었다. 얼마나 시선이 뜨겁던지 뚫릴 것만 같았다.

아무래도 황태자와 둘만의 단란한 시간을 방해해서 심사가 뒤틀린 듯싶은데, 본인은 알까?

나와 이 두 남자의 등장으로 가까스로 자신의 목숨을 구했다는 사실을…….

검을 뽑을까 말까 고민하며 달그락대는 그 소리가 귓가에 선명했다.

"저 미친 사람 또 시작이네."

뒤에서 디아노의 목소리가 작게 들려왔다. 가까이에 있는 나만 겨우 들을 수 있을 정도로 아주 작은 목소리였다.

위험한 발언인데요, 그거…….

잠시 후 시종이 사람 수대로 의자를 더 가지고 왔다. 자리에 앉자 가브리엘이 마치 티타임의 주인인 것처럼 인사를 건넸다.

"오랜만에 뵙네요, 다들. 특히 아티엔느 양은 정말 오랜만에 뵙는 것 같군요."

저거 나한테 하는 질문 맞지? 대답을 해야 하나 말아야 하나 고민되었지만 섣불리 입을 열 수 없었다.

여기서 잘못 대답했다간 제45차 목숨의 위협이 찾아오겠지.

46차인가? 아무튼.

그 순간 다정한 목소리가 옆에서 들려왔다.

"내 약혼녀가 바빠서 말이지."

황태자였다.

웬일로 나를 돕는 거지?

그답지 않은 다정한 연인 연기에 나는 조금 놀랐다.

"제 동생은 누구와는 다르게 나돌아 다니는 걸 그다지 좋아하지 않아서 말입니다."

덧붙이듯 말한 테르니의 대꾸에 가브리엘의 얼굴이 미약하게 찡그려졌다. 아무래도 삐친 것 같았다.

그녀는 화를 다스리는 듯 심호흡을 하더니 앞에 놓여 있는 차를 우아하게 한 모금 마신 후 도로 내려놓았다.

"저 말씀하시는 건가요? 지금 제가 누군지 알고 하시는 말씀이세요?"

"영애라고 말한 적은 없습니다만……. 나돌아 다니시나 보군요."

받아칠 말이 없는지 가브리엘의 얼굴이 붉으락푸르락 물들었다. 조만간 테르니의 머리채라도 뜯을 기세였다.

어어, 이거 위험한 거 아니야?

조마조마한 심경으로 황태자와 디아노를 보았지만 둘 다

관심이 없는 듯 심드렁한 반응이었다.

여기서 테르니의 안위를 걱정하는 건 오로지 나밖에 없었다.

씩씩대며 테르니를 노려보던 가브리엘이 팔짱을 꼈다.

"방금 하신 발언은 서에 대한 모독이에요. 저에 대한 모독은 곧 아버지에 대한 모독! 우리 네벨 가문의 분노를 맞을 각오는 하고 계신 거겠죠?"

그녀의 결연한 어조에도 테르니는 딱히 아무 반응이 없었다. 대신 사람 좋게 웃으며 대꾸할 뿐이었다.

"하하. 농담인데 너무 예민하게 받아들이시는군요."

"농담이라구요? 흐음, 그렇다면 이번은 너그러운 마음으로 넘어가 드리죠. 앞으로 더 조심해 주세요."

"노력해 보겠습니다."

애네 뭐지……?

내 걱정이 부질없게 둘의 기 싸움은 허무하게 종결됐다.

가브리엘은 다시 황태자에게 이것저것 질문하기 시작했다.

"전하, 왜 요새 그레이스 궁에 들르지 않으시나요? 제가 매일 황후 폐하께 안부 인사드리러 오는데 한 번도 못 뵌 거 같아요. 폐하께서 전하를 많이 뵙고 싶어 하세요. 언제 한번 같이 뵈러 가요."

"바빠."

상당히 귀찮은지 황태자는 미약하게 인상을 쓴 채 시선을 피했다.

그 무관심의 화살은 애꿎은 테르니에게 향했다.

"아니, 보좌를 어떻게 하면 전하께서 황후 폐하께 인사 드리러 갈 시간도 없죠? 그러고도 보좌관으로서의 자격이 있다고 생각하시나요? 자격 미달이에요! 일 좀 똑바로 하세요!"

사실 그게 테르니의 잘못이라고는 할 수 없었다. 그냥 황태자가 안부 인사드리러 가기 귀찮았던 게 아닐까.

갑자기 난데없는 욕을 먹은 테르니가 싸늘하게 입꼬리를 올리며 웃었다. 분명 얼굴은 웃고 있는데 역시 살기가 느껴졌다.

그는 이를 가는 듯하더니 내게만 들리게 작게 속삭였다.

"아, 진짜 죽일까……."

아뇨, 참으세요…….

가브리엘과 잠깐 마주친 거지만 어떤 유형의 사람인지 아주 잘 파악할 수 있었다.

천하의 테르니까지 화나게 하다니, 대단한걸.

가브리엘은 어쩔 수 없다는 듯 어깨를 으쓱였다.

"어쨌든 이번은 봐 드릴 테니, 다음부턴 주의해 주세요."

테르니는 대답 대신 싱긋 웃어 보였다. 그 웃음이 묘하게 살벌하게 느껴진다면 나의 착각일까.

말없이 웃고 있던 테르니가 갑자기 일어났다.

"갑자기 급한 일이 생각났어."

온 지 얼마나 됐다고 벌써 간다는 거지? 당황하며 테르니를 올려다보자 옆에 앉아 있던 디아노도 덩달아 벌떡 일어섰다.

"연무장에 내 검이 혼자 있다."

"……?"

"아마 혼자 울고 있을 거야."

"……."

그렇게 둘은 사라졌다.

나도 가고 싶었지만, 나를 보는 황태자의 시선이 강렬해서 가만히 앉아 있을 수밖에 없었다.

사실 내가 왜 여기에 있어야 하는지 아직도 이해할 수는 없었다.

가브리엘은 내게는 시선도 주지 않고 오로지 황태자에게만 말을 건넸다.

"황후 폐하께서 제게 저녁 만찬을 함께하자고 하셨어요. 오랜만에 단란하게 저녁을 먹겠네요. 당연히 전하께서도 함께하시겠죠?"

"아니."

"일이 바쁘시다니 어쩔 수 없죠! 다음에 꼭 오붓하게 만찬을 즐겨요, 전하."

일이 바쁘다는 말은 안 한 것 같은데…….

아무래도 가브리엘에게는 들리지 않는 걸 듣는 특별한 능력이 있는 것 같았다.

그녀가 내게 관심을 주지 않는 게 다행이라면 다행일까. 나는 말없이 상황을 지켜보고만 있었다.

"차가 식었잖아. 새로 내와."

식은 차를 마신 가브리엘이 인상을 찌푸리며 명령했다.

머지않아 새로운 차가 우리 앞에 준비되었다.

"네벨 가문에서만 유통되는 차예요. 전하를 위해 특별히 준비했답니다, 후후."

"그렇군."

황태자는 감흥 없다는 듯 팔짱을 낀 채 차에는 관심도 주지 않았다.

가브리엘은 그 무관심에 전혀 민망해하지도 않았다.

"부끄러워하시긴~."

심지어 부끄러움으로 일축해 버리기까지.

으득. 황태자가 이를 가는 소리가 들렸다. 그나마 검 손잡이를 만지작거리지 않은 게 다행이라면 다행일까?

가브리엘은 뿌듯한 얼굴로 찻잔을 들어 차를 한 모금 마셨다. 그 직후, 밝았던 그녀의 얼굴이 딱딱하게 굳었다.

가브리엘이 찻잔을 거칠게 내려놓았다.

"이 차 준비한 사람 누구야? 당장 나오지 못해?!"

갑자기 왜 그러는 거지? 나는 내 앞에도 놓여 있는 차를 내려다보았다. 겉보기에는 아무 문제가 없었다. 심지어 향도 좋았다.

잠시 후, 가브리엘의 하녀가 겁에 질린 얼굴로 천천히 걸어 나왔다. 금방이라도 울 것처럼 일그러진 얼굴이었다.

"네가 준비했어?!"

"네, 아가씨. 제가 준비를 했습⋯⋯."

"내가 말했던 찻잎이 아니잖아! 정신 똑바로 안 차려?!"

좌아악—.

바닥에 흩뿌려지는 뜨거운 차를 보며, 나는 조용히 경악했다. 뜨거운 김이 바닥에서부터 피어올랐다.

찻물을 미처 피하지 못한 건지, 하녀의 두 손이 벌겋게 달아올라 있었다.

맙소사.

어떻게 바로 앞에 황태자가 있는데도, 차를 붓는 짓을 저지를 수가 있지?

이건, 너무 심하잖아…….

당황하며 황태자를 돌아보았지만, 그는 불편한 기색을 내비칠 뿐 아무런 조치를 취하지 않았다.

그사이에도 가브리엘은 물이 든 컵을 들어 하녀의 얼굴에 끼얹었다.

"죄, 죄송합니다……. 죄송합니다……. 용서해 주세요, 아가씨."

하녀는 제 얼굴을 흥건하게 적신 물을 닦지도 못하고 무릎을 꿇고 손을 비벼 가며 가브리엘에게 빌었다.

그럼에도 가브리엘은 여전히 화가 풀리지 않는지 하녀를 보며 인상을 찡그렸다.

"잘해. 네 아버지와 가족들 전부 내쫓기기 싫으면!"

"네, 네! 부디 용서해 주세요, 아가씨……. 흐윽."

"너 따위 때문에 내가 지금……!"

더 이상 못 참겠다.

내가 낄 자리가 아니라는 걸 알았지만 도무지 가만히 있을 수가 없었다.

"그만두세요."

이 장소에 있는 모든 이들의 시선이 내게로 쏠리는 게 느껴졌다. 하지만 내 시선은 오로지 가브리엘을 향해 있었다.

"그게 무슨 말씀이신지?"

가브리엘이 싱긋 웃으며 내게 물었다. 도무지 그녀를 따라서 웃을 수 있는 기분이 아니었다.

"너무 과하신 처사가 아닌가 합니다. 찻잎을 잘못 가지고 온 것은 분명히 실수지만, 더 너그럽게 행동하실 수 있으실 텐데요."

"제가 너그럽지 않다는 소리인가요? 과한 처사라니, 그건 아티엔느 양이 결정할 문제가 아니랍니다. 이 아이는 제 개인 하녀니까요. 제가 무슨 벌을 내리든, 제 마음 아닐까요?"

내 시선은 덜덜 떨고 있는 하녀에게로 옮겨 갔다. 화상을 입은 건지 그녀의 손이 점점 부어오르고 있었다.

아무리 좋게 생각하려고 해도, 그럴 수가 없었다.

한 번 나선 이상, 이대로 물러설 수는 없었다.

나는 가브리엘을 똑바로 마주 보았다. 그리고 느리지만 분명하게 내뱉었다.

"하녀이기 이전에 사람이에요."

찻잔을 쥐고 있던 아드리안의 손에 힘이 들어갔다. 저절로 귀를 의심할 수밖에 없는 소리였다.

내가 지금 무슨 소리를 들은 거지?

가브리엘도 아드리안과 비슷한 반응을 보였다. 인상을 쓴 채로 이해되지 않는 듯 황당한 표정으로 아티엔느를 바라보고 있었다.

이 상황에서 침착함을 유지하고 있는 것은 아티엔느뿐이었다.

가브리엘이 표정을 일그러뜨리며 반문했다.

"방금 뭐라고 말씀하셨죠?"

"하녀이기 전에 사람이라고 말씀드렸어요."

물러서는 기색 없이 아티엔느가 입을 열었다.

단호하게 말을 하는 아티의 옆얼굴은 평소와는 다른 인상이었다. 멍하고 멍청한 줄만 알았는데.

"하녀의 실수를 질책하시는 것도 좋지만 너그럽게 넘어가는 것 또한 주인 된 자의 도량이죠."

"제 하녀가 탐나신 건가요, 아티엔느 양? 왜 아티엔느 양이 나서서 제 하녀의 실수를 두둔하는 건지 모르겠네요."

"가브리엘 양이 저 몰래 하녀를 혼내셨다면 저도 관여하지 않았을 겁니다. 잊으신 모양인데 이곳에는 황태자 전하께서 자리하고 계십니다."

가브리엘의 표정이 처음으로 굳었다.

"전하 앞에서 무례하다고 생각하지 않으시나요?"

아티의 반격에 아드리안의 입꼬리가 보기 좋게 올라갔다.

똑똑한데.

황족의 앞에서 하면 안 되는 행동이라는 말로 자신을 걸고 넘어지는 아티를 보며 아드리안은 신선하다 못해 즐거웠다.

매번 얼어붙어 떠는 모습만 봐서 그럴까, 낯설면서도 흥미롭다.

저렇게 말을 잘할 줄 알았던가? 화도 낼 줄 아는 생물이었군. 그러면서도 아티엔느는 저도 모르게 주먹 쥔 손을 떨고 있었다.

무엇이 잘못이냐며 뻣뻣하던 가브리엘도 이번만큼은 콧대를 세울 수 없었다.

아무리 그 가브리엘이라 해도 말이지.

가브리엘은 어릴 때부터 남달랐다. 하녀의 뺨을 때리는 건 물론이고, 마음에 들지 않는다는 이유로 하녀의 옷을 벗긴 채로 세워 놓은 적도 있었고 괴상한 누더기를 입고 다니게 만들기도 했다.

타인에게 모욕을 주는 가브리엘의 행동은 하나부터 열까지 마음에 들지 않는 것투성이었으나 아드리안은 특별히 관여하지 않았다.

너무 익숙했으니까.

그저 왜 그런 일을 자신의 앞에서까지 벌이는지 이해할 수 없었을 뿐.

입술을 깨무는 가브리엘을 보며 아드리안은 천천히 찻잔을 내려놓았다.

"거기까지."

아드리안이 가브리엘을 응시했다.

"결과는 나온 것 같은데?"

"전하!"

아드리안의 시선이 하녀에게로 향했다. 부어오른 손은 척 보기에도 심각했다.

"넌 들어가라. 라르고."

아드리안이 시종장의 이름을 부르자 시종장이 황궁 시녀에게 눈짓했다. 황궁 시녀가 가브리엘의 하녀를 데리고 정원 밖으로 나갔다. 아드리안이 자리에서 일어났다.

"가브리엘, 오늘 피로한 것 같은데 이만 들어가 보는 게좋을 것 같군. 저녁은 우리끼리 먹겠다."

"네? 그게 무슨 말씀이세요, 전하."

"모후께는 내가 말씀드리지."

라르고가 가브리엘에게 고개를 숙였다.

"황궁 밖까지 안내해 드리겠습니다, 네벨 영애."

가브리엘이 라르고에 의해 정원 밖으로 나가자 아티엔느가 숨을 내쉬었다.

아드리안은 그런 아티엔느를 물끄러미 바라보았다. 가슴에 작은 손을 얹고 숨을 들이마시던 아티엔느가 아드리안을 흘긋 보았다.

"죄송해요. 제가 너무 주제넘었습니다."

"아니, 괜찮은데."

잘해 놓고 웬 사과람?

아드리안이 옅게 미소 지었다. 웬일로 아드리안은 기분이 좋았다.

"앞으로도 그렇게 해. 계속."

"네, 네?!"

"앞으로도 그러라고."

가브리엘이 사라지자 다시 아티엔느가 멍청해졌다.

동그랗게 뜬 푸른 눈동자를 들여다보다 아드리안은 무엇에 심술이 났는지도 알지 못한 채 인상을 썼다.

"나 외에 다른 사람에겐 눈치 보지 말란 소리다."

아티엔느가 다시 두 눈을 동그랗게 떴다.

✦ ♛ ✦

똑똑. 오늘도 어김없이 노크와 함께 황후의 시종 앨버트가 도착했다.

예를 다한 앨버트가 조용히 황후의 명령을 전했다.

"황태자 전하, 황후께서 전하를 부르십니다."

"사냥 나갔다고 해."

"황후께서 사냥 나가지 않으신 것도, 정무 중이 아니신 것도, 검술 훈련 중이 아니신 것도 이미 알고 계시니 오라고 하셨습니다."

그날 정원에서 대체 무슨 일이 있었던 건지 알아내기 위해 황후가 꾸준히 자신을 불렀지만, 아드리안은 바쁘다는 핑계로 일관하고 있었다.

부름을 거절하는 3대 핑계가 전부 막힌 아드리안이 인상을 썼다.

아드리안이 눈짓을 하자 가만히 앉아 있던 디아노가 갑자기 벌떡 일어나더니 검을 뽑아 들었다.

"무례하다. 지금 전하께선 나와 검술 대련을 하고 계신다. 잠깐 군사적 기밀을 도모하고 있을 뿐, 곧 연무장으로 나갈 것이다. 황후 폐하께껜 송구하지만 전하께선 황태자로서의 의무를 다하셔야만 한다."

아드리안이 아주 흡족하게 고개를 끄덕였다.

앨버트는 디아노를 한 번, 아드리안을 한 번 보다가 고개를 숙였다. 그는 이미 이런 패턴에 익숙해진 지 오래였다.

"하면 그렇게 전해 올리겠습니다."

앨버트가 떠나자 아드리안이 조용히 디아노를 바라보았다.

디아노는 칭찬받고 싶어 하는 강아지처럼 잔뜩 기대에 찬 시선으로 아드리안을 보았다.

"잘했어."

"그럼 전하, 저와 대련해 주시는 겁니까?!"

"아니."

지체 없이 떨어진 대꾸에 디아노가 충격받은 듯 몸을 굳혔다.

"하, 하셔야죠! 황후께 그리 아뢰어 올리지 않으셨습니까?!"

"그랬지."

"전하와 합을 맞춰 본 지도 벌써 일주일이 된 것 같습니다. 어제도 안 해 주시지 않으셨습니까, 어제가 정기 대련일이었는데 말입니다. 전하. 전하아아~."

그거 일주일 정도 거를 수도 있는 거지. 아드리안은 짜증을 내며 디아노를 쳐다봤지만 디아노가 답도 없이 조르기 시작했다.

아드리안이 경멸 어린 시선으로 디아노를 차갑게 응시해도 두꺼운 신경줄을 타고난 그는 전혀 신경 쓰지 않았다.

언젠가 아드리안이 아펜니노 최고의 기사라 추앙받던 디아노와 우연찮게 대련했다가 한 번 꺾은 후로 디아노는 이렇게 되어 버렸다.

아드리안은 솔직히 대련해 달라며 조르는 디아노가 귀찮고 성가셨지만, 이렇게 쓸 만한 기사를 찾아서 줍는 것도 여간 귀찮은 일이 아니므로 그냥 내버려 두고 있었다.

"이거."

아드리안이 들고 있던 서류 파일을 디아노에게 던졌다. 디아노는 뛰어난 반사 신경으로 손쉽게 서류를 낚아챘다.

"30분 안에 다 해치우면 대련해 준다. 가능?"

"전하, 감사합니다!"

넙죽 엎드리며 서류와 씨름하는 디아노를 슬쩍 보며 아드리안은 솔직히 방심하고 있었다.

저 자식이 저걸 해치울 리가 없지.

✦ ♛ ✦

매번 서류 작업에 애를 먹던 디아노가 무슨 일인지 놀라운 속도로 작업을 해치웠다.

결국 아드리안은 검을 쥐게 되었다.

오전 훈련을 끝마친 후로 또 붙잡은 검은 느낌이 달랐다.

손잡이를 잡기만 해도 스트레스가 풀리는 기분.

특히 대련 상대가 디아노일 경우엔 굳이 실력을 숨기거나 죽이지 않기 위해 신중하게 검을 쓸 필요가 없어서 아주 좋았다.

실컷 날뛰고 난 뒤에 아드리안은 저를 보는 두 쌍의 시선을 느꼈다.

하나는 테르니 그리고 다른 하나는, ……아티엔느.

"한가해 보이는군. 살 만한가 봐?"

아티엔느는 몸을 움찔거리며 아무 말도 하지 못했다. 아드리안은 살짝 미간을 찌푸렸다.

어제 티타임 사건과 전혀 다른 모습. 묘하게 불만스러워지는 것은 덤이었다.

"안녕하세요, 황태자 전하."

우물쭈물 인사를 하는 아티엔느를 내려다보며 아드리안은 나름 상냥하게 웃어 주었다.

"그래, 예의는 아는군."

심술 섞인 아드리안의 비아냥거림에 아티의 몸이 크게 움찔거렸다.

아드리안은 아티를 빤히 쳐다보았다. 시선을 피하려다가도 흠칫하며 다시 자신을 보려고 안간힘을 쓰는 게 제법 안쓰러웠다.

이런 여자가 가브리엘에겐 그렇게 단호하게 화를 냈단 말이지?

문득 어제 테르니와 나누었던 대화가 떠올랐다.

"화를 내기도 하더군."
"아티가 나한테는 짜증도 냈는데!"

어쩐지 자랑하듯 으스대던 테르니의 태도가 아니꼬웠다.

그는 다시 아티에게로 관심을 돌렸다. 화는커녕 잔뜩 움츠러든 채 눈치를 보고 있는 모습이 상당히 마음에 들지 않았다.

아드리안은 충동적으로 입을 열었다.

"화 내 봐."

"……네?"

당연히 그렇게 말한다고 아티가 화를 내진 않았다.

내가 미친 건가. 아드리안은 평소답지 않은 자신의 행동에 짜증을 느끼며 얼굴을 구겼다.

✦ ♛ ✦

오늘도 수업이 끝나자마자 테르니에게 붙잡혀 나온 터였다. 한참을 걸은 끝에 도착한 곳은 연무장이었다.

"저기 봐."

테르니가 어딘가를 가리켰다.

그곳을 바라보니 익숙한 남자 두 명이 검을 맞부딪히며 맹렬하게 대련하고 있었다.

눈으로 따라잡기 어려울 정도로 빠른 속도.

그들은 황태자와 황태자의 추종자 디아노였다.

역시 생긴 것답게 검을 잘 쓰네. 저 검에 내 목 정도야 단칼에 베이겠어.

이로써 내 사망 확률이 1퍼센트 상승했다.

한창 검이 맞부딪히는 소리가 연무장을 가득 메웠다.

디아노가 치열하게 황태자를 공격했다. 황태자는 적은 움직임으로 그 공격들을 전부 막아 냈다. 이윽고 디아노가 날린 회심의 일격을 피해 낸 황태자가 디아노의 목에 날카로운 검 끝을 가져다 댔다.

황태자의 승리였다.

"아, 아깝다! 이길 수 있었는데!"

테르니가 안타까워하며 소리쳤다.

당신…… 황태자 보좌관 아니세요?

"평생 두고두고 놀릴 수 있는 기회였는데!"

적인지 아군인지 모르겠다.

대련이 끝난 디아노가 뒷머리를 긁으며 머쓱하게 웃었다.

"아, 역시 전하껜 못 당하겠습니다."

"네가 웃으면서 하니까 그런 거다."

"하지만 좋은걸요. 전하를 이렇게 가까이 느낄 수 있다니……. 감격입니다."

아, 설마 디아노도……?

검을 정리하던 황태자가 내 시선을 느꼈는지 천천히 고개를 돌렸다.

그와 눈이 마주쳤다.

화들짝 놀라 시선을 돌렸는데 황태자가 바로 짜증스러워했다. 아니, 나도 좋아서 눈이 마주친 게 아닌데. 그 와중에 테르니는 뭐가 좋은지 싱글벙글이었다.

"얘가 생각보다 똑똑해. 그래서 수업이 일찍 끝났어."

테르니가 자랑하듯 말했다.

그 말에 황태자가 비웃듯 입술 끝을 비틀었다. 그러더니 나를 흘긋 보고 다시 테르니를 바라보았다.

"그래? 그거야 나중에 확인해 볼 수 있겠지."

그 시간이 바로 예정된 지옥의 시간이었다.

"안녕하세요, 황태자 전하."

테르니가 끼어들었다.

"우리 동생이 인사성이 아주 발라. 내가 오빠로서 아주 뿌듯하다고."

이럴 때만 오빠지.

"앞으로도 그렇게 인사를 잘하는 레이디가 되거라, 우리 동생."

여태껏 가만히 있던 황태자는 말없이 나를 빤히 바라보더니 뜻 모를 명령을 했다.

"화내 봐."

황태자의 뜬금없는 말에 나는 조금 당황스러웠다.

갑자기 화를 내 보라니? 그러다가 황태자가 갑자기 인상을 쓰며 머리를 짚는 것을 보며 더더욱 속내를 알 수 없어졌다.

어색한 침묵이 흘렀다.

잠깐의 정적 이후, 돌연 황태자가 인상을 쓴 채로 입을 열었다.

"뭐 불편한 건 없나?"

다요! 다! 네가 불편해요!

"없습니다……."

내 대답을 듣고 황태자가 당연하다는 듯 고개를 끄덕였다.

"다행이군. 불만이 많은 놈은 필요가 없으니까."

다시 한번 내 목숨을 건졌다. 오늘 몇 번이나 죽었다 살아나는지 셀 수가 없었다.

갑자기 테르니가 디아노에게 들러붙으며 울상을 지었다.

"아, 나 오늘 하루 너무 힘들었어."

"나도 힘들었다."

"그치? 우리 전하가 워낙 힘든 사람이어서."

갑자기 미친 걸까? 황태자 앞에서 대놓고 앞담을 하다니…….

"누구는 자기 명령으로 하루 종일 구르고 있는데 누구는~ 팔자 좋게~ 검술 대련이나 하고~."

"아, 물론 나는 전하께서 나를 죽일 듯이 집요하게 공격해 오는 게 좋았지만 평소보다 집념이 부족하셨어. 내가 너무 많이 잘나진 탓인 걸까……."

"그냥 전하의 수련이 부족해서 검술이 녹슨 탓이 아닐까?"

황태자는 테르니 혼자 나댔을 때와 달리 지금은 아주 화가 난 모양이었다.

왜인지 황태자 주변으로 공기가 싸하게 가라앉았다.

다 들으라는 듯이, 바로 앞에서! 그것도 황태자를 이렇게 가루가 되도록 까 대다니!

황태자가 소리 없이 검을 빼 들었다. 아까 대련하고 집어 넣었던 바로 그 검이었다.

휘두르나?

둘의 복숨이 이렇게 사라지나?!

일촉즉발의 상황이 벌어질 것만 같아 숨죽여 지켜보았다.

하지만 내가 기대했던 상황은 벌어지지 않았다.

황태자가 검을 치켜든 순간, 갑자기 손을 맞잡은 두 남자가 와하하 웃으며 사이좋게 도망쳤기 때문이었다.

완전히 미친놈들이었다.

"하."

황태자가 익숙하다는 듯 도로 검을 집어넣었다.

둘만 남았다.

생각해 보니까 지금이 더 어마어마한 위기 상황인 것 같았다. 어, 나도, 갑자기 도망이라는 걸 하고 싶어졌다.

아드리안 황태자가 나를 보더니 가만히 물었다.

"식사는?"

건조한 어조로 미루어 추측하건대 아마도 예의상 물어본 것 같았다.

"아직이에요."

"가자."

어? 네? 이 반응이 아닌데.

나는 당황했다. 어딜 가자는 거지? 설마, 저세상?

"어디를요?"

나도 모르게 대꾸해 버리고 말았다. 황태자가 조용히 다시 몸을 돌려 나를 바라보았다.

　많은 말을 하지 않았지만 짜증 나 보이는 표정만으로 지금 어떤 상태인지 쉬이 짐작할 수 있었다.

　"난 눈치 없는 놈도 싫어해."

　……그러시겠죠.

　황태자는 그대로 나를 끌고 식당으로 향했다. 포인세티아 궁, 즉 황태자 궁의 식당 중에서 가장 큰 식당이었다.

　쭈뼛쭈뼛. 적응되지 않는 분위기에 눈치를 보며 자리에 앉았다. 곧 기다렸다는 듯 궁의 사용인들이 우리 둘 앞에 요리들을 하나씩 가져다 놓기 시작했다.

　깔끔하고 고급스러운 식사.

　내가 시녀였을 땐 절대 먹을 수 없는 음식들이었다. 설령 우리 가문이 몰락하지 않았어도 먹을 수 없었던 진귀한 음식들.

　"왜 안 먹지?"

　"먹을게요."

　"맛이 없나?"

　이 산해진미를 눈앞에 두고 무슨 소리람.

　"아니요!"

　"그런데 왜 그렇게 천천히 먹지?"

　짜증 난다는 표정이었다.

　"그게……."

　"질질 끌지 말고 말해."

　"처음 먹어 보는 음식이라서요. 이렇게 맛있는 거 처음 먹어 봐요."

나를 빤히 바라보는 황태자의 시선이 느껴졌다. 뒤늦게 부끄러움이 몰려왔다.

괜히 말했다. 매일 이런 음식들을 먹는 황태자는 유복한 가정에서 자라지 못한 내 사정 따위는 알고 싶지 않을 텐데.

갑자기 목이 메어 음식을 제대로 삼키지 못하고 있는데, 황태자가 대기하고 있던 시종을 불렀다.

그의 명령을 받은 시종이 자신의 앞에 있던 음식을 모조리 내 앞에 옮겨 주었다.

"먹어."

설마 이게 황태자 나름의 배려인가?

"감사히 잘 먹겠습니다."

나는 다시 식기를 들었다.

황태자는 턱을 괴고 내가 먹는 걸 가만히 지켜보기만 했다. 혼자만 먹고 있으려니 상당히 민망했다.

나는 눈치를 보다가 슬그머니 물었다.

"안 드시나요?"

"안 먹어도 돼."

"왜요?"

"내가 그걸 네게 일일이 말해야 할 위치던가?"

"아……."

나는 조용히 입을 다물었다. 우리 사이에 묵직한 침묵이 내려앉았다.

어쩐지 울적해져 말없이 고기를 써는데, 황태자가 짜증

스러운 한숨을 내쉬었다.

"나는 자주 먹으니까, 너나 많이 먹으라고."

내가 뭘 들은 거지……?

나도 모르게 입을 살짝 벌리고 황태자를 멍하게 바라보았다. 분명 저 완벽한 이목구비에 싸가지 없는 표정은 아드리안 황태자가 맞았다.

설마 내가 우울해 보여서 한마디 해 준 건가?

"푸훗."

너무 안 어울려서 나도 모르게 웃음이 나왔다. 그러자 일순 황태자의 표정이 굳었다.

"왜 웃지? 내 말이 우습나?"

"아니요, 그게 아니라……."

표정을 지우려고 해도 도무지 웃음기가 가시지 않았다. 결국 표정을 수습하는 걸 포기하고 황태자를 보며 웃었다.

"전하께서 상냥하게 대해 주시니까 몸 둘 바를 모르겠어서요."

순간 침묵이 흘렀다.

눈가를 찌푸리며 나를 빤히 바라보던 황태자가 짧게 한숨을 내쉬며 딱딱하게 물었다.

"그딴 거 생각하지 말고 먹기나 해. 다 먹었나?"

"아니, 아직이요!"

정말 황태자는 안 먹어도 되는 걸까?

바로 코 박고 처먹었다. 안 먹으면 죽을 거 같아서. 이 와중에도 음식들은 하나같이 모두 맛있었다.

실컷 먹은 후 더 들어갈 수 없을 때가 되어서야 수저를 내려놓았다.

"왜 안 먹지?"

"배불러요. 이 이상은 못 먹습니다. 다 먹었어요."

"그래? 버려."

"네?"

바로 일어나 버리는 아드리안의 모습을 바라보며 나는 황망하게 내가 미처 못 먹은 음식을 내려다보았다.

아니. 버려진단 말인가. 이 귀한 음식들이…….

식기를 든 손이 살짝 떨렸다.

이 음식만 갖다 팔아도 며칠은 더 먹고 살겠다. 근데 생각도 안 해 보고 바로 버리라니.

아드리안 황태자에 대해 알면 알수록 의구심만 쌓여 갔다.

어떻게 저 인성이 소문이 안 날 수가 있지? 역시 권력의 힘은 대단해.

"다 먹었다며."

"네? 네."

"뭐 해? 따라와."

아깝게 버려질 음식들을 한 번 돌아보다 잘 떼어지지 않는 발걸음을 옮겼다.

배려 없이 잘만 걷는 아드리안 황태자의 빠른 걸음을 따라가려면 나는 거의 뛰다시피 해야 했다.

아, 밥을 먹었는데 먹은 것 같지가 않아. 체한 것 같았다.

아니, 분명 체했다.

"왜."

돌연 멈춰 선 황태자가 나를 돌아보았다. 왜 이러지?

"네?"

"표정이 불편해 보이는데."

나는 그와 만난 이후 한 번도 편한 표정을 지은 적이 없었다.

그 와중에 내 표정을 보고 있긴 했다는 사실이 너무 의외였다. 나 같은 거 안 보고 계속 앞만 보고 가는 줄 알았는데.

안 볼 거 같아서 조금 인상도 쓰고 그랬는데 그게 딱 걸린 모양이었다.

어떡하지.

무슨 말을 해야 죽지 않고 살 수 있을까 일생일대 선택의 기로에 놓여 있는데 아드리안 황태자가 미간을 좁혔다.

"왜 표정이 그 모양이지?"

고개를 푹 수그리고 속으로 울분을 풀고 있는데 돌연 아드리안 황태자가 손을 뻗어 내 고개를 들었다.

고개를 숙이고 싶어도 턱을 들어 올리는 손 때문에 불가능했다. 어쩔 수 없이 아드리안 황태자를 올려다보자 그가 내 얼굴을 빤히 쳐다보았다.

의문도 잠시, 황태자가 인상을 찡그렸다.

"못 볼 걸 빤히 봤어."

황태자 전하의 안구에게 대단히 죄송합니다.

이제 하다못해 이런 걸로 죄송해야 하는 내 처지에 격렬한 회의감이 찾아들었다.

인간은 왜 사는가, 그래도 살고 싶다.

나 자신의 생존 본능이 처절해서 슬펐다.

"황태자 전하."

그때, 테르니와 디아노 외에 황태자를 보필하는 또 다른 인물이 나타났다. 주로 공식 일정을 알리는 왕실부의 관료였다.

"무슨 일이지?"

관료가 황태자에게 가까이 다가오더니 둘끼리 속닥속닥 이야기를 나눴다.

나는 어정쩡하게 서서 이러지도 못하고 저러지도 못하고 눈치만 보며 서 있었다.

"알았다. 이따 들르도록 하지."

"그럼 폐께 그리 전해 올리겠습니다."

관료가 깍듯이 인사하고 사라졌다. 상황 파악을 해 보고 싶었는데 그보다 한발 앞서 아드리안 황태자가 내게 말했다.

"데려다주지."

엥? 그냥 가라고 할 줄 알았는데 데려다준다고 하니 기분이 이상했다.

웬일이지. 이런 섬세한 배려를 하는 인간이 아닌데.

"전하, 가 보셔야 하는 것 아니세요?"

"맞아."

"그, 그런데 왜……?"

의아해하는 나를 바라보며 황태자가 초를 쳤다.

"네가 튈까 봐."

그럼 그렇지. 올라갈 뻔했던 호감도가 사라지다 못해 소멸했다. 내가 뭘 바라겠는가?

먼저 앞서 걸어가는 아드리안을 따라 열심히 뒤따라 걸었다. 다행히 릴리 궁에 금방 도착했다.

침실까지 같이 가려나?

눈치를 보고 있는데 내가 주로 묵고 있는 침실 문 앞에서 황태자가 멈춰 섰다.

뭐지?

"하……."

무슨 생각을 하는지 황태자가 아련한 표정을 지었다.

그러고 보니 이곳은 도망친 약혼남이 머물고 있었던 침실이었지.

정말, 그 약혼녀남…… 을 사랑했구나.

아까까지만 해도 인정이라곤 하나 없는 사람이라고 생각했는데 지금 약간 마음이 약해졌다.

그래, 사랑하는 약혼녀남을 여장시킬 수밖에 없었던 그 슬픔을 내가 이해할 순 없겠지.

나는 안쓰러운 감정을 담아 황태자를 바라보았다.

"뭘 봐?"

"네?"

물론 안타까운 감정은 1초 만에 사라졌다.

아주 대단한 사람이었다.

Chapter 3. 황궁의 실세

Chapter 3. 황궁의 실세

아침 공부를 마치고 숨을 돌리려는데, 마담 루시가 어디선가 튀어나와 내 시선을 끌었다.

"자, 아티엔느 아가씨. 오늘의 일정은 무엇일까요?"

"……네?"

일정이라니, 그냥 평소처럼 공부하는 거 아니었어?

나도 모르는 새 일정이 생겼나 하는 생각에 딱딱하게 굳은 채 그녀를 바라보았다. 마담 루시는 뭐가 그렇게 즐거운지 오호호 웃어 댔다.

"그건 바로, 두구두구두구……."

마담 루시가 혼자 효과음을 넣기 시작했다. 그것참 긴박하고 좋네.

그 효과음을 따라 괜히 불안감이 엄습했다. 굳이 언급하는 걸 봐서 평소와는 다른 일정이 있는 게 분명했다.

심란한 내 마음을 놀리려는 듯 그녀는 발랄하게 웃으며 박수를 쳤다.

"그건 바로 그레이스 궁에 가는 거랍니다! 오호호홋!"

"……네……?"

그레이스 궁이라면, 황후 궁?! 무도회까진 아직 시간이 남았는데 그레이스 궁이라니? 오늘이 바로 내 제삿날이었구나. 미리 알았더라면 좀 더 늦잠 잘걸.

아냐. 평생 잘 건데 늦잠이 다 무슨 소용이야. 후후, 인생 뭘까…….

충격적인 일정에 잠시 정신이 저 멀리 가출했다가 돌아왔다.

"꼭 가야겠죠?"

"무슨 그런 당연한 소리를! 황후 폐하께서 기다리십니다. 자, 어서 준비하셔야죠. 일어나세요, 아가씨. 오호호홋!"

나는 죽을상을 지은 채 탈의실로 끌려가듯 들어갔다.

마담 루시가 내 옷을 열심히 갈아입히는 도중 문득 든 의문에 고개를 들었다. 그녀는 뭐가 내게 잘 어울릴지 세상에서 가장 심각한 표정으로 고민하고 있었다.

"마담 루시. 황태자 전하께서도 함께 가시나요?"

다소 도움이 안 되는 황태자지만 혼자 황후를 만나는 것보다 함께 가는 게 더 나을 것 같았다.

한 번도 보지 못한 황후와 독대라니, 생각만 해도 온몸에 소름이 돋았다.

그러나 세상일은 모두 뜻대로 되지 않는 법.

마담 루시는 단호하게 고개를 저었다.

"아니요. 황후 폐하께서 아티엔느 아가씨만 은밀히 부르셨답니다. 큰 영광이지요?"

그런 영광, 필요 없어요…….

왜 이렇게 여기 사람들은 내가 바라지도 않는 영광과 기회를 줄까. 다시 한번 삶에 회의가 찾아들었다.

꽤 오랜 시간 끝에 그레이스 궁에 가기 위한 단장이 끝났다. 독대하는 사람이 황후 폐하인 만큼 평소 치장하는 것보다 더 시간이 오래 걸렸다.

"역시 제 솜씨! 아주 예쁘시네요, 아티엔느 아가씨. 오호호호! 최고예요, 최고!"

칭찬이 별로 기쁘지 않았다. 목숨을 잃으러 가는 길의 마지막 단장인데 기쁠 리가 없지.

그래도 마담 루시의 실력이 뛰어난 건 맞는 말이라 거울에 비친 내 모습은 평소보다 더 괜찮았다.

쿵쾅대는 마음을 가라앉히려 가슴에 손을 얹고 심호흡을 하다 문을 열었다.

그레이스 궁으로 가는 방향으로 몸을 틀었다가 바로 앞에 보이는 누군가의 가슴에 천천히 고개를 들었다.

황태자였다.

"……아."

나지막이 탄성을 내뱉었다.

아침부터 일진이 사나웠다.

침실을 나서자마자 황태자를 보다니! 오늘은 망했어.

"아, 내 눈."

심지어 황태자는 내 얼굴을 보자마자 인상을 그으며 한 손으로 눈을 가렸다.

만나자마자 시비질이야, 흑.

"뭐 하는 거지?"

"네?"

"두 번 묻게 만드는 게 제일 싫다고 했을 텐데."

"어……. 어딜 좀 가려고요."

그가 눈을 날카롭게 뜨며 나를 바라보았다. 나는 잔뜩 쭈 그러든 채 그 시선을 피했다.

거 사람이 한두 번 묻게 만들 수도 있지, 성질 되게 급하네.

입 밖으로 내뱉는 즉시 죽을 수도 있는 생각을 품으며 그 의 눈치를 보았다. 잠시 후 그가 한쪽 입꼬리를 올리며 나 를 아래위로 훑어보았다.

"네 주제에?"

내 주제에 어딜 가려고 해서 대단히 죄송합니다…….

괜히 입을 열었다가 또다시 죽음의 위기가 올까 봐 조용 히 입을 다물었다.

그런 내 행동을 반항하는 거라고 생각했는지 황태자의 표정이 미묘하게 굳었다.

"준비는 완벽하게 끝마쳤나 보지. 기대해도 되는 모양이야."

아니, 황후가 부른 걸 나더러 어떡하라고!

나만 은밀히 불렀다고 했기 때문에 황태자에게 털어놓을 수도 없었다.

이러지도 저러지도 못하고 그 자리에 서서 쭈그러들고 있는데, 별안간 문이 열리고 마담 루시가 나왔다.

그녀는 아직도 출발하지 못한 나를 보며 깜짝 놀랐다.

"어머? 안 가시고 뭐 하세요, 아가씨?"

쟤가 못 가게 했어요. 내가 안 가고 싶어서 안 간 게 아니라.

"어디 가는데."

"호호호. 황후 폐하를 뵈러 간답니다! 폐하께서 아티엔느 아가씨를 부르셨어요!"

마담 루시가 신나서 조잘거렸다.

아니, 그거 은밀하게 불렀다며. 비밀 아니었어? 말해도 되는 거면 황태자한테 이야기했지.

금방의 숨 막히던 침묵을 떠올리니 너무 억울해졌다.

이윽고 황태자가 내게로 시선을 돌렸다. 꿰뚫는 듯 날카로운 시선을 직접 마주하니 나는 한없이 움츠러들었다.

"모후를?"

심지어 목소리마저 냉소적이었다.

"허튼소리 하면 죽여 버린다."

그 나지막한 경고에 또다시 소름이 돋았다.

"아무래도 불안한데. 그냥 무조건 네라고 대답해."

"네? 네."

'네'만 하라니 '네'라고 대답해야지.

"안 가?"

그의 채근에 무거운 걸음을 옮겼다. 하지만 몇 발짝 떼기도 전에 황태자에게 붙잡혔다.

"그 방향 아니야."

"앗."

그동안 길치인 걸 잘 숨겼다고 생각했는데 이렇게 들통나는 것인가. 나는 서둘러 반대 방향으로 몸을 틀었다.

"그 방향도 아니고."

"……."

황태자가 직접 내 몸을 붙잡아 방향을 잡아 주었다. 그제야 나는 걸음을 뗄 수 있었다.

황후와 독대라니, 대체 어떻게 행동해야 하는 걸까. 감히 감도 잡히지 않았다. 역시 오늘이 죽는 날이라는 내 예상이 적중한 게 분명해.

문득 오늘 먹으려고 했던 디저트들이 눈앞에 아른거렸다.

슬픈 걸음을 옮기고 있는데, 뒤에서 따라오는 누군가의 발소리에 멈춰 섰다.

고개를 돌리자 황태자가 나를 따라오고 있었다.

"왜 오세요……."

"내가 어딜 가든 네가 무슨 상관이야. 죽고 싶어?"

"아뇨, 죄송해요. 잘못했어요. 살려 주세요."

뭔 말도 못 하게 해.

내가 한바탕 사과 파티를 벌이자 그는 나를 죽이는 대신 길을 향해 고갯짓했다.

닥치고 걸으라는 소리구나. 당장 죽지 않아도 된다는 사실에 안도하며 다시 그레이스 궁으로 향했다.

황태자는 내가 그레이스 궁에 도착할 때까지도 따라왔다. 뭘 하려는 작정이지? 문 앞에 도착한 후 자리에 멈춰서니 황태자도 따라서 걸음을 멈췄다.

어……. 머뭇거리며 그의 얼굴을 빤히 쳐다보았다.

"길 가로막고 서 있지 마."

"들어…… 오시게요?"

"그럼 여기까지 내가 왜 왔겠나?"

"……."

차마 할 말이 없었다.

"저기, 전하. 황후 폐하와 독대하는 건데요."

설마 그 사실을 모르나 싶어 용기를 내 한마디 했지만 그는 들은 체도 하지 않았다. 대신 멀뚱히 서 있는 나를 지나쳐 그레이스 궁 안으로 들어갔다.

쫓아가기도 힘들 정도로 빠른 걸음걸이로 사라지는 황태자의 뒷모습을 보다 황급히 따랐다.

"자, 잠깐만요!"

그는 내가 마음의 준비를 할 시간도 주지 않고 응접실의 문을 열어젖혔다.

벌컥!

언질도 없이 열린 문 너머 놀란 표정의 루드밀라 황후가 보였다.

와. 우와…….

경악스러웠다. 막 나가는 건 알았지만 이렇게 막장일 줄이야.

"어서 와요, 아티엔느 양."

"황후 폐하를 뵙습니다. 아르칸젤로의 축복이 함께하시기를."

"그대에게도 아르칸젤로의 축복이 함께하길."

살기 위해선 정신을 바짝 차려야 했다. 가출하려는 징신상태를 애써 부여잡으며 루드밀라 황후를 보며 웃었다.

그러다 쏘아보는 황태자의 눈빛을 느끼고 나도 모르게 몸을 움츠렸다.

'네'만 하라고 했는데 다른 말을 덧붙여서 그런가? 그렇다고 황후께 인사를 생략할 수는 없잖아, 이 나쁜 놈아!

"우리 아들은 부른 기억이 없는데?"

루드밀라 황후는 고아하게 웃으며 황태자에게 일침을 날렸다.

나한테 한 이야기도 아니건만 괜히 눈치가 보여 슬금슬금 물러났다.

황태자는 더욱 대단했다. 황후의 말을 대번에 무시하고 들어와 빈자리에 앉았다.

루드밀라 황후가 앉아 있던 맞은편에는 의자가 하나 있었다.

한 사람이 앉을 수 있는 의자 하나가.

아무리 봐도 저거 내 자리인 거 같은데.

……자리를 빼앗기고 말았다.

"쯧쯧, 어쩜 저렇게 못돼 먹었니."

루드밀라 황후는 혀를 끌끌 차며 황태자를 타박했다.

그러나 그는 전혀 개의치 않고 오히려 아주 오만하게 앉아 한쪽 입꼬리를 올리며 웃었다.

잘생긴 싸가지의 표본처럼.

"다 폐하께서 잘 가르쳐 주신 덕분이죠."

황후는 디디욱 혀를 끌끌 차며 고개를 내지었다.

"내가 낳은 자식이지만 정말 재수가 없구나. 부끄러워서 고개를 못 들 지경이란다."

루드밀라 황후의 표정은 아주 썩어 있었다.

괜히 불똥이 튈까 봐 나는 조용하고 얌전하게, 공기가 된 심정으로 서 있었다.

차라리 아무도 발견해 주지 않길 바라며 눈치를 보고 있는데, 갑자기 루드밀라 황후가 나를 돌아보았다. 그것도 아주 온화한 표정으로.

금방 짓고 있던 흉흉한 얼굴은 온데간데없었다.

"호호호. 어서 들어와 앉아요, 아티엔느 양. 메리, 자리를 마련하렴."

"예, 폐하."

황후의 말 한마디에 금세 내 자리도 생겨났다. 나는 주춤거리며 자리에 앉았다.

황후의 맞은편이었고, 안타깝게도 황태자의 옆자리였다.

내, 내 옆에 황태자가 있어! 그 사실만으로도 무서워서 아주 미세하게 몸이 떨려 왔다. 나도 모르게 황태자에게서 몸이 슬금슬금 멀어졌다.

"오랜만이죠, 아티엔느 양?"

"네, 오……. 네."

오랜만이라고 대답하려고 했지만, 황태자가 '네'만 하라고 했던 말이 떠올라 황급히 뒷말을 잘랐다.

"오……? 아티엔느 양, 무슨 말을 하려고 한 것인지……."

"왜 부르신 겁니까."

내게 질문하려던 황후의 말을 자르며 황태자가 물었다.

다정하고 상냥하던 황후의 얼굴이 단번에 차가워졌다.

"너한텐 볼일 없다."

"제 약혼녀입니다."

"……어머!"

황후가 두 손으로 입을 가리며 감탄사를 내뱉었다. 그러고선 뒤에 서 있던 시녀를 돌아보며 호들갑스럽게 물었다.

"들었니, 들었니?"

"네, 폐하. 황태자 전하께서 '제 약혼녀입니다.'라고 하셨어요!"

"나도 모르게 설렜지 뭐니? 오호호, 살다 살다 아드리안 저 녀석 입에서 저런 말이 나오는 걸 들을 줄이야."

여긴 시녀도 다 이상한 것 같은데…….

황후는 시녀와 함께 조잘거리며 호들갑을 떨었다. 나는 병풍처럼 가만히 앉아 부디 황태자가 폭발하지 않기만을 간절히 바랐다.

"오호호, 웬일이니!"

"남자네, 남자야!"

제발 폭발하지 마라.

간절히 기도하며 황태자를 힐긋 보니 예상대로 표정이 썩어 있었다.

화를 삭이던 그가 이내 한숨을 내쉬었다.

"용건이 없으시면 이만 데리고 나가겠습니다."

황태자는 내 손목을 붙들고 자리에서 일어났다. 하지만 황후 또한 호락호락하지 않았다.

"무슨 소리니? 애초에 내가 초대한 건 네가 아니란다. 부를 땐 코빼기도 보이지 않더니, 약혼녀를 부르니까 바로 따라오는구나. 이럴 줄 알았으면 진즉 아티엔느 양을 부를 걸 그랬어. 어쨌든 내쫓진 않을 테니 잠자코 빠져 있으렴."

금방의 왁자지껄한 분위기는 온데간데없고 삼엄하며 엄중한 기류만이 흘렀다.

이래서 황후 폐하가 무섭다고 하는 거구나.

나는 황태자에게 팔을 붙들린 채 그저 오들오들 떨었다.

잠시 후 황태자가 인상을 구기며 도로 자리에 앉았다. 맹수의 소굴에 갇혀 버린 것 같다는 느낌을 지울 수 없었다.

기어코 오지 않았으면 하고 간절히 바랐던 시간이 왔다. 황후의 관심이 온전히 내게로 쏠리고 말았다.

내 얼굴에 핏기가 가시는 게 스스로도 느껴졌다.

황후가 나를 보며 상냥하게 웃었다.

"못 본 사이에 더욱 예뻐졌네요."

"네에……."

"그래, 그동안 잘 지냈나요?"

"네……."

황태자가 옆에서 감시하는 시선이 너무 따가워서 제대로 대답할 수가 없었다. 흑흑, 진짜 무서워 죽겠네.

그저 네, 라는 대답만 할 뿐인데도 긴장돼서 죽어 버릴 것만 같았다.

황후의 질문은 계속해서 이어졌다. 가만히 참고 있던 황태자가 또다시 폭발했다.

"그런 쓸데없는 질문 하시려고 부른 겁니까?"

"어머, 아직도 있었니? 간 줄 알았는데. 내가 부를 때마다 검술 연습한다느니, 정무를 본다느니, 사냥을 간다느니 하더니 오늘따라 한가한 모양이구나, 아드리안."

"공교롭게도 폐하께서는 늘 제가 자리를 비웠을 때 부르시더군요."

공중에서 불꽃 튀는 눈싸움이 벌어졌다.

여기가 바로 정글인가. 먹고 먹히는 약육강식의 세계가 바로 이런 게 아닐까.

내 눈빛은 점점 흐려져만 갔다…….

그 상황을 종식시킨 건 한 시녀였다. 그녀는 테이블 위에 차를 세팅하고 사라졌다.

눈빛 전쟁이 끝난 것만으로 감지덕지했다.

안도의 한숨을 내쉬던 중 이상한 점을 발견했다. 찻잔이 나와 황후의 앞에만 놓여 있었다.

……제2차전이 벌어지려는 건가. 공포 탓에 심장이 두근거렸다.

"왜 내 찻잔은 없는 거지?"

황태자가 퍽 날카로운 음성으로 묻자 시녀가 난감한 듯 고개를 숙였다.

그런 시녀를 황후가 문밖으로 내보냈다.

"애꿎은 시녀에게 언성 높이지 말거라. 게다가, 아드리안 넌 내 손님이 아니잖니? 내가 초대한 건 아비엔느 양뿐이란다."

상냥한 어조였지만 말에 뼈가 있었다.

황후는 나를 보며 다정하게 웃었다. 따라서 어색하게 웃었다. 그리고 황태자의 표정을 살피기 위해 고개를 돌린 순간, 그와 눈이 마주쳤다.

빤히 응시하는 붉은 눈동자에 순간 압도당했다.

왜, 뭐……. 어, 어쩌라고?

그 시선이 너무나도 차갑고 싸늘해서 나도 모르게 딱딱하게 굳어 버렸다.

대체 뭐가 불만인 거지……? 고민하고 있는 찰나, 내 앞으로 크고 단단한 팔이 뻗어졌다.

"……어어?"

방심한 사이, 황태자가 내 찻잔을 들고 가 한 번에 다 마셔 버렸다.

저거 금방 끓인 거라 엄청나게 뜨거울 텐데. 하지만 그는 어떤 표정 변화도 없었다.

아니, 미묘하게 즐거워하는 거 같기도…….

그런 황태자의 행동을 본 황후는 한 손으로 입을 가리며 경악했다.

"대체 이게 무슨 교양 없는 행동이니. 난 널 그렇게 무례하게 가르치지 않았단다, 아드리안."

"폐하께서 저를 가르치신 적은 없으시죠. 제 스승님의 교육 방침이었습니다."

"그 스승님을 내가 불러들였다는 건 잊은 모양이구나?"

내 예상은 빗나가지 않았다. 바로 내 앞에서 제2차전이 벌어지고 말았다.

나는 영혼이 반쯤 빠져나간 채 상황을 관전했다. 그저 빨리 이 자리를 벗어나고 싶었다.

여긴 어디, 나는 누구…….

황태자는 쉽게 물러나지 않았다. 황후를 향해 미소까지 지어 보이는 여유를 보였다.

"스승님께 녹봉을 주신 건 황제 폐하시죠."

"아무튼 한마디도 안 지는구나."

"칭찬 감사합니다."

정말 살벌한 가족이다. 황족이란 다 이런 건가? 그간 가지고 있던 황족에 대한 환상이 와장창 깨졌다.

황후는 아드리안에게 한마디 하려다 도로 입을 다물었다. 쓸데없는 소모전이라는 걸 깨달은 모양이었다.

그런데 문제는, 또다시 황후의 주의가 내게로 옮겨 왔다는 사실이다.

언제 살벌한 표정을 지었냐는 듯 황후는 내게 온화한 미소를 지어 보였다.

"며칠 전 가브리엘 양이 방문했을 때, 내가 다른 일로 바빠 잠깐 자리를 비운 사이에 일이 있었다고 들었어요. 무슨 일이 있었는지 전해 들을 수 있을까요?"

"아, 그게……. 네."

황태자의 눈치를 보다가 황태자의 경고를 떠올리고 황급히 '네.' 하고 대답했다.

'네.' 말고 다른 말을 하지 말라고 했는데, 과연 '네.'로만 그 사건을 설명하는 것이 가능할까?

머뭇거리고 있는데, 황태자가 대신 대답했다.

"가브리엘이 하녀에게 행패를 부리는 걸 아티가 막았을 뿐입니다."

"어머나."

황후의 시선이 내게 향했다. 그때 멋모르고 나섰던 기억이 떠올라 나는 슬그머니 고개를 숙였다.

"그런 일이 있었군요. 가브리엘이 자꾸 아티엔느 양이 자신을 무시한다며 혼내 달라고 해서 무슨 일인가 했네. 별거 아니었군요."

"네……."

황후는 나를 보며 흐뭇하게 웃었다. 걱정과 달리 가브리엘과 있었던 사건의 설명은 그것으로 충분한 듯했다.

"가브리엘이 다소 무례했더라도 아티엔느 양이 너무 불쾌해하지 않았으면 좋겠네요. 가브리엘이 다소 이기적이고 자신만 아는 것 같아도 알고 보면 착한 아이랍니다."

"아, 네."

대체 어디가?

"어릴 때부터 딸아이처럼 데리고 돌본 아이라서 그런지 정이 많이 가요. 이런저런 일로 자주 부딪히게 될 텐데 지금처럼 잘 지냈으면 좋겠군요."

"네."

"아드리안에게도 가브리엘은 어릴 적부터 함께 자란 친밀한 사이라서 자주 만날 테니 아티 양이 혹여나 오해하지 않았으면 해요."

대답 대신 황태자를 슬쩍 보니 무척이나 불쾌한 표정으로 인상을 찡그리고 있었다.

그 후로 이런저런 이야기가 이어졌다. 놀랍게도 '네'라는 대답만으로도 대화는 이어졌다.

"요새 자수를 놓는 게 유행한다더군요."

"네."

"해 보셨나요?"

아, 안 해 봤는데. 그런데 황태자가 했던 말이 머릿속에 맴돌았다.

무조건 '네'라고 대답하라고 했다. 으으, 그런데 이건 그냥 거짓말하는 거 아냐?

하지만 살기 위해선 어쩔 수 없었다.

"네……."

자수를 놓았던 적이 너무 까마득해서 언제 했는지도 기억이 나지 않았다. 아, 청춘이여…….

"언제 한번 아티엔느 양의 작품을 보고 싶네요. 기대해도 될까요?"

"……네."

망했네. 망했어. 팔자에도 없는 자수를 놓게 생겼다.

그렇지 않아도 황태자의 약혼녀로서의 교양을 갖추기 위해 어마어마한 양의 공부를 소화해 내고 있는데, 자수까지 해야 하다니, 내 얼굴이 파리해졌다.

"아, 괜찮다면 아드리안에게도 자수를 하나 선물해 주는 건 어떨까요?"

"네?"

아주 천천히 고개가 돌아갔다.

황태자는 아주 오만한 자세로 내게 빼앗은 차를 여유롭게 마시고 있었다.

황태자에게 자수 선물이라니, 벌써 아득했다.

"아드리안, 너도 받고 싶지 않니?"

"예, 뭐."

안 받고 싶어 하잖아! 필요 없잖아!

누가 봐도 심드렁한 반응인데 황후는 입을 가리고 오호호 웃었다.

"내 아들이지만 정말 부끄러움이 많단 말이야."

저게 부끄러워하는 거라고요? 말도 안 돼! 저건 그냥 관심 없는 주제라 대충 대답하는 거잖아.

내 마음의 소리는 황후에게 전달되지 못하고 조용히 소멸했다.

그래, 자수. 팔자에도 없는 약혼녀 노릇도 하는데 자수 하나쯤 추가해도 나쁘지 않…… 아니, 아주 나쁘다.

그 이후로도 황후는 사소한 것들을 물어보았다. 나는 황태자의 말대로 뭘 물어보든 '네'라고 대답했다.

그렇게 '네'만 대답하는 게 익숙해질 찰나, 황후가 씨익 개구진 미소를 지었다.

"아드리안이 좀 못됐죠?"

"아, 아니…… 네."

빠그작. 바로 옆에서 뭔가가 박살 나는 소리가 들렸다.

나는 오들오들 떨며 차마 뭐가 부서졌는지 확인하지 못했다. 그럴 만한 용기가 없었다.

왜, 왜 이 자식아. 나도 아니라고 대답하려고 했다고!

무조건 '네'라고 대답하라고 한 건 분명 황태자였다.

"어머. 그렇다고 대답할 줄은 몰랐는데? 아드리안이 못되게 구나요?"

황후가 두 눈을 동그랗게 떴다. 나는 차마 고개를 돌리지 못하고 오들오들 떨고만 있었다.

바로 옆에서 노려보는 것만 같은 강렬한 시선이 느껴졌다.

"아드리안이 많이 괴롭히나요?"

"네에……."

"아드리안 재수 없죠?"

"네."

이게 아닌데. 이게 아니라고 생각하면서도 황태자가 황후를 만나기 전에 했던 명령이 떠올라 다른 대답을 할 수가 없었다.

그렇다고 황후의 질문을 무시할 수도 없으니까.

제발 폐하께서 난감한 질문을 멈춰 주길 간절히 바랐지만, 내 바람은 이루어지지 않았다.

"맞아요. 어릴 땐 순하고 착했던 애가 갑자기 왜 이렇게 변했는지 모르겠어요. 휴우, 귀엽고 앙증맞았는데."

황태자가 어릴 때 순하고 착하고 귀엽고 앙증맞았다고?

올해 들어 들은 소리 중에 가장 믿기지 않는 무서운 이야기였다. 현실성도 없었다.

"못 믿겠다는 표정이네?"

"……네."

그걸 어떻게 믿어.

황태자 같은 성격 파탄자의 과거가 귀엽고 앙증맞다니 정말 말도 안 된다. 차라리 태어나자마자 주변을 다 박살 냈다는 게 더 신빙성 있었다.

"어릴 때는 '네, 어머니.' 하면서 얼마나 귀여웠다구! 아, 정말 옛날이 그립네."

"쓸데없는 이야기는 삼가시죠, 폐하."

"어머. 부끄럽니? 어릴 때처럼 어머니라고 부르지 않으련?"

"싫습니다."

몰라도 될 사실을 알아 버렸다. 황태자는 어릴 때 아주 착하고 귀여웠다……. 이 사실을 몰랐던 과거로 돌아가고 싶었다.

"그나저나 아티엔느 양."

"네?"

"이 자리가 꽤 불편하죠?"

아, 이 질문은 '네'라고 대답하면 안 될 것 같은데. 불안한 시선이 황태자에게 향했지만 그는 전혀 신경 쓰지 않았다.

나는 잔뜩 긴장한 채 대답했다.

"네……."

"역시 그랬군요……."

폐하께서 화가 난 걸까? 황후는 잠시 동안 아무 말도 꺼내지 않았다.

고요한 침묵이 흘렀다. 입 안이 바싹바싹 타들어 가는 것만 같았다.

잔뜩 긴장한 채 황후의 다음 말을 기다렸다.

"아, 솔직해서 정말 마음에 들어!"

예상과 전혀 다른 반응이었다.

황후는 소녀처럼 웃으며 박수를 쳤다. 나는 멍청한 얼굴로 얼어붙고 말았다. 심각한 분위기 아니었어……?

심지어 황후는 울기 직전으로 웃었다.

그 광경을 지켜보던 황태자가 한숨을 내쉬었다.

"폐하."

"왜 그렇게 정색하니? 뒤에서 네 얘기를 떠드는 것보단 낫잖니?"

황후의 칭찬은 그걸로 끝이 아니었다. 그녀는 내 손을 붙잡고 상냥하고 부드럽게 웃었다.

"그동안 아티엔느 양이 내게 거리를 두는 것 같아 서운했는데, 이번 기회에 마음을 터놓고 친밀해진 것 같아서 기쁘네요. 아드리안이 아직 철이 없어 다정치 않게 굴 때가 많을 거예요. 그래도 마음이 고운 아티엔느 양이 옆에서 잘 다독여 줘요. 아티엔느 양이라면 저 철부지를 맡겨도 될 것 같아요. 잘 부탁해요."

"네……."

그저 네, 네, 한 것밖에 없는데 한순간에 황후의 신뢰를 얻어 버렸다.

얼떨떨한 얼굴로 고개를 끄덕였다. 잘된 건지 아닌지 알 수 없었다.

"그런 의미로 아티 양에게 부탁할 것이 있답니다."

"네? 네……."

"이번에 열리는 내 탄신 파티에 참석하기 위해 내일 시리우스 제국에서 축하 사절단이 온답니다. 거기에 내 동생이자 황후인 베로니카와 로넨 황태자도 있어요. 아티 양에게 그들을 맡길까 하는데—."

황후의 말이 끝나기도 전에 아드리안이 나섰다.

"제가 하겠습니다."

황후의 두 눈이 휘둥그레졌다.

"어머, 네가?"

"예. 더 하실 말씀 없으시면 이만 물러가겠습니다."

"어, 어머."

놀라서 두 손으로 입을 가린 황후에게 건성으로 인사를 한 황태자가 나를 끌고 밖으로 나왔다.

나는 얼떨떨한 그대로 황후의 응접실을 나섰다.

문을 열고 나와 안도의 한숨을 내쉬었다. 그래도 잘 끝난 것 같아 다행이었다.

하지만 그건 내 착각인 모양이었다. 뒤를 돌자 황태자가 할 말이 많아 보이는 표정으로 나를 빤히 응시하고 있었기 때문이다.

"왜, 왜 그러세요?"

"몰라서 묻는 건 아니겠지?"

어떡하지? 모르겠다…….

"제가 뭔가 잘못한 거라도……."

내 목소리가 점점 작아지다 못해 기어들어 갔다. 그러나 아무리 생각해도 황태자가 화난 이유를 알 수 없었다.

의자와 찻잔이 없어서 화가 난 걸까? 근데 내 거 다 뺏어서 앉고 마셨잖아!

대체 왜 이러는 건데.

아래로 내리깐 그의 싸늘한 시선이 나를 향했다.

아아, 역시 오늘도 죽을 위기는 끊이지 않는구나.

✦ ♛ ✦

황후와의 만남이 끝난 후 아드리안의 집무실.

우연히 만난 테르니가 우리를 보고 의아해하더니 이윽고 내게 꼬치꼬치 캐묻기 시작했다.

"왜 저 자식이 화가 난 건데?"

"황후 폐하께서 부르셔서 갔는데……."

"그래서?"

나는 최대한 사설을 제외하고 있었던 사실만을 그대로 전해 주었다. 황후와 나누었던 대화. 그럴수록 테르니는 폭소하기 시작했다.

웃음이 가장 커진 대목은 바로 이 부분이었다.

아드리안이 좀 못됐죠? 네.

"아드리안이 못…… 크큭…… 네라니. 미쳤어, 진짜. 허윽……."

"아니, 그렇게 웃으면……."

테르니는 한 치 앞도 보지 못하고 엄청나게 웃어 댔다. 웃는 건지 우는 건지 알 수 없을 정도였다. 말려도 전혀 소용이 없었다.

나는 보고야 말았다.

아드리안이 정색하면서 허리춤에 손을 옮기는 것을.

"야, 우냐?"

테르니가 실실 웃으면서 아드리안을 놀리기 시작했다. 기어코 황태자가 검 손잡이를 쥐었다.

"앗!"

"어이쿠!"

검이 뽑혀 나왔다.

아드리안이 테르니를 썰어 버릴 절체절명의 위기였다.

"살인 사건인가."

디아노는 말리긴커녕 경탄하며 눈을 반짝였다.

"검 뽑은 전하 멋있어……."

한술 더 뜨기까지 했다.

나는 엄청난 위기감을 느끼고 말았다. 일찍이 알고 있었지만 여기에 정상인 사람은 나밖에 없었다.

테르니, 황태자, 디아노까지 모두 제정신이 아니었다.

탈출하기 위해 슬그머니 문 쪽을 보았지만 나를 놀리듯 굳게 닫혀 있었다.

망했네, 망했어……

황태자가 테르니를 썰어 버리기 위해 검을 높게 치켜들 었을 때였다.

"잠깐. 동작 그만! 나는 지금 아주 중요한 자료를 들고 있다고!"

"수작 부리지 말고, 그냥 죽어."

황태자는 호락호락하지 않았다. 하지만 맞서는 테르니도 만만치 않은 상대였다.

"에센!"

갑자기 튀어나온 이름에 황태자의 검이 공중에서 멎었 다. 동요하고 있다는 걸 알아챈 테르니의 입가에 미소가 떠올랐다.

"에센이 있는 곳을 알아냈어. 거기가 어딘지 아는 사람 은 나밖에 없다고! 그런데도 나를 죽일 셈이야?"

"말해. 어딘데."

"일단 그거 내려놓으면 말해 주지!"

고민하던 황태자가 이내 검을 내려놓았다.

에센이라는 사람이 그렇게 그리운 건가. 새삼 황태자가 게이라는 사실이 떠올랐다.

떠나간 연인을 찾기 위해 치밀어 오르는 분노까지 잠재

우는구나. 괜히 애잔해져 코가 찡해졌다.

"빨리 말해. 에센, 지금 어디 있어."

"아, 어디더라. 잠깐만. 갑자기 그렇게 물어보니까 기억이 안 나잖아."

생각하는 듯 테르니가 검지를 머리에 갖다 댔다. 심상치 않음을 느낀 황태자가 다시 검에 손을 갖다 댔지만, 이미 늦었다.

"사실 모르지롱~."

그 한마디만을 남기고 테르니는 쏜살같이 집무실을 뛰쳐나갔다.

엄청난 침묵이 집무실 안을 덮쳤다. 기온이 5도 정도는 내려가지 않았을까 싶을 정도로 싸늘했다.

황태자는 검을 느슨하게 잡은 채 테르니가 도망친 문 쪽을 노려보았다.

"……저 자식, 당장 잡아 와."

화를 참는 듯 잠깐 쉰 후 그가 말을 이었다.

"사형시켜 버릴 거니까."

황태자의 시퍼런 분노를 지켜보던 디아노가 변호하듯 말했다.

"그런데, 전하. 정말로 정보가 들어온 것은 있습니다. 확실하지 않아서 진위 여부를 가리고 있지만요."

"그래?"

디아노가 잠시 나를 일별했다.

"괜찮아, 말해."

"그게…… 여장한 채로 돌아다니고 있다던데요."

"그래서 못 찾은 건가?"

"예. 아무래도 수사 범위를 여성분들까지 넓혀야 할 것 같습니다."

"알았어. 그러도록 해."

예기치 못하게 엄청난 걸 들어 버렸다.

"어쨌든 상처 하나 없이 잡아 오도록 해. 어디도 다치면 안 된다."

사랑! 사랑이다!

황태자의 입에서 이런 말을 듣게 될 줄은 몰랐다. 놀란 나와 달리 디아노는 그럴 줄 알았다는 듯이 고개를 끄덕였다.

"도망친 지 얼마 안 되었는데 벌써 에센 경이 그립군요."

"그래?"

디아노의 말에 깜짝 놀랐다. 아니, 황태자 앞에서 저런 말을 해도 되는 거야? 식겁한 나와 달리 황태자는 평이하게 고개를 끄덕였다.

"나도 좀 그립군."

아아, 사랑이다…….

✦ ♛ ✦

황후의 탄신을 축하하는 타국의 사절단이 슬슬 황궁에 도착했다.

황실에서는 곧 다가올 황후 탄신일을 공휴일로 지정하고

모든 백성들이 먹고 마실 것을 권장했다.

탄신일에 맞춰 황궁에서는 무도회가 열리고 밖의 제도에선 큰 축제가 열릴 것이다.

다른 때면 나도 밖을 나가 축제를 즐겼겠지만 오늘은 그럴 수 없었다.

"어디 나가지 말고 방 안에만 있어."

황궁에 묶인 것도 서러운데 황태자는 나한테 방 밖으로 나가지 말라고 금족령까지 내렸다.

"사절단으로 황궁 내가 소란하니 되도록 누구 눈에 띄지 않게 주의해."

"왜요?"

"네가 못 미더우니까."

할 말이 없었다. 하긴 이 시기엔 황궁에 사람들이 무척이나 많아서 사건 사고도 잦았다.

"그래도 황궁 안은 괜찮지 않을까요?"

"아니. 무조건 너와 내 거처 안에서만 있어."

아드리안 황태자가 한숨을 내쉬었다.

"그런데 정말 제가 사절단을 맞이하러 가지 않아도 되는 건가요?"

"넌 가만히 있어 주는 게 도와주는 거야."

황태자가 한심하다는 듯 나를 보았다.

"아직 황태자비로서 기본도 갖추지 못한 네가 벌써 사절단을 맞이하겠다고? 황족의 얼굴에 먹칠을 할 셈인가?"

"넵. 얌전히 있을게요."

절대로 나를 믿지 못하겠다는 시선을 감추지 않으며 황태자가 궁 안에만 있기를 엄명한 뒤, 그대로 황후의 손님을 맞이하러 떠났다.

내가 어지간히도 못 미더운 모양이었다.

"오늘 할 공부도 다 끝냈는데."

마담 루시와 테르니는 오늘도 역시나 공부에 일말의 도움도 되지 않았다.

이제야 든 생각이지만 어째서 황태자비 흉내만 내면 되는 나에게 이런 역사 공부까지 시키고 있는 걸까?

"이런 것도 상식인가?"

어쨌든 시키니 해야 했다.

몇 가지 간식을 챙긴 뒤 부족한 지식을 채우기 위해 궁 안에 있는 도서관으로 향했다. 그렇게 포인세티아 궁의 회랑을 걸어가던 중이었다.

"어?"

문득 익숙한 사람이 시야에 들어왔다. 그리고 그 사람도 나를 보았다.

눈이 마주친 순간, 어색한 공기를 뚫고 상대가 먼저 입을 열었다.

"……아티엔느 님."

"디아노 경."

서로 제대로 된 대화를 해 본 적이 없어서 어색한 말이 흘러나왔다.

평소 황태자의 호위를 도맡고 있는 디아노는 웬일로 혼

자 떨어져 있었다. 게다가 옆에는 처음 보는 사람들이 서 있었다.

디아노와 비슷한 키와 생김새에 조금 더 호리호리한 한 남자와 디아노 허리보다 작은 키의 양 갈래로 머리를 묶은 작은 여자아이.

아마도 나를 존대해서 부른 것은 저 두 사람을 의식해서 겠지.

서먹한 시간이 흘렀다. 이럴 땐 대체 무슨 말을 해야 할까?

난감해하는 와중에 디아노가 먼저 입을 열었다.

"이쪽은 제 가족입니다. 평소 영지에서 지내는데 이번 황후 폐하의 탄신일을 맞아 입궁하였기에 인사를 나누고 있었습니다."

"그렇군요. 두 분 다 만나서 반가워요. 저는 오비에도의 아티엔느입니다."

마담 루시가 가르쳐 준 인사말을 읊으며 옅게 미소 지었다.

다른 장소에서 만났다면 인사말이 달라졌겠지만, 이곳은 황궁이었다.

"처음 뵙겠습니다, 레이디 오비에도. 베네데토 자작 시 시뉴라고 합니다."

베네데토 자작이면 이 남자가 베네데토의 후계자인 모양 이었다. 형인가?

"자, 아카시아. 인사드려야지."

시시뉴가 디아노 뒤에 숨은 작은 여자아이에게 말을 걸 었다.

아카시아라고 불린 양 갈래 머리를 한 귀여운 꼬마는 나와 눈이 마주치자마자 다시 디아노의 등 뒤로 숨어 버렸다.

"아, 아카시아…… 입니다."

자그마한 목소리에 주먹을 꽉 쥐었다. 소리 지를 뻔했어. 너무 귀엽잖아!

"제 막냇동생의 무례를 용서해 주십시오."

디아노가 내게 말했다. 저런 남자에게 이렇게 귀여운 동생이 있다니 너무 불합리했다.

어쩜 이름도 아카시아일까? 너무 귀여워.

"안녕하세요, 아카시아. 만나서 반가워요."

때마침 들고 있던 막대 사탕 하나를 아카시아에게 건넸다.

아카시아가 작은 손으로 조심스레 받아 든 것을 보고 또 한 번 귀여움에 주먹을 꽉 쥐었다.

어떻게 저렇게 귀여운 생명체가 살아 있을 수가 있지?

"감사합니다아……."

두 손으로 사탕을 쥔 채로 아카시아가 작게 웃었다. 그마저도 너무 사랑스러워서 죽을 뻔했다. 시시뉴가 입을 열었다.

"외람되지만 어딜 가시던 중이셨습니까? 저희가 레이디 오비에도의 귀한 시간을 빼앗은 듯하여."

"그냥 산책을 하던 도중이었습니다."

공부를 한다고 할 수는 없으니까 애매하게 돌려 말하던 때였다. 돌연 옆에서 아카시아가 소리쳤다.

"오빠!"

"응?"

아카시아가 수줍게 들고 있던 사탕을 디아노에게 맡기려고 한 모양이었는데, 디아노가 홀라당 까먹어 버렸다.

"아꼈다가…… 먹으려고 했는데…… 흑."

아카시아의 커다란 눈망울에 눈물이 고였다. 디아노가 당황했다.

"아니, 나 먹으라고 준 줄 알았지."

"이따가…… 먹을 건데…… 흐아앙."

아카시아가 서럽게 울기 시작하자 디아노가 당황해서 허둥댔다. 시시뉴가 이마를 짚었다.

"디아노."

"아니, 형. 이건!"

시시뉴와 나, 두 사람의 싸늘한 시선이 디아노에게 향했다. 시시뉴가 디아노를 노려보자 디아노가 더 허둥댔다.

나는 울고 있는 아카시아의 시선에 맞춰 무릎을 꿇었다. 그리고 품 안에서 사탕 두 개를 꺼내 아카시아의 양손에 하나씩 쥐여 주었다.

"자, 아카시아 양. 여기 더 있으니까 이따가 먹으면 돼요."

아카시아가 눈물을 그쳤다. 우느라 붉어진 눈가를 숨기지도 못하고 부끄러운 건지 뺨을 붉힌 아카시아가 간신히 고개를 끄덕였다.

"디아노 경. 이 사탕은 빼앗아 먹지 마세요."

"……예."

디아노는 억울한 표정이었지만 얌전히 고개를 끄덕였다.

"그럼 편하게 이야기 나누세요. 저는 이만."

옷자락을 잡고 살짝 무릎을 굽혀 인사를 한 뒤, 다시 도서관을 가기 위해 발걸음을 돌렸다.

　마지막으로 눈이 마주친 아카시아에게 손을 흔들자 아카시아가 수줍게 웃으며 마주 손을 흔들어 주었다.

　사탕을 쥔 채로 손을 흔드는 아카시아를 보자 나도 모르게 입가에 미소가 번졌다.

Chapter 4. **황태자의 새로운 위기**

Chapter 4. 황태자의 새로운 위기

　시리우스 제국에서 온 사절단은 여타 다른 사절단보다 규모가 컸다. 그들이 들고 온 선물 역시 다른 나라와 비교할 수 없었다.

　한가득 싣고 온 보물은 따로 다른 시종에게 맡기고 아드리안은 곧장 가장 크고 화려한 마차로 향했다.

　시리우스의 황후 베로니카가 자신의 시종장의 안내를 받아 마차에서 내렸다.

　타오르는 듯한 붉은 머리카락과 보라색 눈동자.

　베로니카 황후는 누가 루드밀라 황후와 자매가 아니랄까봐 비슷한 생김새였다. 덕분에 아드리안은 이모를 못 알아볼 일이 없어서 좋았다.

　"오랜만이구나, 아드리안. 네가 직접 마중 나올 줄은 몰랐는데."

"오랜만에 뵙습니다, 베로니카 황후 폐하."

"어머나, 존칭은 그만두렴. 우리 사이에."

"예, 이모님. 모후께선 안쪽에서 기다리고 계십니다."

"오랜만에 언니 얼굴을 보겠네. 덕분에 지루했지만 여행하는 보람이 있었어."

"그럼 이쪽으로."

"아니, 잠깐만."

베로니카가 빙그레 웃다가 이내 인상을 찌푸렸다. 자신이 내린 마차를 돌아본 베로니카가 두 눈을 가늘게 떴다.

"로넨. 언제까지 마차에 있을 셈이지?"

"안 나가!"

"이미 도착했는데, 넌 그럼 마차 안에서 먹고 잘 셈이니?"

"……."

안에서 들린 작은 목소리가 말이 없자, 베로니카가 시종장에게 눈짓했다.

시종장은 이미 여러 차례 겪은 익숙한 일인지 거리낌 없이 안으로 들어가 누군가를 둘러업고 내려왔다.

"이거 안 놔?! 무례! 황족의 몸에 손을 대다니! 사형시킬 것이다! 내려놓으라는 내 명령이 안 들리냐!"

아이는 버둥거리다가 결국 베로니카의 옆에 내려졌다. 뭐 때문인지 통통 부은 뺨에 불안 어린 도끼눈이 인상적이었다.

'절대 엮이고 싶지 않은 꼬맹이로군.'

아드리안이 그렇게 평가를 내렸을 때였다.

"뭘 봐?"

눈이 마주친 꼬맹이의 한마디에 일순 아드리안의 주먹에 힘이 들어갔다.

퍽.

"아악! 엄마!"

베로니카가 로넨의 등짝을 때렸다. 고통을 호소하는 로넨을 차갑게 내려다보며 베로니카가 혀를 찼다.

"이곳이 아직도 시리우스인 줄 아니? 네 사촌 형이자 아펜니노의 황태자인 아드리안에게 그게 무슨 말버릇이야?"

"씨이."

"씨이?"

로넨이 입을 꾹 다물었다.

"어서 사과하지 못해?"

베로니카가 사과를 종용했으나 로넨은 팔짱을 낀 채로 고개를 돌려 버렸다.

베로니카의 눈이 가늘어졌다.

"괜찮습니다, 이모님. 어서 안으로 들어가시죠. 모후께서 기다리고 계십니다."

베로니카는 여전히 못마땅한 표정이었으나 아드리안의 말에 못내 고개를 끄덕였다.

"애가 아직 어리고 철이 없어서 그러니 내가 대신 사과하마, 아드리안."

"괜찮습니다."

"어쩜 이렇게 잘 컸을까. 네가 우리 꼬맹이만 했을 때가 있었는데."

"오래전의 일이죠."

"아무튼 우리 로넨을 잘 부탁하마."

아드리안은 건성으로 고개를 끄덕였다. 로넨이 얼굴을 구기는 걸 보았으나 아드리안이 알 바 아니었다.

베로니카가 아드리안에게만 들리게끔 조용히 말을 덧붙였다.

"말을 안 들으면 때려도 돼."

아드리안은 웃고 있는 이모가 역시 자신의 어머니와 자매라는 걸 새삼 깨달았다.

✦ ♛ ✦

베로니카는 루드밀라 황후에게 로넨을 말 그대로 인사만 시킨 뒤, 그 길로 아드리안에게 맡겨 둘을 내쫓았다.

"자매 사이에 쌓여 있는 회포를 좀 풀어야겠구나. 물론 우리를 도와주겠지, 아드리안?"

"예, 이모님."

"잘 부탁한다, 아드리안."

"예, 모후."

로넨은 항의하고 싶은 생각이 만만이었지만 아드리안이 산뜻하게 수락하자 자신이 끼어들 틈이 없었다.

결국 로넨은 한마디도 하지 못하고 아드리안을 따라 나왔다.

"이거 놔!"

아드리안은 자신의 손을 쳐 내는 건방진 꼬맹이를 내려다보았다.

시리우스 황실 특유의 회색 머리를 가진 보라색 눈의 꼬맹이는 척 보기에도 귀티 나는 귀공자였다.

시리우스 황태자이건 뭐건 아드리안은 사촌 동생에게 일말의 관심도 없었으나 그렇다고 맡은 바 임무를 소홀히 할 생각도 없었다.

"꼬맹아."

"뭐? 난 시리우스 황태자—."

"네가 누구인지 관심 없어. 신분으로 따지면 우리 동급일 텐데. 아니지, 국력으로 따지면 아펜니노가 압승이지. 거기에 나이는 내가 더 많으니 네가 내 서열 아래겠구나."

"말도 안 돼!"

"말이 되는지, 안 되는지 실험해 볼까?"

아드리안이 복도 벽에 걸린 장식용 검을 가리키며 말했다.

"네가 이기면 황태자 취급을 해 주도록 하지."

로넨이 인상을 썼다.

검을 배우긴 했지만 어린 황태자에게 이 제안은 아직 일렀다. 골몰히 고민하던 로넨이 입을 열었다.

"내가 시리우스의 황제가 되고 난 후가 걱정되지 않아?"

"너야말로 내가 아펜니노의 황제가 되었을 때가 걱정스럽지 않나?"

두 사람의 시선이 맞닿았다. 허공에서 불꽃이 튀었다.

아드리안이 비릿하게 미소 지었다.

"아직 말로 할 때, 조심해라. 꼬맹아."

테르니가 보았다면 어린 애랑 무슨 기 싸움이냐며 혀를 찼겠지만 이 장소엔 두 사람밖에 없었다.

로넨이 인상을 썼다.

안 그래도 오기 싫은 아펜니노에 억지로 끌려와서 심통이 난 참이었다.

순간 로넨의 시야에 잘 장식된 도자기가 눈에 보였다.

아드리안은 로넨의 눈동자가 일순 빛나는 것까지는 보았으나 안타깝게도 무슨 생각을 하는지까지는 읽지 못했다.

그 순간 로넨이 손을 뻗어 도자기를 밀쳤다.

쨍그랑―.

언젠가 들었던 쨍그랑 소리에 아드리안의 미간이 좁혀졌다.

로넨이 혀를 내밀며 아드리안을 조롱했다.

"흥이다!"

"뭐?"

그것뿐만이 아니었다.

갑자기 도망을 친 로넨은 그대로 복도에 장식된 액자며 도자기며 갑옷을 닥치는 대로 던지기 시작했다.

"저 자식이."

갑옷이 떨어지는 소리와 도자기가 깨지는 소리에 시종과 시녀들이 깜짝 놀라 비명을 질렀다.

그러거나 말거나 로넨은 종횡무진 복도를 휘젓고 다녔다.

눈 깜빡할 사이에 사라진 꼬맹이를 보며 아드리안은 심

각한 짜증을 느꼈다.

"잡아 와."

"예, 전하."

시리우스 측의 시종들이 한숨을 내쉬며 울상을 짓는 게 보였다.

"시리우스의 앞날도 어둡군."

"전하!"

"로넨 황태자 전하~! 어디 계세요!"

"대체 어디 계신 거람?"

로넨은 풀숲에서 고개를 내밀었다.

아드리안의 손아귀에서 도망쳐 나온 뒤, 로넨은 종횡무진 아펜니노의 황궁을 돌아다니는 중이었다.

시종, 시녀 할 것 없이 모두가 로넨을 찾았다.

"이 몸이 쉽게 잡힐 줄 알고."

숨어 다니는 건 로넨의 특기였다. 시리우스 황궁에서도 로넨은 수업을 듣기 싫을 때마다 숨어 다녔다.

비록 다른 장소로 바뀌었다고 해도 어차피 황궁의 생리란 비슷비슷했다.

"근위병까지 동원되면 금방 잡힐 거야. 사람이 없는 곳으로 가야지."

인적 드문 곳으로 가려는 로넨의 계획은 아주 약간의 위기가 있었다. 당연히 각 궁과 궁 사이에는 근위병들이 엄격하게 출입을 통제하고 있었다.

하지만 로넨은 다년간 다진 숙련도로 자그마한 몸을 이용하여 요리조리 잘 돌아다녔다.

로넨은 처음부터 아펜니노에 오는 것이 싫었다.

하기 싫은 걸 계속 하라고 강요하는 엄마는 당연히 싫었고 사촌 형이라는 아드리안도 마음에 안 들었다.

루드밀라 황후는 좋았지만 그것만으로 아펜니노가 좋진 않았다.

"여기에 2주나 있어야 한다니."

벌써부터 한숨이 나왔다.

로넨이 막 어떤 궁의 후원에 접어들었을 때였다. 후원 한가운데 있는 정자에 누군가 앉아 노래를 흥얼거리고 있었다.

무척이나 아름다운 목소리였다.

로넨은 반사적으로 눈에 띄지 않으려고 몸을 움츠렸다가, 정자에 앉아 있던 소녀가 고개를 들자 깜짝 놀라 그 자리에서 굳어 버렸다.

'천사다!'

의욕이 없던 로넨의 보라색 눈동자가 반짝였다.

원래라면 정체를 들키지 않기 위해 절대로 나서지 않았겠지만 지금 이 순간을 놓치면 안 될 것 같은 느낌에 로넨이 정자에 있는 천사에게 다가갔다.

"저기."

로넨의 목소리에 천사가 고개를 들었다.

멀리서 봤을 때도 예뻤지만 눈앞에서 보니 더 예뻤다.

어떻게 이렇게 생긴 사람이 있을 수 있지? 역시 천사다. 로넨은 꿈인가 싶어서 눈을 비벼 봤지만 꿈이 아니었다.

천사가 고개를 갸웃했다.

로넨이 진지하게 질문했다.

"혹시 천사야?"

천사?

난데없는 질문에 당황스러워 고개를 갸웃했다. 돌연 나타난 남자아이가 보라색 눈동자를 반짝이며 물었다.

"아니면 요정?"

두 손을 마주 잡은 남자아이는 황궁에서 처음 보는 얼굴이었다.

누구지?

"천사는 아니야."

"그럼 역시 요정인가?"

"요정도 아닌데."

생전 처음 듣는 소리에 당황스럽기만 했다. 도서관에서 돌아오는 길에 잠깐 정자에 앉아 있었을 뿐인데.

"말도 안 돼."

무엇이 말이 안 되는지 이해할 수 없었다. 입고 있는 옷을 보아하니 절대 귀족은 아니었다.

옷에 보라색이 쓰인 것을 보면 알 수 있었다. 그렇다면 최소 황족일 텐데.

하지만 아펜슨 황가엔 이런 나이 대의 소년이 없었다.

그럼 혹시 타국의 황족인가?

하지만 타국의 황족이 머무는 별궁은 남쪽이었다. 별안간 포인세티아 궁에 타국의 황족이 나타날 일이 없지 않은가?

도대체 정체가 뭘까 궁금해하고 있을 때였다. 돌연 녀석이 목을 가다듬더니 내게 말했다.

"빛보다도 아름다운 아가씨를 이렇게 우연히 만나다니 이것이야말로 신의 은총입니다."

"……."

"괜찮으시면 저랑 주스 한잔하시겠습니까?"

목소리를 깔고 진지하게 말을 하는 꼬마 도련님을 보고 있자니 절로 웃음이 터져 나왔다.

내가 웃자 남자아이가 뺨을 부풀렸다.

"제안은 고맙지만 안타깝게도 거절해야겠네요."

"엑, 왜?"

"왜긴 왜야. 거절하고 싶으니까지."

남자애가 믿을 수 없다는 표정으로 나를 바라보았다.

"왜? 내가 싫어?"

"오늘 처음 봤는데 네가 싫을 리가 있겠니."

"그럼 왜?"

"이유가 꼭 있어야 해?"

"어."

꼭 이유를 알아야겠다는 것처럼 아이가 꼬치꼬치 물었다. 뭐라고 대답해야 할지 모르겠네. 나는 고개를 갸웃하다가 일단 웃었다.

도대체 어떻게 해야 이 아이가 납득을 하고 돌아가 줄까?

마땅히 거절할 이유를 찾지 못해 곤란해하고 있을 때였다.

"그분은 내 피앙세니까다. 망할 꼬맹아."

돌연 황태자가 나타났다.

깜짝 놀라 굳어 있는데 거칠게 머리를 쓸어 올린 황태자가 내 옆에 있던 꼬마의 목덜미를 붙잡아 들어 올렸다.

"여기 숨어 있었군, 꼬맹이."

"꼬맹이 아니거든? 그리고 이거 놔!"

아이가 버둥거리자 인상을 쓴 아드리안이 아이를 놔주었다. 아이는 그대로 내게 달려와 착 달라붙었다.

"천사님, 도와주세요! 악마가 절 잡으려고 해요! 혼내 주세요!"

천사라면 나를 말하는 건가, 악마는…… 황태자?

"그렇다는데, 어쩔 거지?"

"하하. 아이에겐 상냥하게 대해 주세요."

혼내는 건지 부탁을 하는 건지 모를 내 말에 의외로 황태자가 흔쾌히 고개를 끄덕였다.

"좋아. 그러지."

그러더니 남자아이를 그대로 짐짝처럼 어깨에 둘러멨다.

"이 정도면 상냥하지?"

"어……."

대체 어디부터 지적해야 할지 모르겠다. 내가 멈칫한 순간 남자아이가 외쳤다.

"이거 놔! 악마!"

"그래, 넌 오늘 악마의 저녁 식사가 될 거다. 나약한 인간아."

"흑흑. 구해 줘요! 천사님!"

"그 천사는 내 피앙세라니까."

황태자의 시선이 나를 향했다. 마치 '어디가 천사라는 거지?' 하는 시선에 나도 모르게 뜨끔했다. 황태자가 내게 물었다.

"혹시 이 녀석이 누군지 아나?"

"예? 아니요."

뭔가 마음에 차지 않는 듯 황태자가 나를 빤히 바라보았다. 남자아이가 외쳤다.

"나는 로넨이야! 천사님!"

"시리우스의 황태자, 로넨이다."

"......?"

황태자가 왜 여기서 나와?

황족일 것이라고 생각했지만 황태자라니 상상 이상이었다. 굳어 버린 나를 보며 아드리안 황태자가 한숨을 내쉬었다.

✦ ♛ ✦

로넨을 붙잡아 집무실에 처박아 놓는 데 성공한 아드리안은 그대로 머리를 쓸어 올리며 한숨을 내쉬었다.

"악마! 나와 천사를 떼어 놓다니, 대악마!"

아드리안은 대체 어딜 봐서 그녀가 천사라는 건지, 로넨을 이해할 수 없었다.

"너 시력 괜찮냐?"

"갑자기 무슨 소리야? 어서 당장 날 천사님의 곁으로 돌려보내 줘!"

천사 같은 소리 하고 있네.

아드리안이 팔짱을 낀 채로 싸늘하게 로넨을 내려다보았다.

"너 그냥 시리우스로 돌아갈래? 책임지고 돌려보내 주마."

"싫어! 여기 있을 거야! 천사님이 있는 이곳에!"

"아까 전까지만 해도 돌아가고 싶다며."

"그건 천사님을 보기 전의 이야기지!"

로넨이 다시금 날뛸 기미를 보였다.

일부러 로넨이 사고를 쳐도 상관이 없는 집무실로 데려온 것이라 아드리안은 어디 할 테면 해 보라는 듯 로넨을 보았다.

로넨은 보통 자신이 이러면 상대가 힘들어하는 기색이라도 보여 의기양양해졌는데, 그와 다르게 꿈쩍도 하지 않는 아드리안을 보며 인상을 찡그렸다.

잠깐 둘 사이에 싸늘한 정적이 내려앉은 순간 노크 소리와 함께 누군가가 집무실 안으로 들어왔다.

"아드리안!"

"어."

집무실에 들어온 것은 테르니였다. 테르니는 로넨을 쓱

보더니 아드리안의 근처에 다가왔다.

"뭐야, 쟨?"

"있어. 그런 거."

순식간에 그런 거 취급을 당한 로넨이 한껏 인상을 썼지만, 테르니는 납득하며 넘어갔다.

"그렇구나!"

테르니가 로넨을 보다가 아드리안에게 더 가까이 붙었다.

아드리안은 테르니가 가까이 붙은 것이 불쾌했지만 이내 녀석이 한 말에 정신이 팔렸다.

"에센의 소재지를 찾았어."

아드리안과 테르니의 시선이 허공에서 맞닿았다.

"어떻게 할까?"

에센의 소재지.

아드리안의 시선이 잠깐 로넨에게 머물렀다.

"누구누구 알고 있지?"

"너하고 나."

"다른 사람들한텐 비밀로 해."

아드리안의 말에 테르니가 고개를 끄덕였다. 아드리안이 진중하게 명령했다.

"조용히 잡아 와."

시리우스 사절단의 방문을 환영하는 작은 파티가 플로렌

스 궁 메인 홀에서 열렸다.

　황족에게는 친족끼리의 가벼운 파티 같은 감각이었지만, 연유야 어찌 되었든 황궁에서 열린 무도회였기에 고위 귀족은 전부 참석했다.

　거기엔 당연히 그 가브리엘도 있었다.

　가브리엘의 참석 소식을 접한 아드리안은 바로 아티를 대동했다.

　아티는 아드리안에게 끌려가면서도 불안한 마음을 지울 수 없었다.

　"제가 벌써 가도 될까요?"

　"어렵게 생각할 거 없어."

　"하지만⋯⋯."

　"너한테 바라는 거 없으니까. 그냥 가만히 있다가 오면 돼."

　그게 가능한가?

　아티의 표정이 이상하게 구겨졌다.

　"그래도⋯⋯. 조금 위험하지 않을까요?"

　아드리안이 입을 다문 채로 가만히 아티를 내려다보았다.

　서늘한 시선을 느낀 건지 조잘거리던 작은 입이 딱 닫혔다.

　"갈게요."

　우습게도 아드리안은 이런 건 좀 귀엽다고 생각했다.

　눈치가 빠른 건 좋군.

　"어차피 가벼운 가족 파티야."

　아티는 아드리안의 그 말을 한번 믿어 보기로 했다.

　그리고 믿음은 1초 만에 배신당했다.

'가벼운 가족 파티라며!'

다시는 황족의 말을 믿지 않으리라 다짐하며 아티는 아드리안이 이끄는 대로 어색하게 따라다녔다.

홀의 파티는 이미 시작된 지 오래였다.

무르익은 분위기에 난입한 아드리안에게 일순 시선이 쏠렸으나 아드리안은 일절 다른 인간에게 관심을 주지 않았다.

아드리안에게 쏠린 시선은 당연히 아티에게도 쏠렸다.

그 뒤를 따르며 아티는 괜히 혼자 곤혹스러웠다.

"황후 폐하. 이모님."

아티를 데리고 루드밀라 황후가 있는 가장 상석으로 온 아드리안이 예를 차려 인사했다.

"늦어서 죄송합니다. 제 약혼녀께서 부끄러움이 많으셔서."

"어머, 어머. 나는 괜찮단다."

루드밀라 황후는 즐거워하며 사이가 좋아 보이는 예비 며느리와 아들을 너그럽게 보았다.

루드밀라 황후의 시선에 아티의 몸이 굳었다. 아티가 고개를 숙였다.

"늦어서 죄송합니다. 폐하."

"정말 괜찮답니다. 아티엔느 양."

이어 루드밀라 황후가 오늘 환영 파티의 주인공이라 할 수 있는 시리우스의 베로니카 황후에게 아티를 소개시켜 주었다.

"베카, 내 며느리가 될 아이야. 아주 참하지 않니?"

칭찬받고 싶은 아이처럼 루드밀라 황후가 잔뜩 신난 기색으로 말했다. 루드밀라 황후와 비슷한 생김새에 조금 더 날카로운 인상을 가진 베로니카 황후의 시선이 아티를 향했다.

'평생 혼자 살 것만 같던 녀석이 반해서 데려온 여자라더니.'

어디서 급하게 구해 온 건가 싶었는데 아드리안의 눈빛을 보니 그건 아닐 성싶었다.

"금슬 좋은 부부가 되겠구나."

"감사합니다."

베로니카 황후의 말에 도리어 아드리안이 의아해했다.

아드리안은 상석에 루드밀라 황후와 베로니카 황후만 있는 걸 확인하고 질문했다.

"마리에는요?"

"머리가 아프다며 아까 돌아갔단다."

루드밀라 황후가 걱정스러운 얼굴로 답했다.

"얼마나 아프면 가브리엘이 말을 거는데도 대답 한번 못하더라."

'그건 아마도 대답을 피하기 위해 아픈 척을 한 게 아닐까?'

아드리안은 마리에의 속마음을 알 것 같았지만 루드밀라 황후는 오늘도 모르는 모양이었다.

카를로만 황제는 아예 파티장에 오지 않은 듯싶었다.

뭐, 이 상황이면 얼굴도 비쳤으니 조금만 자리를 지키다가 돌아가면 될 것이라고 아드리안이 생각했을 때였다.

"누나!"

나타났다.

아드리안의 새로운 골칫덩어리가.

로넨은 등장하자마자 아드리안을 가뿐히 무시한 채 바로 아티에게로 가서 안겼다.

"누나!"

"로넨 황태자 전하."

아티가 아드리안의 눈치를 살폈다. 베로니카 황후조차 의아한 표정으로 둘을 보고 있었다.

로넨은 주변 분위기 따위 개의치 않고 바로 아티에게 들러붙었다.

"거리감 느껴져! 편하게 이름으로 불러, 누나!"

"예? 하지만 그러면 법도에…….."

아티가 말끝을 흐리자 루드밀라 황후가 웃으면서 허락했다.

"신경 쓰지 말아요, 아티엔느 양. 우린 이미 가족이나 마찬가지잖아요?"

"그래. 나와도 남이 아니니 괜찮단다."

베로니카 황후도 당연하다는 듯 허락했다. 베로니카 황후는 심지어 로넨에게 도끼눈을 뜨며 경고했다.

"로넨, 아펜니노의 예비 황태자비에게 무례하게 굴지 않도록 해라."

"아, 당연하지!"

로넨이 두 눈을 반짝였다.

"누나, 보고 싶었어. 누나는 나 안 보고 싶었어?"

"낮에도 뵙지 않았나요?"

"응! 그래서 더 보고 싶었어!"

천진하게 답한 로넨이 아드리안을 힐긋 보았다. 마치 견

제하는 듯한 꼬맹이의 건방진 행태에 아드리안의 얼굴이 무참히 구겨졌다.

"누나, 우리는 저쪽에 가서 놀자!"

아무래도 모후가 있는 장소는 부담스러웠던 건지 로넨이 아티의 손을 잡아끌었다.

아티는 거절할 틈도 없이 끌려갔다.

혀를 찬 아드리안이 이에 질세라 황후들에게 인사하고 자리를 옮겼다.

"누나! 누나는 시리우스 제국 와 본 적 있어?"

"아니요, 외국은 가 본 적이 없어요."

"정말? 나중에 오면 내가 황궁 안내해 줄게!"

"오."

황태자가 안내해 주는 황궁!

아티가 반색하자 뒤통수가 따가웠다. 아티가 슬쩍 뒤를 돌아보니 아드리안의 눈빛이 매서웠다.

저도 모르게 흠칫한 아티가 눈물을 머금고 조심스럽게 답했다. 그 와중에 이런 황금 같은 기회를 포기할 수는 없었다.

"갈 일은 없을 것 같지만……. 혹시나 언젠가 가게 되면 부탁드려요."

"당연하지, 누나."

저 꼬맹이가.

아드리안의 기분이 곤두박질쳤다.

로넨이 본색을 숨기고 착한 척하며 치근덕거리는 꼴을

보고 있으려니 아니꼬웠다.

때마침 음악이 바뀌었다. 로넨이 아티에게 손을 내밀었다.

"레이디, 저와 춤을 춰 주시겠습니까?"

"춤?"

옆에서 불길한 기운이 피어올랐다. 아티는 아드리안의 기색을 살피고 재빨리 고개를 가로저었다.

가히 살기 위한 눈물겨운 몸부림이었다.

"미안하지만 오늘은 힘들 것 같네요. 나중에 기회가 되면 취요."

"나는 오늘 추고 싶은데……."

로넨의 어깨가 축 늘어졌다.

아티는 슬픈 표정으로 울먹이는 로넨을 보고 있자니 마음이 아팠지만 자신의 목숨이 더 중요했다.

어떻게 연명한 목숨인데!

"힝. 누나 다음엔 꼭 나랑 춤춰야 해? 알았지? 약속!"

"응응. 그래, 약속."

새끼손가락까지 걸고 약속하는 둘을 보며 아드리안은 기가 찼다. 특히 저 천의 얼굴을 한 꼬맹이가 더 어이없었다.

낮에 집무실을 엉망진창으로 만들어 놓은 소악마는 어디로 가고 가증스럽게 착한 척 아양을 떠는 꼬맹이만 남았는가.

"누나는 좋아하는 선물이 뭐야?"

"좋아하는 거요? 목숨 연장?"

"응? 그게 뭐야?"

"그런 게 있어요. 아주 소중한 무언가."

꼬맹이와 아티가 다정하게 대화를 나누는 꼴을 뒤에서 지켜보던 아드리안은 자신에게 꽂히는 시선에 한숨을 내쉬었다.

가브리엘이었다.

이쪽으로 다가오려는 가브리엘을 발견하고 어떻게 해서든 이 자리를 피해야겠다고 생각했다.

당연히 혼자 피하는 것은 아니었다.

대뜸 아티의 어깨를 붙잡자 아티가 눈에 띄게 움찔했다.

놀란 것치고는 너무 무서워해서 아드리안은 그게 또 마음에 들지 않았다.

"전하?"

"저쪽으로 가지."

아드리안이 가리킨 쪽은 홀을 나가는 방향이었다.

사람이 없는 쪽으로 가는 건 무서웠지만 아드리안의 표정이 더 무서워서 아티는 고개를 끄덕였다.

로넨은 그걸 제법 뚫어져라 보다가 아티의 손을 잡고 따랐다.

홀을 나가는 복도로 이어진 곳은 다름 아닌 거대한 온실 정원이었다.

정원의 입구를 지키고 있던 근위병들이 아드리안과 두 사람을 보고 인사했다.

"전하."

뒤에서 목소리가 들렸다.

설마 가브리엘이 따라온 것인가 했는데 다행히 아니었다.

"아, 디아노."

"이쪽으로 자리를 옮기시는 걸 보고 따라왔습니다."

"그래. 잘했어. 그런데…….."

평소와 다르게 디아노의 옆에는 여동생인 아카시아가 함께였다. 눈이 마주치자마자 아카시아가 고개를 숙여 인사했다.

"안녕하세요, 황태자 전하."

아카시아의 조심스러운 인사에 아드리안이 고개를 끄덕였다.

다른 사람은 몰라도 아카시아라서 인사를 받아 주었다. 그러자 디아노가 재빨리 사과했다.

"죄송합니다. 형이 자리를 비워서 어쩔 수 없이 제가…….."

"괜찮아. 여기 있어라."

아드리안은 디아노가 설 자리를 살짝 조정했다. 유리 온실 정원의 전면 창문 너머의 파티장이 시야에서 사라졌다.

묵은 체증이 내려간 듯, 아드리안은 순식간에 편안해졌다.

"그 자리에서 움직이지 마."

"넵."

디아노와 아드리안이 모종의 합의를 보는 순간, 아카시아의 시선이 아티에게로 옮겨졌다.

아카시아의 보기 드문 수줍은 미소에 아드리안이 고개를 갸웃했다.

"안녕하세요, 레이디 오비에도! 아카시아입니다."

아카시아가 자그마한 목소리로 아티에게 먼저 자기소개를 했다.

로넨의 질문 세례에 정신이 쏙 빠져 있던 아티는 귀여운 아카시아를 보자마자 저도 모르게 화색이 돌았다.

귀여워!

"안녕하세요, 레이디 베네데토. 저희 전에 만난 적 있죠?"

"네, 네!"

알아봐 준 것이 기쁜지 아카시아의 얼굴이 환해졌다.

"알아보실 줄 몰랐어요."

"어머나, 이런 귀여운 아가씨를 어떻게 모를까요."

"헤헤."

쑥스러움에 아카시아가 제 발을 내려다보며 몸을 배배 꽜다. 그것조차 너무 귀여웠다.

"파티는 즐거운가요, 아카시아 양?"

"아……. 힘들지만 괜찮아요."

"그렇군요. 언제든지 힘들면 말씀하세요."

"네! 그리고 저기, 아티 님. 편하게 말씀하세요."

아카시아가 뺨을 붉히며 말했다. 아티도 좋아했다.

언젠가 이렇게 귀여운 여동생을 갖고 싶었는데.

"그럼 아카시아라고 부를까?"

"네!"

아카시아가 환하게 웃자, 아티 옆에 껌딱지처럼 딱 달라붙어 있던 로넨이 눈을 좁혔다.

"누나! 나한테도 편하게 말해."

"그래, 로넨."

만족스럽게 웃은 로넨이 아카시아를 노려보았다. 아카시

아의 어깨가 움찔했다.

"나한테는 왜 인사 안 해?"

"아. 안녕하세요, 로넨 황태자 전하."

새침하게 인사한 아카시아가 바로 아티의 옆에 붙었다. 로넨이 인상을 구겼다.

'혼자 누나를 독차지할 심산이었는데.'

아카시아도 마찬가지 심정이었다.

'언니 옆에 이상한 녀석이 붙어 있어.'

아티를 사이에 둔 채로 아카시아와 로넨이 서로를 노려보았다. 허공에서 불꽃이 튀었다.

"언니, 저쪽으로 가서 앉아요."

"누나! 이쪽이 좋아!"

두 사람이 서로 각기 다른 방향으로 아티를 이끌었다.

로넨과 아카시아가 서로를 노려보았다. 각기 다른 아티의 팔을 붙잡고 서로를 보며 으르렁거리는 둘.

"웃기는 꼬맹이들이로군."

아티가 당황하며 두 사람을 달랬다. 그걸 지켜보고 있던 아드리안은 더 기분이 곤두박질쳤다.

왜 이렇게 마음에 들지 않는 것인가. 아드리안은 제 기분이 왜 이렇게 나쁜 것인지 이유를 짐작할 수가 없었다.

로넨이 아티에게 물었다.

"아티! 나도 아티라고 불러도 돼?"

"딱히 상관은 없는……. 음. 그게 그러니까."

옆에서 느껴지는 따끔한 시선에 아티가 흘긋 아드리안을

보았다.

로넨도 그 사실을 알고 있었지만 오히려 아드리안 보란 듯이 웃었다.

"아티라고 부를게!"

저 꼬맹이가.

아드리안의 날카로운 시선이 아티에게 꽂혔다. 아티는 뒤통수가 따가웠지만 얼렁뚱땅 넘어가 버리는 로넨 때문에 어쩔 수 없었다.

아드리안은 아티가 로넨의 페이스에 말려서 제대로 선을 긋지 못한 것도 마음에 들지 않았다.

"그럼 저도 아티 언니라고 부를래요!"

"그러렴, 아카시아."

아카시아의 표정이 환해졌다. 로넨이 도끼눈을 떴다.

간신히 자신이 눈치를 보며 얻어 낸 이름 부르기를 이렇게 간단히 달성한 아카시아가 마음에 들지 않았다.

"야!"

"뭐!"

아카시아와 로넨이 또 서로를 보며 으르렁거렸다. 아티는 두 사람을 말렸다.

디아노는 괜히 사과했다.

"죄송합니다. 아카시아가 원래 저러는 녀석이 아닌데."

"괜찮아. 놔둬."

말로는 괜찮다고 했지만, 아드리안의 표정은 전혀 괜찮지 않았다.

"아티를 붙잡은 건 내가 먼저야."

로넨이 마치 소유권을 주장하듯 말을 시작했다.

"그게 저랑 무슨 상관이죠? 언니랑은 제가 더 친해요!"

"뭐?! 아티랑 친한 건 나야!"

"그렇게 친해 보이지 않던걸요."

"무슨 소리야! 아티랑 나는! 어?! 손도 잡아 본 사이라고!"

"뭐예요? 벌써 손을 잡았어?! 변태!"

"뭐?! 내가 왜 변태야!"

아티는 이해할 수 없었다.

둘이 대체 왜 싸우는 거지?

아드리안도 마찬가지였다. 둘은 대체 왜 싸우는 것일까? 그래 봤자 아티는 자신의 것인데.

어린아이 둘이 말도 안 되는 이유로 옥신각신하는 걸 지그시 응시하던 아드리안은 지금이 기회라고 생각했다.

"앗."

자신의 팔을 잡는 아드리안에 아티가 고개를 들었다. 눈이 마주치자 아드리안이 입 모양으로 말했다.

'조용히 따라와.'

아티의 시선이 아직도 싸우고 있는 아이들에게 향했으나, 어쩔 수 없이 아드리안을 따라나섰다.

"좋아요! 누가 가장 친한지 아티 언니에게 물어보죠!"

"그래, 아티에게 물어보자!"

결론을 내지 못한 두 사람이 심판자를 찾았을 때였다.

고개를 돌린 두 아이의 시야에는 머쓱하게 자리를 지키

고 있는 디아노 외에 아무도 없었다.

"뭐야? 디아노 오빠, 아티 언니는?!"

"허허, 그게……."

디아노가 동생의 날카로운 시선을 견디지 못하고 시선을 돌렸다.

빠르게 돌아가는 머리로 어찌 된 영문인지 깨달은 로넨이 절망했다.

"그 약삭빠른 악마!"

✦ ♛ ✦

아티를 데리고 온실 정원 밖으로 나온 아드리안은 원인 모를 상쾌한 기분에 절로 미소가 나왔다.

단순히 처음엔 로넨 꼬맹이를 골탕 먹이기 위해 데리고 나온 것이었는데…….

"와, 하늘에 별 좀 보세요!"

온실을 나오니 시원한 바람에 아티의 은색 머리카락이 흩날렸다.

밤하늘의 별보다 반짝이는 물빛처럼 푸른 눈동자를 바라보고 있노라니 저도 모르게 가슴이 울렁였다.

뭐지? 부정맥인가.

"전하?"

나긋하고 상냥한 음색이 이렇게까지 예뻤었나 싶을 정도로 아름다웠다.

아드리안은 가만히 아티를 바라보았다. 시원한 바람을 맞으며 아티가 엷게 미소 짓고 있었다.

이것도 나쁘지 않은데.

아니, 좋았다.

웃는 건 처음 보는데, 웃으니까 완전히 다른 사람처럼 보였다.

웃는 게 예쁘군.

아티의 시선이 하늘에서 자신에게로 옮겨졌다. 아티가 자신을 보고 있다는 사실에 새삼스러운 만족감이 차올랐다.

"이제 기분 풀리셨네요."

아티의 말에 아드리안이 미간을 좁혔다.

"기분이 풀렸다고?"

"아까 계속 화나 계셨잖아요."

금시초문이었다.

"화났다고? 내가?"

"네."

아드리안의 표정이 구겨졌다. 믿을 수 없는 말이었다.

화가 나 있었단 말인가? 심기가 불편하긴 했다. 하지만…….

결코 화가 났던 건 아니라고 생각했는데.

"제가 주제넘었네요. 죄송해요."

"……."

아드리안이 인상을 쓴 채로 아무 말도 하지 않자, 아티가 재빨리 사과했다.

놀랍게도 아드리안은 아티가 사과를 한 것이 더 불쾌했다.

저런 표정 짓게 하고 싶지 않았는데.

아티의 얼굴에서 미소가 사라지자 기분이 바로 곤두박질 쳤다.

아드리안은 생소한 기분에 혼란스러웠다. 단 한 번도 겪어 본 적 없는 감각이었다.

이런 걸 대체 뭐라고 표현해야 하지?

"아냐. 사과하지 마."

"네?"

아티가 놀라 두 눈을 동그랗게 떴다.

토끼 눈이 된 아티를 보고 아드리안은 방금 저 자신이 무슨 짓을 한 건지 믿을 수 없었다. 재빨리 입을 막은 아드리안이 인상을 찡그렸다.

"아니, 아무것도 아니다."

아티가 무언가를 말하려다 입을 다물었다. 조용히 옆을 지키는 아티를 보며 아드리안은 더더욱 인상을 썼다.

결코 매력적이지도, 섹시하고 성숙하지도 않고, 하물며 절세미인도 아닌데 왜 자꾸 이 여자한테 시선이 가는 거지?

아드리안은 자신의 상태를 이해할 수 없었다.

더불어 이 소란스러운 마음도 제 것이 아닌 것만 같았다.

그래서였을까?

답지 않게 그런 말을 한 것은.

"모후의 탄신 파티까지만 버텨 봐."

흩날리는 머리를 쓸어 넘기며 아티가 아드리안을 보았다.

"에센의 소재지 찾았으니까."

놀란 시선이 아드리안에게 닿았다.

"그럼 살려 줄게."

아드리안은 끝까지 그 고운 뺨에 붙잡혀 머무는 시선의 이유를 알지 못했다.

벌써 황후 탄신 파티도 며칠 남지 않았다.

나는 며칠 전 황태자가 한 말을 되새기며 하루하루를 버텼다.

아무도 나를 돕지 않는 지옥 같은 교육도 어찌어찌 해낼 의지가 생겼다.

"오호홋! 정말 나날이 나아지시네요."

"정말요?"

"물론 아직 멀었지만요! 좀 더 신비롭게 웃어 보세요!"

연습도 실전처럼 해야 한다며 마담 루시가 얼굴에 면사를 씌운 상태였다.

"이렇게 웃으면 될까요?"

"아직 부족해요. 더 신비롭게요!"

대체 어떻게 웃어야 신비롭게 웃을 수 있는 걸까?

"자, 이렇게 웃어 보세요!"

내가 감을 잡지 못해 버벅이니 마담 루시가 직접 시범을 보였다. 평소 마담 루시라고 생각할 수 없는 우아하고 신비한 미소가 내 눈앞에 보였다.

난이도 높다!

"호호홋, 보셨죠? 자, 이제 아티 양 차례예요."

"이, 이렇게요?"

하도 웃어서 떨리는 얼굴 근육이 제대로 미소를 만들고 있는지도 알 수 없었다.

"조금만 더 눈을 내리까시고, 좋아요. 그렇게……. 네, 네. 그 기세예요. 자, 이제 조금 더 우아하게~!"

어떻게 웃고 있긴 한데 좀처럼 이만하면 됐다는 사인이 떨어지지 않았다.

결국 이번에도 신비로운 미소의 근처도 가 보지 못하고 실패했다.

"저런, 아쉽네요. 오늘은 성공할 수 있을 줄 알았는데."

"……사교계의 모든 사람들은 정말 이런 미소를 짓나요?"

"호호홋, 물론이죠!"

마담 루시가 확신에 가득 차 답했다.

"미소야말로 활용도가 높은 대화 수단이랍니다. 자고로 능숙한 귀부인이라면 말 한마디 없이 미소 하나만으로 자신의 뜻을 전달할 수 있어야만 해요."

"전부 대단하네요."

"물론 그런 미소를 꿰뚫어 볼 수 있는 눈도 갖추셔야 한답니다. 사교계는 마음 정도야 가볍게 속이는 전쟁터니까요!"

평판과 명성의 싸움.

누가 더 높은 명성과 평판을 갖고 자식 결혼을 잘 시키며 다른 사람들의 우상 혹은 귀감이 되느냐의 전쟁!

과연 내가 그 전쟁터에 나가서 살아남을 수 있을지 점점 더 자신이 없었다.

간신히 살아날 희망을 찾았는데 어째서 다시 지옥행일 것 같죠?

똑똑.

"디아노입니다."

한창 수업이 진행되고 있는 와중에 바깥에서 노크 소리가 들렸다.

"음. 그럼 30분간 휴식을 취하도록 할까요."

마담 루시의 말에 내가 고개를 끄덕이며 그대로 소파에 늘어졌다. 마담 루시가 문을 열자, 문밖으로 디아노가 보였다.

"수업은 잘 되어 가고 있습니까?"

"물론이죠! 완벽해요!"

평소와 다름없는 대화였다.

신비한 미소는 아직 마스터하지 못했는데. 나도 모르겠다. 완벽했나 보다.

용건을 끝낸 디아노가 돌아갈 기색 없이 서 있었다. 아직 할 말이 남은 모양이었다. 내가 몸을 일으키니 디아노가 헛기침을 했다.

"아카시아가…… 아티 님을 뵙고 싶어 합니다."

아카시아!

오빠가 디아노라서 그런지 아카시아는 거의 매일같이 황궁에 드나들었다.

마담 루시를 바라보니 마담 루시가 웃으며 허락해 주었다.

"아카시아는 어디에 있나요?"

"후원에 있습니다."

"조금만 기다리면 간다고 전해 주세요!"

"예."

황태자의 측근 기사인 디아노와는 이전까지 따로 내화를 해 본 적이 없었는데, 아카시아를 알게 된 이후로는 자주 이야기를 하게 되었다.

물론 전부 아카시아에 관한 이야기지만!

내가 서둘러 후원에 가려고 하자 마담 루시가 내 차림새를 정돈해 주며 말했다.

"아이들을 무척이나 좋아하시는 모양이군요."

"네. 좋아해요! 그리고 아카시아는 귀여우니까."

"아이들을 좋아하는 건 좋지요. 하지만 조심하는 게 좋을 거예요."

"네? 조심이요? 뭘요?"

마담 루시가 조금은 심각한 표정으로 신비로운 미소를 지었다.

"어린아이들은 아주 날카로우니까요."

그것이 무슨 의미인지 이해할 수 없었지만, 왜인지 모르게 팔에 소름이 돋았다.

"언니!"

"아카시아!"

후원에 나가자마자 아카시아가 나를 반겼다. 디아노가 아카시아 옆에서 내게 묵례했다.

귀여워, 아카시아!

"언니, 보고 싶었어요."

"정말? 나도."

아카시아의 귀여움을 만끽하고 있는데, 내 말이 끝나기가 무섭게 어디서 다른 목소리가 뛰어들었다.

"나는?!"

풀숲에서 튀어나온 로넨이 우리 둘 사이에 난입했다. 얘는 대체 어디서 나타나는 거지?

"로넨, 대체 어디서 나오는 거야?"

"아티, 나는 아직 대답 못 들었어!"

"누나라고 불러야지, 로넨."

"그래서 아티, 난 안 보고 싶었어?"

로넨의 말에 아카시아가 눈을 흡떴다.

"언니가 널 보고 싶어 할 리가 없잖아."

"뭐? 내가 듣고 싶은 건 네 답이 아니었는데."

"내가 대신 말해 준 것뿐이야. 언니는 착해서 예의상으로라도 보고 싶다고 말해 줄 테니까!"

"뭐래. 네가 그렇게 날 보고 싶었단 소리야?"

"뭐?! 절대 아니거든!"

아카시아와 로넨이 서로를 노려보았다.

어쩜 싸우는 것도 이리 귀여운지!

처음엔 둘이 지독하게 서로를 싫어하는 줄 알았는데, 이젠 알았다. 이것은 그저 친해지기 위한 그 나이 또래의 싸움이라는 걸!

덕분에 둘의 싸움이 적응이 되어서 어린아이들의 귀여운 다툼을 열심히 구경할 수 있었다.

"둘이 친해졌구나."

내 말에 둘이 반박했다.

"아니에요!"

"아니야!"

로넨의 얼굴이 빨개졌다.

"누가 이런 애랑……."

아카시아도 마찬가지로 뺨을 부풀렸다.

"나야말로 싫거든?!"

아카시아와 로넨이 서로를 노려보았다.

"자자. 거기까지만 하자. 내가 쿠키 가져왔는데, 먹을 사람?"

"아카시아요!"

아카시아가 우렁차게 대답했다. 로넨도 아카시아를 흘끔 보더니 입을 열었다.

"로넨도!"

그렇게 싸워 대도 결국 얌전히 모여들어서 같이 쿠키를 먹는 모습이 무척이나 귀여웠다.

내 동생이 살아 있었다면 이런 느낌이었을까?

"언니?"

내 표정이 굳어진 걸 느낀 건지 아카시아가 나를 불렀

다. 나는 애써 환하게 웃으며 아카시아의 머리를 쓰다듬어 주었다.

"맛있어?"

"네!"

물어보지도 않았는데 로넨이 끼어들었다.

"너무 달아서 평소라면 먹지 않겠지만, 아티가 준 거라서 맛있네."

"그래?"

로넨의 말에 웃으니 로넨의 뺨이 붉어졌다.

평소에 안 먹을 맛이라면서 로넨이 내 손에서 쿠키 하나를 더 빼앗아 갔다.

"언니, 언니."

"응?"

"언니는 아드리안 황태자 전하 어디가 좋아요?"

아카시아가 눈을 빛내며 물었다.

"어……."

안 좋아하는데.

아카시아가 두 눈을 반짝이며 나를 보고 있었다. 대체 뭐라고 말을 해야 한단 말인가?

다른 사람도 아닌 아카시아의 앞이라서인지 말을 가려야 할 듯싶었다. 로넨도 대답이 궁금한 건지 나를 흘긋 보았다.

"전하께선…… 자상하시지…….."

"황태자 전하께서 자상하세요?"

"아마도?"

자상한 거라고 믿고 싶었다.

"아카시아. 너는 절대 잘생겼다고 홀라당 넘어가면 안 된단다. 남자는 얼굴이 다가 아니야!"

"네, 언니!"

"내가 봤을 때 사람에게 가장 중요한 건 인성인 것 같아."

"인성이요?"

"아니면 인류애라든가?"

무엇이 되었든 아드리안 황태자는 해당이 되지 않는 사안이었다.

"알겠어요! 인성! 인류애!"

"그렇지, 잘한다. 아카시아!"

아카시아를 끌어안으며 나는 조금 걱정이 되었다. 우리 아카시아를 데려갈 행운의 남자는 대체 누구일까.

누가 되었든 절대 쉽게 허락해 주지 않으리라 생각하며 고개를 끄덕였다.

한쪽에서 심각한 표정으로 쿠키를 우물거리고 있는 로넨을 미처 보지 못한 채.

✦ ♕ ✦

로넨은 요 며칠 천사 아티를 쫓아다니면서 무척이나 이상한 점을 발견했다.

"뭔가 이상해."

로넨은 계속 의심을 하고 있었다. 어떻게 천사 아티가 악마인 아드리안과 약혼을 할 수 있단 말인가?

분명 여기엔 뭔가의 음모가 숨어 있다.

그런 생각 끝에 열심히 둘을 관찰하던 결과, 로넨은 정말 뜻밖의 사실을 알아냈다.

"둘이 별로 안 만나잖아?"

아티는 주로 릴리 궁에서 신부 수업이라는 교육을 받고 있었고, 아드리안은 황태자 궁인 포인세티아 궁에서 자주 찾아오지도 않았다.

주로 오고 가는 것은 아티의 오빠라는 테르니와 디아노뿐.

로넨은 이 사실이 이해가 가지 않았다.

한눈에 반했다며? 열렬히 사랑하는 사이라며? 그런데 어떻게 이렇게 깔끔한 사이를 유지할 수 있지?

"나는 맨날 보고 싶어 죽겠는데!"

잠을 잘 때도 아티는 뭐 할까 궁금했다. 아티는 상대도 해 주지 않지만 로넨은 아티의 옆에 있는 것만으로 좋았다.

이런 자신과 비교해 봐도 아드리안은 아티를 소홀히 대하는 것 같았다.

정말 둘이 서로를 좋아하는 게 맞는 걸까?

"또 무슨 못된 계획을 꾸미고 있는 거니, 로넨."

베로니카가 묘하게 조용한 로넨에게 일부러 말을 시켰다. 생각에 잠겨 있던 로넨은 자신의 어머니를 바라보았다.

그리고 자신이 생각한 것을 모후에게 털어놓았다.

이를 전해 들은 루드밀라 황후가 아티와 아드리안을 부르게 된 것은 머지않은 일이었다.

루드밀라 황후는 무척이나 슬픈 표정을 하고 있었다.

난데없는 긴급 소집에 아드리안과 아티는 매우 긴장한 상태였다.

"내가 무척이나 슬픈 이야기를 들었단다. 아이들아."

"또 무슨 헛소리를 듣고 오셨습니까?"

"매우 무례한 발언이구나, 아드리안."

황후가 엄하게 꾸짖었다.

평소라면 그냥 넘어갈 소리에도 황후가 그냥 넘어가지 않자 아드리안은 본능적으로 범상치 않은 상황이라는 걸 깨달았다.

루드밀라가 인상을 쓰다가 입을 열었다.

"너희가 싸웠다는 소리를 들었단다."

아티와 아드리안이 서로를 마주 보았다.

'우리 싸웠나?'

아드리안의 눈빛이 험악해졌다.

'너 또 무슨 짓을 저지른 거야?'

'아뇨. 저 아무것도 안 했어요.'

눈빛으로 소리 없는 대화가 이어졌다. 아티는 절대 자신의 탓이 아니라고 고개를 가로저었다.

"바빠 보이는구나. 잠시 자리를 비켜 줄까?"

가운데에서 지켜보던 루드밀라 황후가 말했다.

"아닙니다. 하문하십시오, 폐하."

"예비 황태자비 부부가 무척이나 삭막해 보인다며 말들이 많아."

"대체 어떤 인간입니까? 그런 말을 함부로 떠벌리고 다닌다니 제 주제를 모르는군요. 당장 붙잡아 삼대를 멸절시켜야겠습니다."

"아드리안. 지금 중요한 이야기는 그게 아닐 텐데?"

루드밀라 황후가 아드리안을 지그시 노려보았다.

언제나 너그러운 모습만 보아서인지 아티는 루드밀라 황후가 처음으로 보이는 면모에 겁을 집어먹었다.

"나는 너희들이 자랑스러웠단다. 결혼을 장사라고 생각하며 정략결혼만이 최고의 결혼 장사라고 치는 사람들 사이에서 서로를 진심으로 사랑하고 아끼는 부부가 된다니, 이 얼마나 로맨틱한 일이니?"

자신의 뺨을 감싸며 루드밀라 황후가 한탄했다.

"폐하와 나는 정말 보기 드물게 서로 사랑하여 오로지 함께 있고 싶다는 생각 때문에 가문도 보지 않고 결혼을 했어. 정말 기적 같은 일이었지."

아드리안의 표정이 구겨졌다. 루드밀라 황후에게 어릴 적부터 귀에 못이 박히도록 들어온 지겨운 이야기였다.

"그래서 아드리안 너 역시 그런 환상적인 사랑을 찾았으면 했단다. 새로 들어올 며늘아기가 얼마나 부족하든 상관없이, 네가 사랑하기만 한다면 전부 받아 줄 셈이었지."

루드밀라 황후의 보라색 눈동자에 아드리안이 비쳤다.

아드리안은 죄책감을 심어 주려는 모후의 방식에 인상을 찡그렸다.

그래서 어릴 때부터 가브리엘을 붙인 건가?

황후 딴에는 소꿉친구 로맨스를 꿈꾼 모양이지만 아드리안에게는 악몽 같은 나날이었다.

"그래서 하고 싶으신 말이 뭡니까?"

아드리안의 말에 루드밀라 황후가 두 사람을 지그시 바라보았다.

"너희가 손을 잡지 않고 다닌다더구나."

둘은 서둘러 손을 잡았다.

"입맞춤한 적도 없다면서?"

아드리안의 어깨가 흠칫 굳었다.

이건 자신이 어떻게 할 수 있는 문제가 아니었다. 아드리안이 망설이는 사이, 아티가 나섰다.

'이대로면 나는 죽는다.'

"있어요!"

아티의 말에 아드리안이 더 놀랐다.

'우리가?'

'아니, 황태자 전하께서 놀라시면 어떡해요! 어서 맞다고 고개를 끄덕이세요!'

아티의 적극적인 눈짓에 아드리안이 얼떨결에 고개를 끄덕였다. 아티가 수줍게 말했다.

"보여 드릴 수는 없지만 당연히 저희 입, 입맞춤 해 봤습니다. 아무도 못 보는 곳에서 해서 그래요."

아티의 말에 아드리안이 얼떨결에 고개를 끄덕였다.

"그런 걸 어떻게 남에게 보여 줍니까?"

"어머, 그러니?"

반색을 하는 황후를 보며 두 사람이 가슴을 쓸어내렸다.

루드밀라 황후의 얼굴에 화색이 돌았다.

"어머, 나는 그런 줄도 모르고……."

"괜찮습니다, 폐하. 제가 부끄러움이 많아 바깥에선 전하와 거리를 두고 있어서 그런 오해가 생겼나 봅니다."

"그래, 아티엔느 양이 부끄러움이 많았지. 그래, 그래."

"그리고 황태자비로서 제대로 면모를 갖추는 걸 우선하고 싶었어요."

"어머나, 어쩜 그런 기특한 생각을!"

아드리안은 무척이나 복잡한 기분이 되어 아티의 뒤통수를 바라보았다.

순식간에 루드밀라 황후의 마음을 녹인 아티가 아드리안을 향해 활짝 웃었다.

아드리안은 그것이 조금쯤은 예쁘다고 생각했다.

✦ ♛ ✦

"우리가 언제 키스를 했지?"

그레이스 궁에서 벗어난 아드리안이 아티를 붙잡았다.

아티가 무슨 소리냐는 듯 눈을 깜빡였다.

"당연히 한 적 없죠."

"그런데 아까는……."

"황후 폐하께서 걱정하셨으니까요. 제가 뭘 잘못했나요?"

아티의 어깨가 움츠러들었다. 자신의 눈치를 보는 아티를 내려다보며 아드리안은 복잡한 기분에 인상을 썼다.

이런 거짓말 따위, 평소라면 신경도 쓰지 않았을 텐데.

왜 이렇게 신경이 쓰이지?

"누구랑 키스…… 같은 거 해 본 적 있나?"

"네?"

아티가 눈을 동그랗게 떴다. 아드리안은 뭔지 모르게 갑갑한 기분을 느꼈다.

"키스해 본 적 있냐고."

"아, 아니요. 첫 키스도 아직인걸요……."

새빨개진 얼굴로 얕게 고개를 가로젓는 아티를 보고 나서야 아드리안은 만족스러웠다.

"그렇군."

어쩐지 아드리안의 반응이 누그러졌다고 생각하며 아티는 아드리안의 기색을 살폈다.

괜찮은 걸까?

"가지."

"어디로요?"

"어디겠어?"

아드리안의 대답에 바로 목적지를 알 수 있었다. 릴리 궁.

아티가 재빨리 고개를 끄덕이자 아드리안이 한결 부드러운 목소리로 말했다.

"데려다주지."

아드리안이 손을 내밀었다. 아티는 자신에게 내밀어진 손을 보고 멈칫했다.

"안 잡을 건가?"

모른 척하고 싶어도 쉽게 모른 척할 수 없었다. 방금 손도 안 잡는 것 아니냐는 황후의 말을 듣고 난 후여서 그런지 더더욱 그랬다.

아티는 진지하게 아드리안 황태자를 보았다가 다시 그가 내민 손을 응시했다.

그에게는 이런 일이 쉬울지 몰라도 아티는 아니었다. 아까는 황후가 지켜보고 있었으니까 가능했지만…….

'부질없는 거 알면서 기대하는 내가 싫다.'

자신에겐 이렇게 힘들고 설레는 일이 그에겐 전부 아무렇지 않을 거라는 사실에 마음이 따끔거렸다.

"안 갈 건가?"

비아냥인지 재촉인지 모를 아드리안의 말에 아티가 손을 들었다.

두 사람의 손이 겹쳐지자 알 수 없는 감정이 엇갈렸다.

아드리안은 만족스러워했고 아티는 무언가를 잃어버린 기분을 느꼈다.

"릴리 궁으로 데려다주지."

"안 그러셔도 되는데……."

"……보는 눈이 많으니까."

그레이스 궁과 릴리 궁은 거리가 꽤 있었다.

아티는 얌전히 아드리안의 손을 잡고 걸었다.

처음엔 아드리안의 보폭을 맞추기 힘들어 잰걸음으로 빨리 걸었는데 이를 눈치챈 것인지 어느 순간 아드리안이 점점 천천히 걸어 주었다.

덕분에 한결 걷기 편해졌다.

'황태자도 배려라는 걸 할 줄 아는구나.'

무척이나 드문 일이었지만 배려해 준다는 사실에 기분이 간질거렸다.

흘긋 황태자를 보니 오로지 앞만 보고 걷고 있었다.

아티의 시선이 느껴졌던 것일까, 아드리안이 고개를 돌려 아티를 보았다.

둘의 시선이 허공에서 마주쳤다.

어쩐지 낯간지러운 기분에 화들짝 놀란 아티가 고개를 돌렸다. 그것은 아드리안도 마찬가지였다.

돌연 헛기침을 한 그가 입을 열었다.

"준비는 잘하고 있는 건가?"

"네? 네. 잘하고 있어요."

"그래? 다행이군."

다른 때라면 비아냥거리는 말 한마디라도 덧붙일 텐데, 오늘의 아드리안은 역시 뭔가 이상했다.

아티가 조심스럽게 아드리안을 몰래 보았다.

"저기, 전하."

"왜?"

아드리안이 아티를 돌아보았다. 이번엔 눈을 돌리지 않

으려 노력하며 아티가 목을 가다듬었다.

"여쭤보고 싶은 것이 있어요."

"뭔데."

조금 예민할 수 있는 질문이라 망설인 아티가 조심스럽게 입을 열었다.

"왜 가브리엘 양을 싫어하세요?"

아드리안이 아티를 빤히 쳐다보았다.

노골적인 시선에 혹시 불쾌한 것일까 싶어 아티가 괜히 변명을 늘어놓았다.

"아니, 전하께서 약혼녀가 필요한 이유가 결국 가브리엘 양과의 결혼을 피하기 위해서라고…… 알고 있는데……."

말 잘못한 건가? 아티가 입을 다물었다. 무거운 정적이 둘 사이에 깔렸다.

"보지 않았나?"

"네?"

"가브리엘을 보지 않았냐고."

"예. 봤죠."

아드리안이 이해할 수 없다는 표정으로 반문했다.

"그런데도 모르겠다고?"

노골적으로 한심하다는 듯한 시선이 날카롭게 꽂혔다. 아티는 조금 억울했다.

"그래도 어떤 이유가 있을까 하여서……."

이미 변명해 봤자 구질구질해진다는 걸 알고 있음에도 멈출 수 없었다.

아드리안은 아티의 변명을 듣다가 인상을 구겼다.

"가브리엘이 싫은 이유?"

그런 건 하나면 충분했다.

"지독하게 이기적이고 자신밖에 몰라서."

본의 아니게 어릴 때부터 가장 가까이서 봐 온 처지라 아드리안은 누구보다 가브리엘이라는 인간을 잘 알았다.

"그 여자는 자기가 원하는 걸 갖기 위해 타인을 짓뭉개는 것도 거리낌 없고 자신 외의 다른 사람은 없어. 죽든 말든 신경도 안 쓴다고."

심지어 본인이 착하고 너그럽다는 엄청난 착각까지 하고 있었다.

아드리안의 미간에 주름이 졌다.

불쾌한 기억이 떠올랐다.

지금의 가브리엘도 그렇지만 어릴 적의 가브리엘은 더 심했다.

어린 아드리안의 주된 일과는 가브리엘이 하는 언행 불일치의 행동을 보고 쟤는 왜 저럴까 의아해하는 것이었다.

"걘 세상 전부가 자길 위해 존재한다고 생각할걸?"

실제로 그렇게 키운 것이 재상이었고 네벨 일가였다. 그 가문의 야심을 모를 수가 없었다.

가브리엘을 황태자비로 만들어 황후를 배출해 황가까지 장악하겠다는 원대한 꿈.

"그래서 싫어하신다고요?"

아드리안의 대답을 들은 아티는 뭔가 떨떠름한 기분이었다.

솔직히 대답이 좀 의외였다.

"다른 이유가 있어야 하나?"

"어, 음. 아니요."

생각보다 멀쩡하고 정상적인 이유라서 놀랐을 뿐이다. 조금 더 특별하고 다른 이유가 있을 줄 알았는데.

너무 자신의 과한 편견과 선입견이었나?

"그럼 다른 영애와 약혼하면 되지 않으신가요?"

"못 찾았어."

단칼에 답한 아드리안이 한숨을 내쉬었다.

"그리고……."

아드리안도 노력이라는 걸 안 해 본 건 아니었다.

정략적인 이유가 크겠지만 웬만한 권세가의 영애들을 만나 보려고 노력도 해 봤다.

하지만 누굴 만나든, 얼마나 좋은 감정이 있었든 상관없이 가브리엘과 조금이라도 비슷한 모습이 보이면 천년의 애정이 식었다.

바로 어제 괜찮다 싶다가도 가브리엘이 하던 행동과 조금이라도 겹쳐 보이면 금방이라도 감정이 사그라들었다.

오죽하면 에센을 여장시키는 최악의 수까지 감행했을까.

절레절레 고개를 흔드는 아드리안을 아티가 흘긋 보았다. 아드리안이 말해 주지 않았지만 그다음 대답을 이미 알 것만 같았다.

'이미 사랑하는 사람이 있어서겠지.'

그게 하필 남자라서 황후에게 당당히 보일 수 없는 것이

겠고.

다른 사람이면 몰라도 아드리안 황태자는 장차 황제가 될 사람이었다.

황제의 정실이 여자가 아니라는 건 문제의 소지가 있었다.

'역시 그분을 사랑하셔서.'

예전엔 아무렇지 않았는데 왜 이렇게 허한 마음이 드는 걸까? 뭔가 조금 아쉬운 마음이 들었다.

아니, 잠깐. 내가 뭔데 아쉽지?

"약혼녀분을 하루빨리 찾으셨으면 좋겠네요."

당신을 위해서라도.

혼란스러운 자신의 마음을 가다듬기 위해 아티가 일부러 그렇게 말했다.

하지만 아드리안은 아티의 말에 왜인지 기분이 나빴다.

'그렇게 내 약혼녀 행세가 하기 싫다는 건가?'

아드리안의 시선에 아티가 또 어깨를 움츠렸다.

"제가 뭐 잘못 말씀드렸나요?"

이상했다.

예전엔 이럴 때 짜증스럽기만 했는데 왜 이젠 아무렇지 않지?

이상한 건 그뿐만이 아니었다.

다른 여자는 닿는 것도 싫었는데 이 여자는 손을 잡고 있다는 사실도 아무렇지 않다.

어째서지?

고민해 봤지만 답은 나오지 않았다.

좀처럼 떨어지지 않는 아드리안의 시선에 아티가 연신
고개를 갸웃했다.

✦ ♛ ✦

오늘은 날이 좋았다.

마담 루시가 오랜만에 아티에게 도움이 되는 수업을 준
비해 왔다.

"오늘은 티 파티 예절을 배워 볼 예정이에요."

"티 파티 예절이요?"

"네. 기본적이면서 아주 복잡한 사교가 오가는 현장이죠."

마담 루시가 설명을 시작했다.

"보통 티 파티는 아주아주 기본적인 교류를 위해 열려
요. 저택에서 소규모로 여는 경우가 많지요. 간혹 대규모
로 여는 경우가 있기는 한데 드뭅니다."

그럴 때는 많은 사람들과 처음 인사를 하기 위해 지위가
높은 사람이 개최하는 경우가 대부분이라고 마담 루시가
설명했다.

"보통은 사교 라인이 있고, 그들끼리 정기적으로 차를
마시면서 정보를 교환하곤 한답니다."

"라인……."

"그래요, 라인! 그것이 제일 중요합니다."

마담 루시가 막 사교계의 라인을 설명하려고 하던 참이
었다.

"안녕하세요, 아티엔느 양."

불청객의 등장에 아티는 저도 모르게 인상을 썼다. 그것은 마담 루시도 마찬가지였다.

고개를 돌리니 정교한 수를 놓은 실크로 만든 부채를 들고 가브리엘이 서 있었다.

"안녕하세요, 가브리엘 양."

마시던 찻잔을 내려놓으며 아티가 떨떠름하게 인사를 했다.

후원에서 수업을 하던 것이 패인이었을까? 갑작스럽게 인사를 해 오는 가브리엘을 막을 수 없었다.

'하필 가브리엘을 보다니.'

오늘은 별로 운이 좋지 않은 모양이었다.

"릴리 궁엔 어떻게 오셨죠? 초대 없인 함부로 들어오지 못하는 곳인데……."

마담 루시가 가브리엘에게 물었다. 가브리엘은 한껏 도도하게 고개를 쳐들고는 우아한 미소를 지었다.

"황후 폐하께 허락을 받았답니다."

황후 폐하의 허락이라는 소리에 마담 루시가 할 수 없이 물러섰다.

황급히 시종 하나를 보내는 것이 황태자에게 이 소식을 알리기 위함인 듯했다.

"꼭 드릴 말씀이 있어서 왔어요."

"대체 무슨 말을 하려고……."

가브리엘이 손짓하자 언젠가 아티가 옹호해 준 하녀가 천에 덮인 무언가를 들고 나왔다.

"이건?"

"선물이에요."

갑자기?

마담 루시가 대신 선물을 받았다.

당사자 앞에서 선물을 확인하는 건 무례이기에 아티는 그저 꺼림칙한 표정으로 선물을 보았다.

"생각해 봤는데 제가 저번에 무례하게 군 것 같아서 사과를 드리려고 해요."

"사과요?"

지금 제대로 들은 것이 맞나? 가브리엘 입에서 '사과'라는 말이 나오다니 믿을 수 없었다.

"예. 생각해 보니 제가 좀 무례했네요. 예비 황태자비이신데."

"아니요, 뭐. 괜찮습니다."

"그래서 말인데요."

아, 역시.

이대로 훈훈하게 끝날 리가 없다고 생각했다. 가브리엘이 새침하게 물었다.

"너무 궁에만 틀어박혀 계신 게 아닌가요? 예비 황태자비가 되실 몸이시니 더 열심히 티 파티나 사교 모임에 모습을 드러내셔야 하는 게 아닌가 싶어서요."

"그건……."

아티가 떨떠름하게 입을 열었다.

미리 맞춰 놓은 말이 있어서 수월하게 답을 할 수 있었는데, 가브리엘이 아티의 말을 끊어 버렸다.

"아, 원래 촌구석에서 자라 수도의 분위기를 잘 모르신
다고 했죠. 제가 잘못했네요."

가브리엘이 으스댔다.

'이 여자, 애초에 내 대답을 들을 생각이 없었네.'

가브리엘이 손뼉을 쳤다. 아까 그 하녀가 다시 다른 선물
을 마담 루시에게 전해 주었다.

"미안하니까 선물을 하나 더 드릴게요."

"아니요, 필요 없……."

"제가 쓰려고 했던 건데 아티 양에게 더 필요해 보이더
라고요. 수도 유행을 아는 건 중요하니까요."

가브리엘이 윙크를 했다.

마치 적선하듯 건네준 선물에 아티가 인상을 찡그렸다.

"정말 필요 없는데요."

"어머, 사양하실 거 없어요. 저한테는 넘쳐 나는 거라."

대체 왜 온 거지?

어째서 다들 그렇게 이 사람을 지독하게 싫어하는지 알
것 같았다.

사람을 화나게 하는 것도 재주라면, 정말 대단한 재주였다.

"아, 참. 제가 황궁에서 우연히 불미스러운 소문을 하나
들었는데……."

불길한 예감은 틀리지 않았다.

먹잇감을 포착한 짐승처럼 가브리엘이 눈을 빛냈다.

"두 분, 요즘 사이가 별로라죠?"

일부러 긁으러 왔구나.

"어머, 그럴 리가요."

"아닌 척할 필요 없어요. 다 듣고 왔다니까요?"

부채를 막 흔들며 가브리엘이 교태롭게 웃었다.

"사실 두 분이 무척이나 소원하다는 건 웬만한 사교계 인사라면 다 알고 있는 사실인걸요."

"아니에요."

"아닌 척하실 필요 없어요. 다 안다니까요?"

"정말 아니에요."

바로 어제도 손을 잡고 릴리 궁에 데려다줬다.

그 아드리안 황태자가.

"어머, 그렇게까지 현실을 부정할 필요 없어요. 두 분이 사이가 나쁘다는 건 사실인걸요."

"사실이 아니라니까요."

가브리엘과 의미 없는 논쟁을 이어 갈 때쯤이었다.

"무슨 일이지?"

아드리안 황태자가 도착했다.

"전하―."

"어머, 전하. 저를 보러 여기까지 오신 거예요?"

아티가 인사를 하기도 전에 가브리엘이 먼저 달려 나가 아드리안에게 붙었다.

아드리안은 노골적으로 싫은 표정을 지었다.

"아닌데."

"아닌 척하셔도 소용없어요. 저도 전하를 뵙고 싶었답니다."

"아니라고."

"하지만 여기는 좀 그러니까 다른 곳에서 뵈어요. 아시죠? 우리 둘만의……."

가브리엘이 윙크하자 아드리안의 표정이 썩었다.

진심으로 온 힘을 다해 싫은 표정을 짓고 있는데도 가브리엘은 좋은지 연신 생글생글 웃고 있었다.

결국 참지 못하고 아티가 나섰다.

"이렇게 오래 있으셔도 되나요? 할 일이 없으신 모양이네요."

"왜 없겠나요? 모두가 나를 찾는 통에 언제나 바쁜데. 어머, 시간이 벌써 이렇게 되었네요. 저는 이만 가 봐야겠어요. 기다리는 사람들이 있거든요."

순순히 물러나겠다는 가브리엘의 대답에 아드리안이 안도했다.

옆에 있는 아티는 무시한 채 가브리엘은 오로지 아드리안만을 보며 인사했다.

"다음엔 오래 봐요, 내 사랑!"

손 키스를 날리며 돌아서는 가브리엘을 보고 아드리안은 거칠 것 없이 인상을 구겼다.

아티는 돌아가면서도 가브리엘의 시선이 아드리안에게서 떨어지지 않는 걸 보면서 입술을 깨물었다.

'사이가 소원하다는 소문이 그렇게 퍼졌다 이거지.'

자신을 무시하는 건 참을 수 있었다. 원래 자신은 시녀였으니까. 하지만 아티엔느가 무시당하는 건 참을 수 없었다.

아티엔느는 명백히 황태자의 약혼녀라고.

'그리고 그 사람한테 돌려줘야 해.'

어쩐지 가슴 한편이 아릿하게 저려 왔지만 아티는 무시했다. 그리고 아드리안을 붙잡았다.

"키스해요."

"뭐?"

뜬금없는 아티의 제안에 아드리안이 당황했다.

"지금 당장 키스해요, 빨리!"

가브리엘이 사라지기 전에.

아드리안이 이번엔 다른 의미로 인상을 썼다.

"너 첫 키스라며."

"괜찮아요!"

아티가 아직 시야 안에 있는 가브리엘을 눈짓했다.

"어서 키스해요."

그 작은 몸짓에 아드리안도 이것이 가브리엘에게 보여주려는 쇼라는 걸 깨달았다.

아티의 성화에 얼떨결에 아드리안이 아티의 뺨을 감쌌다.

'뭔가 이건 아닌데.'

이러면 안 될 것 같은 기분에 사로잡히면서도 이미 돌이킬 수 없는 선을 넘어 버린 기분이었다.

"미안."

무엇에 대한 사과인지 모르겠지만 아드리안은 자신도 첫 키스이니 괜찮지 않을까 싶었다.

망설임은 한순간이었다.

입술이 겹쳐지고 서로의 숨이 뒤섞였다. 따뜻하고 보드라운 장밋빛 입술은 보았던 것처럼 지독하게 부드러웠다.

아티는 부끄러움에 눈을 감았다. 아드리안은 눈을 감은 아티의 모습이 지독하게 선정적이라고 생각했다.

달콤한 입술을 가르고 숨결을 삼키자 말캉한 혀가 닿았다. 짜릿한 감각에 신음하며 아드리안이 더 깊이 아티의 숨결을 탐했다.

분명 그냥 겉으로 흉내만 낼 생각이었는데.

이미 그런 것 따위 상관없이 점점 더 열중하게 되었다.

옆에서 숨을 들이켜는 사람들의 기척이 느껴졌다. 자신들을 주목하는 사람들의 시선도 알았다.

하지만 아드리안의 온 신경을 빼앗는 건 다른 누구도 아닌 자신의 품에서 열렬히 키스에 호응하고 있는 작은 여자 하나였다.

젠장.

왜 키스가 이렇게 좋다고 아무도 경고해 주지 않은 거지?

이미 이 키스를 왜 시작했는지는 더 이상 중요하지 않았다. 아드리안은 그대로 아티의 목을 받치고 고개를 숙였다.

두 사람이 미치도록 사랑하는 사이였다고 소문이 퍼진 것은 당연한 일이었다.

당당하게 돌아선 가브리엘은 기분이 좋았다. 언제나 거

슬렸던 그 여자에게 본때를 보여 주었기 때문에.

'이제 내 남자라는 사실을 똑똑히 알았겠지?'

아드리안은 아주 어렸을 때부터 가브리엘의 것이었다. 지금은 귀여운 반항을 하고 있지만 언젠가는 인정하리라.

하지만 머지않아 들려온 소리에 고개를 돌렸고, 엄청난 것을 목도하고 말았다.

"!"

'나의 아드리안이 다른 여자와 키스를 하고 있어!'

놀란 가브리엘은 그 광경을 보며 이를 갈았지만 금세 침착해졌다.

'나의 질투를 이끌어 내기 위해서 다른 사람과 키스까지 하시다니. 역시 나를 사랑하시는 게 틀림없어.'

사실을 알고 나니 그들의 키스가 다르게 보였다.

"흥! 이런 걸로 속지 않는다고요!"

하지만 사랑하는 사람이 다른 사람과 키스를 하고 있는 장면을 보는 건 상당히 속이 쓰렸다.

자신의 질투를 바라는 아드리안은 귀엽게 봐줄 수 있지만, 그 상대인 아티엔느는 가만둘 수 없었다.

'감히 내 남자에게!'

반드시 후회하게 만들어 줄 것이다.

Chapter 5. 그 순간은 돌연 찾아온다

Chapter 5. 그 순간은 돌연 찾아온다

"들었어, 들었어?"

"정말? 꺄아!"

황궁의 모든 궁인들이 서로 귓속말을 해 가며 이야기를 나르고 있었다. 나는 듣지 않아도 그게 무슨 이야기인 줄 알았다.

'우리 키스 이야기겠지.'

그때만 생각하면 아직도 얼굴이 홧홧 달아올랐다.

"키스란 다 그렇게 좋은 걸까?"

입술을 매만지며 생각에 잠겼다. 누구도 키스가 그렇게 달콤하고 짜릿하다는 걸 제게 알려 준 적이 없었다.

아니면 단순히 아드리안 황태자가 잘한 걸까?

"여자도 싫어하시는 분이……."

아, 사랑하는 애인은 있었지.

어째 뒷맛이 썼다. 애써 아무렇지 않으려 애를 쓰며 오늘을 맞이했다.

황후 폐하의 탄신 파티가 코앞으로 다가왔다. 그에 따라 나는 마담 루시의 특별 교육을 받게 되었다.

"지금까지도 그랬지만 앞으로는 더 엄격하게 하루를 보내실 거예요."

"여기서 더요?"

사실 나는 가만히 있으니 힘들지 않을 거라 여겼는데, 절대 아니었다.

"외국의 사절단도 많이 참석하는 중요한 무대랍니다. 당연히 모두가 반할 정도로 아름다우셔야겠죠?"

"그게 과연 가능할까요?"

불가능할 것 같은데.

"무슨 소리세요, 당연히 가능하죠!"

무도회 준비는 엄청난 시간과 노력과 돈을 요구했다.

귀족이면 다 돈이 많을 텐데 어째서 그들 사이에서도 급이 나뉘는지 쉽게 알 수 있을 정도였다.

"이 드레스는 전부 다 아티 양을 위해 특별 제작된 거라고요! 오호홋, 아펜니노에 새로운 유행을 일으켜 봐요!"

전에 본 적 없는 스타일의 드레스를 보며 나만 혼자 얼떨떨했다.

"에센 님이 아닌 다른 분을 꾸며 보는 게 얼마 만인지……! 너무 행복해요, 오호홋!"

"하하……. 좋으시겠어요."

행복한 마담 루시와 다르게 나는 절망에 **빠졌다**.

"오늘은 드레스, 내일은 액세서리, 내일모레는 부채와 신발을 고를 거예요!"

마담 루시의 계획은 다른 것이 들어갈 틈 없이 철저했다.

"꼭 이걸 하루에 한 번씩 골라야 하나요?"

나의 질문에 마담 루시가 그게 무슨 소리냐는 듯 눈을 동그랗게 떴다.

"네!"

아니, 대체 이유가 뭘까?

나의 의문은 오래가지 않았다.

산더미처럼 쌓인 드레스를 보고 나서야 어째서 드레스를 고르는 데 하루씩이나 걸리는지 깨달았다.

"오호호홋!"

꿈에서 나올 것 같은 악마 같은 웃음소리를 들으며 며칠 동안은 무도회 준비 외에 다른 것에 정신이 팔릴 새도 없었다.

✦ ♛ ✦

드디어 파티 당일.

나는 엄청난 고생을 하며 골랐던 드레스와 액세서리들을 착용한 채 화장을 받고 있었다.

마지막으로 입술을 칠한 후에야 모든 준비가 끝났다.

"역시……. 제 생각이 틀리지 않았군요."

마담 루시가 멍한 표정으로 나를 바라보았다.

나로서는 저 표정이 어떤 의미인지 알 수 없었다. 마담 루시가 평소에 어떤 생각을 했는지 알 턱이 없으니까.

생각대로 최악이라는 걸까?

가능성이 있었다.

듣기로 에센이라는 기사는 정말 아름다웠다고 했으니 발톱 때만큼도 못 따라가지 않았을까.

괜히 의기소침해져 거울을 보지 못했다.

"어머, 아티엔느 아가씨. 왜 그렇게 고개를 숙이고 계세요?"

"네?"

"어서 거울을 보세요. 오호호호!"

마담 루시의 웃음에 더욱 불안해졌다.

거울을 보면 평소보다 못생긴 내가 있으면 어떡하지? 두려웠지만 주위에서 계속 권하니 어쩔 수 없었다.

후하후하 심호흡을 한 후 천천히 정면을 바라보았다.

거울 속에 한 여자가 앞을 똑바로 응시하고 있었다. 내가 눈을 깜빡이자 그 낯선 여자도 똑같이 깜빡였다.

두 눈이 휘둥그레졌다.

"이래서 사람들이 화장, 화장 하는구나……."

붓이 얼굴에 섬세하게 왔다 갔을 뿐인데, 평소와는 전혀 다른 이미지의 여자가 탄생했다.

"마음에 드나요?"

"네……. 제가 아닌 것 같아요."

뭔가에 홀린 듯 내 목소리는 둥실둥실 떠 있었다. 그럴 줄 알았다는 듯 마담 루시가 경쾌하게 웃었다.

"제가 그랬잖아요, 아가씨. 아가씨는 꾸미는 대로 쏙쏙 흡수해서 아주 아름다울 거라고! 예를 들자면 순백의 천이랄까요. 무엇을 칠하느냐에 따라 확연히 달라지죠. 오호호홋!"

마담 루시의 말대로 평소에 풍기던 약간 맹한 분위기가 전혀 없었다.

나는 생각했다.

……이건 확실히, 고수의 손길이다. 내 얼굴을 새로 탄생시켰어!

"자, 그럼 이제 가는 거예요. 무도회를 제패하러! 다 눌러 버려욧! 모두 쓰러트리는 거예요!"

마담 루시가 주먹을 불끈 쥐고 외쳤다.

모두 쓰러뜨리라니. 주, 주먹으로?

"뭐, 뭘 쓰러뜨려요?"

"당연히 미모로 제패해야죠!"

"아무리 그래도 그건 불가능하지 않을까요? 저보다 아름다운 레이디가 아주 많을 거예요."

내 말에 마담 루시가 두 눈을 희번득하게 떴다. 순간 놀란 나머지 몸이 흠칫 굳었다.

"그게 무슨 소리예욧?! 이 루시가 담당해서 꾸민 이상 아가씨는 무도회에서 가장 아름다울 거란 말이에요! 면사로 가려도 아름다움은 숨겨지지 않아요!"

아무리 그래도 그건 아닌 것 같은데……. 영 자신이 없었다.

의기소침한 내 모습을 본 마담 루시가 어깨를 늘어뜨리

며 한숨을 내쉬었다.

"제 실력에 이렇게 의심을 품고 계시다니, 무척 속상합니다. 정 믿기 힘드시다면 나가서 황태자 전하께 어떤지 여쭤보는 게 어때요?"

"화, 황태자 선하께요?"

"네."

마담 루시가 방긋 웃었다.

지금 그 대사, 나더러 죽으라는 거 아닌가?

당연히 농담이라고 생각했지만, 마담 루시는 진심이었다. 그녀는 내 발에 강제로 높은 구두를 신기고 밖으로 떠밀었다.

나는 긴 드레스 자락을 쥐고 쫓기듯 방을 나섰다.

바로 문밖에 황태자가 서 있었다. 그는 벽에 기대선 채 눈을 감고 있었다.

기다리다 지친 나머지 선잠에 든 걸까?

괜히 인기척을 내서 잠을 깨웠다가 목숨을 잃을지도 몰랐다. 그렇다고 계속 이러고 있을 수도 없는데…….

황태자의 앞에 서서 어떻게 해야 할지 고민을 하던 중이었다.

그가 천천히 눈을 떴다.

그 순간 황태자와 눈이 마주쳤다.

"……."

"……."

이유를 알 수 없는 침묵이 흘렀다.

황태자는 그저 나를 뚫어지게 바라보았다. 그 시선이 너무 노골적이라 부담스러웠다.

그렇게 별로인가?

"이, 이제 가야 되는 거 아니에요?"

침묵에 질식할 것 같아 내가 먼저 운을 뗐다. 그러자 황태자가 벽에서 몸을 떼어 냈다.

내가 꾸민 것에 대해 별말은 없었지만 뭐라고 한 것도 아니니까 희망은 있는 걸까?

조심스럽게 황태자를 올려다보았다가, 시선이 딱 마주쳤다.

계속 나를 보고 있었던 건가?

"……왜 그러세요?"

"이젠 봐 줄 만하군."

그 짧은 대사가 몇 시간이 넘도록 공들여 꾸민 것에 대한 평가였다.

그래도 열심히 꾸몄는데.

박한 평가가 나오지 않아서 다행인 걸까? 아쉬운 마음을 애써 숨기며 황태자의 뒤를 따랐다.

"어, 아티 준비 끝났어?"

맞은편에서 테르니가 걸어왔다. 연회복을 살짝 흐트러지게 입은 모습이었다.

"오오, 이게 뭐야. 진짜 예쁘잖아! 우리 아티 아닌 줄!"

테르니의 칭찬은 들어도 기쁘지 않았다. 제발 사라졌으면. 차갑게 보는 나를 붙잡고 테르니가 있는 주접 없는 주접을 쏟아 냈다.

대체 언제까지 이럴 셈일까?

속수무책으로 테르니의 주접을 받고 있을 때, 누군가의 손이 나를 끌어당겼다.

"꺼져."

테르니에게 경고하듯 말한 황태자가 나를 뒤로 숨겼다.

"와, 그래도 자기 파트너라고 챙기는 것 좀 봐라."

당당하게 외친 테르니의 시선이 내게 향했다. 순간 엄청난 불안감이 엄습했다.

"아티는 내 동생이니까 나랑 파트너 해야지!"

"네에? 저요?"

왜 갑자기 나랑 파트너를 하겠다고 나대는 거지? 더 들을 가치도 없다는 듯 황태자가 테르니에게 경고했다.

"헛소리 그만하고 네 갈 길 가라."

"나도 이쪽으로 갈 건데!"

테르니의 목숨은 여러 개인 걸까. 매번 저렇게 나대는데도 아직 살아 있는 게 신기했다.

황태자가 테르니를 노려보았다. 그의 손이 허리춤으로 향하려던 때였다.

"하하, 나는 간다! 잘 먹고 잘 살아라!"

발랄하게 인사한 테르니가 반대쪽 복도로 달려가 버렸다. 잠시 후 복도에 남은 건 황태자와 나 둘뿐이었다.

그의 시선이 내 손에 들려 있던 면사로 향했다. 나는 서둘러 면사를 둘러썼다.

황태자의 분위기가 이상했다.

저번의 키스 이후로 더 딱딱해진 것만 같았다. 조금은 부드러워진 것 같았는데.

다시 처음으로 돌아간 것만 같아서 기분이 묘했다.

아니, 우리 사이엔 원래 아무것도 없었다. 이게 정상이었다. 살해 위협을 받고 있는 나와 호시탐탐 나를 죽이려고 하는 황태자.

이게 맞는 거겠지.

한참 동안 아무 말 없이 나를 바라보던 아드리안이 돌연 손을 내밀었다.

"네?"

"에스코트."

엉겁결에 황태자가 내민 손 위에 손을 얹었다. 아드리안의 표정이 미묘하게 굳었다.

내, 내가 뭘 잘못했나.

황태자의 미려한 눈썹이 살짝 올라갔다. 나는 재빨리 황태자의 팔에 내 손을 둘렀다.

"……."

딱히 아무 말도 하지 않았지만 이게 정답이었다.

다시 도로 돌아온 황태자의 무표정을 확인하고 안도했다. 아직 파티는 시작되지도 않았는데 벌써부터 온몸의 기운이 쭉 빠져 버렸다.

이러면 안 되는데.

"들어가지."

오늘만 잘하면 살아남을 수 있다! 생존 확률이 올라간다!

나를 에스코트하며 홀의 문 앞에 선 아드리안 황태자가 시종을 향해 고개를 끄덕였다.

그와 동시에 시종 하나가 문을 열자 다른 시종 하나가 우렁차게 호명했다.

"위대한 아펜니노의 미래, 아드리안 황태자와 그의 파트너로 참석하신 예비 황태자비 오비에도가의 영양, 레이디 아티엔느이십니다!"

이름이 호명되었을 뿐인데 벌써부터 손에 땀이 배어 나왔다.

괜찮아. 그동안 많이 연습했잖아.

그동안 딱히 의식해 본 적 없었지만 난생처음 정식으로 참석하는 황실 파티였다.

게다가 오늘은 황후 탄신 파티. 황실에서 열리는 파티 중에서도 가장 크고 화려했다.

홀로 들어서자마자 나선형의 계단 아래로 이어지는 댄스 플로어에 모인 많은 귀족들이 눈에 띄었다. 개중엔 황궁 시녀 일을 하면서 스쳤던 사람들도 제법 보였다.

이전엔 말 한번 붙여 보기도 어려웠던 사람들이 전부 저 아래에서 내가 내려오기만을 기다리고 있었다.

"이리 와."

미세하게 떨고 있는 내 손을 받쳐 들고 아드리안 황태자가 계단을 쉽게 내려올 수 있도록 에스코트해 주었다.

묘하게 그 손길이 다정하다고 느낀 건 착각일까?

평소보다 더 떨려.

황태자와 시선이 마주치자, 평소와 달리 나보다 먼저 황태자가 고개를 돌렸다.

황태자와 잡지 않은 다른 손으로 조심스럽게 드레스 자락을 살짝 쥐었다.

실크를 겹쳐 몇 단으로 만든 드레스는 마치 나비 날개처럼 내 손에 감겼다.

홀 안을 감싸는 정적.

모두의 시선이 우리에게 꽂혀 있었다.

댄스 홀로 이어지는 계단을 내려오다 랜딩에 멈춰 서서 2층 테라스에 나란히 앉아 계신 황제와 황후를 보며 인사했다.

"웃어."

그동안 피나도록 연습한 신비한 미소를 드디어 보일 때가 되었다. 난이도 높은 미소에 입가에 경련이 이는 것 같다.

그래도 황후 폐하는 더 이상 무섭지 않았다.

내 시선은 황후 폐하 옆에서 근엄하게 자리를 지키고 계시는 분에게 향했다.

스치듯 가벼운 시선이었지만 묵직하게 자리를 채우는 중압감만으로 이름을 대지 않아도 그가 누구인지 알 수 있었다.

이 나라, 아펜니노의 황제. 카를로만.

오늘 속여야 할 가장 큰 거물이었다.

마른침을 삼키고 인사를 끝냈다. 다시 황태자의 에스코트를 받으며 홀로 내려가자 기다렸다는 듯 많은 사람들이 우리에게 접근했다.

으윽, 너무 많아.

"아드리안 전하, 오셨습니까?"

"어서 오십시오, 전하. 기다렸습니다."

"하하. 오랜만에 뵙습니다, 여전히 인물이 훤하시군요."

많은 귀족들이 우리에게 말을 붙였다. 정확히는 아드리안 황태자에게.

어찌할까 흘긋 보니 황태자는 대충 고개만 까딱이고는 일직선으로 걸어갔다.

대충 인사만 받아 주는데도 아드리안에게 쏟아지는 인사말은 엄청났다. 대단한 인기였다.

아드리안에게 웃으며 인사를 건네는 사람들과 눈이 마주치면 민망해서 미소만 짓고 있었는데, 갑자기 낮은 목소리가 음산하게 들려왔다.

"웃지 마."

나더러 어쩌라는 거지. 아까는 웃으라더니……. 어쩔 수 없이 슬쩍 무표정으로 돌아왔다.

그러거나 말거나 어차피 나는 투명한 면사를 쓴 채였다.

이게 있어서 다행이지.

내 표정이 적나라하게 상대에게 보이지 않는다는 점이 아주 마음에 쏙 들었다.

넘쳐나는 인사의 홍수 속을 제치고 황태자가 향한 곳은 제일 상석인, 황제와 황후가 앉아 있는 2층 테라스였다.

드디어 오는구나!

내 남은 목숨을 결정하는 운명의 순간이었다. 크게 심호흡을 하며 걸어갔다.

황태자와 내가 인사를 마치자마자, 듣기만 해도 상쾌한 목소리로 황후 폐하가 인사했다.

"어서 와요, 새아가!"

아드리안 황태자가 무표정하게 입을 열었다.

"저는 보이지도 않으십니까?"

"아, 있었니?"

이 두 사람은 여전하구나. 설마 파티장에서도 이럴 줄은 몰랐다.

황후 폐하는 듣기에도 작위적인 웃음을 흘리면서 부담스럽게 나를 바라보았다.

두 눈에 가득한 저 자애로움. 부담스럽다 못해 짓눌릴 것 같았다.

"우리 새아가는 오늘도 아주 예쁘네요."

"감사합니다."

내가 고개 숙여 인사하자 황후의 미소가 아주 진해졌다.

"어머, 우리 새아가. 오늘은 뭔가 달라 보이네요? 뭐가 달라 보이는 걸까?"

등 뒤로 식은땀 한 줄기가 흘러내렸다. 옆에서 찌를 듯한 황태자의 시선이 느껴졌다.

아무 대답도 없이 시선을 내리깔고 있자 황후의 웃음이 들렸다. 마담 루시의 말이 맞았다. 진정한 고수는 미소만으로 자신의 심기를 전하는 법이었다.

정말 무서우신 분이야.

"그래."

황후의 웃음소리를 가르고 묵직한 목소리가 떨어졌다. 저절로 온몸이 긴장되었다.

살짝 고개를 드니 지금까지 주시하기만 하던 황제 카를로만이 우리를 바라보고 있었다.

이게 바로 황제의 위엄이라는 거구나. 그 안하무인 아드리안마저 살짝 긴장한 기색이었다.

무슨 말씀을 하시려는 걸까?

그냥 '그래.'라는 한마디였는데 거기서 느껴지는 무게가 장난이 아니었다.

조용히 기다리고 있으니 황제가 우리를 한번 응시하다가 자리에서 일어섰다.

"둘 다 봤으니 난 이만 간다. 황후 바람대로 결혼 빨리해라."

결혼 소리에 몸이 움찔했다. 무슨 그런 끔찍한 소리를.

황제의 말에 제일 먼저 반응한 건 황후였다.

황후는 어쩔 수 없다는 듯 절레절레 고개를 가로젓더니 한숨을 내쉬었다.

"그래요. 30분이면 오래 계셨죠. 봐 드릴게요, 폐하."

"고맙소, 황후. 다시 한번 생일 축하하오."

"예, 폐하."

가벼운 포옹과 뽀뽀를 끝으로 황제 폐하는 퇴장했다. 우리가 들어온 것 이상으로 화려한 퇴장이었다.

지나가는데 모든 귀족들이 예를 표하고 고개를 숙이는 건 정말 장관이었다.

저 맛에 황제를 해 먹는 건가?

황제 폐하의 모습이 완전히 사라지자 황후의 주의는 다시 우리에게로 돌아왔다.

"자, 그럼 우리끼리 단란한 담소를 나눠 볼까?"

"저도 이만 가겠습니다."

"어머, 아드리안. 너는 필요 없단다. 새아가? 이리 와요."

황후가 손짓했다. 조건 반사처럼 몸이 나가려다가 아드리안의 손길에 붙잡혔다.

윽. 나를 붙잡는 손길에 힘이 엄청났다. 나는 그대로 오도 가도 못 하는 처지가 되었다.

"아티 양?"

황후 폐하, 그렇게 웃으면서 부르셔도 제겐 힘이 없어요.

애절한 시선으로 황후를 보니 그녀가 웃으며 아드리안을 노려보았다.

"아드리안?"

"그냥 여기서 말씀하십시오. 파트너로서 같이 있고 싶거든요."

"그 말은 나한테 새아가를 뺏기기 싫다는 말이니?"

"……"

황태자가 딱히 아무 말도 하지 않으니 황후가 씨익 웃었다. 불길한 미소로다.

나와 아드리안을 번갈아 바라보는 황후의 시선엔 설탕이 뿌려져 있었다.

아니요, 잠시만요! 지금 상상하시는 게 무엇이든 절대

그것은 진실이 아닙니다!

"아드리안. 소유욕도 좋지만 가끔은 숨통도 좀 트여 주고 그러렴."

그런 거 아니라니까요!

소리 없는 아우성이 들리지도 않는지 황후는 기쁜 표정으로 나를 바라보았다.

아니요, 그게 아니라요…….

"요즘 뭐 하고 지내나요? 우리 새아가, 황태자가 잘해 주나요?"

잘해 줄 리가 있나.

흘긋 본다는 게 황태자와 눈이 마주쳤다.

빠르게 고개를 돌려야 했는데 눈빛이 너무 험악해서 나도 모르게 그대로 몸이 굳었다.

생각해 보니 가끔 잘해 줬다.

"자…… 잘……."

말을 해야 하는데 목소리가 잠겼다.

헛기침을 하며 자연스럽게 고개를 돌리는 데 성공했다. 그런데 이번엔 황후와 눈이 마주쳤다.

자애 가득한 시선을 마주하니 나도 모르게 진실을 말할 뻔했다.

하아, 실수할 뻔했어.

"잘…… 해 주려고 노력하고 계세요."

최선을 다한 내 대답에 옆에서 이를 악무는 소리가 들렸다.

아니, 사실이잖아요!

가만히 옆에서 화를 삭이던 아드리안 황태자가 돌연 내 어깨를 팔로 감싸고 황후께 아뢰었다.

"제가 워낙 서툴러서 서로 노력 중입니다."

나도 놀라고 황후도 놀라고 시녀도 놀랐다.

무슨 노력! 무슨 노력인데? 나도 좀 알자!

놀라서 반사적으로 아드리안을 쳐다보니 내 시선을 느낀 건지 아드리안이 나를 온화하게 내려다보았다.

물론 온화할 리가 없었다.

난 이제 죽었다. 이건 도망치지 못하게 붙잡은 거겠지?

어깨를 붙잡은 황태자 손의 악력이 장난 아니었다.

"그렇군요. 우리 아드리안이 배려를⋯⋯?"

황후가 얼떨떨한 표정으로 우리 둘을 쳐다봤다.

들킨 건가. 그래, 내가 들어도 희대의 개소리이긴 했어. 그래도 최대한 미소로 버텼다. 전 아직 죽기 싫어요.

내 발로 차 버린 회생의 기회에 속으로 눈물짓고 있는데 돌연 황후가 자리에서 일어났다.

뭐지, 우리를 작살내려 그러시는 건가?

발이 도망치려고 옴짝달싹했으나 나는 이미 잡혀 있어 도망은 한여름 밤의 꿈이었다.

굳은 표정의 황후가 시녀의 도움을 받아 우리 앞까지 다가왔다.

황후가 날카로운 시선으로 우리 둘을 번갈아 응시했다. 나는 잔뜩 굳어 있었다.

"항상 아드리안 마음대로 아티엔느 양이 휘둘리는 게 아닌가 했는데……."

황후가 내 손을 붙잡더니 돌연 눈가를 훔치셨다.

갑자기 왜 우시는 거지?

상황을 이해할 수 없어 얼떨떨했다.

"아드리안이 아티엔느 양을 위해 노력을 하고 있었군요. 두 사람이 그렇게나 서로를 사랑하고 있다니."

황후는 감격하며 내 손을 꼭 잡았다. 뭔지는 모르겠지만 '사랑'이라는 단어에 몸이 움찔했다.

그런 거 안 하는데요.

"둘에게 무슨 일이 있는지는 모르겠지만, 전보다 훨씬 보기 좋군요."

"감사합니다."

고개를 숙여 예를 표하자 황후가 웃으면서 내 손을 쓰다듬어 주었다.

"그런데 새아가, 전부터 느낀 건데 목소리가 살짝 달라진 것 같은데 어디 아픈가요?"

뜨끔.

입을 닫아야 할 때인가. 말을 많이 하지 않아야 한다는 걸 잊고 있었다.

입을 꽉 다물고 있는데 옆에서 아드리안 황태자가 노려보는 게 느껴졌다.

엄청난 능력이다. 이렇게 가까이 있는데 황후 몰래 노려보다니. 문득 살해당할 것 같은 기분이 들었다.

"어머, 아드리안. 그렇게 열렬한 사랑의 눈빛으로 바라볼 거 없단다. 이 엄마가 아티 양을 빼앗아 가려는 것이 아니잖니?"

호호호 웃으며 황후가 내 손을 놓아주었다.

잠깐 뭔가 오해가 있는 거 같은데요.

열렬한 시선이긴 하죠. 저를 죽이려는 열렬한 살기의 시선.

오해를 풀어 주고 싶었지만 나는 힘이 없었다. 황후는 흐뭇한 미소를 지으면서 우리를 바라보았다.

"정말 두 사람, 보기 좋구나."

아드리안 황태자가 나를 끌어안으며 고개를 숙였다.

"그럼 저희는 이만 물러나겠습니다."

"좋은 시간 보내고 가렴."

보내 주는 황후의 시선이 아주 설탕 덩어리였다.

우리 그런 사이 아니에요. 말해도 믿지 않으시겠지.

짓눌릴 것 같은 공기를 벗어나자마자 나는 심호흡을 했다.

후하후하. 살았다. 그래도 살았다! 어찌 되었든 살았다! 들키지 않았으니까 살았다!

해방의 기쁨을 느끼고 있는데 옆에서 다시 한번 강렬한 시선이 느껴졌다. 아드리안 황태자가 나를 노려보고 있었다.

웃었던 것도 잠시 나는 시선을 내리깔았다. 왜 또 난리야.

"잘하자."

네, 네. 저는 잘하고 있어요.

고개를 끄덕이니 별다른 시비 없이 아드리안 황태자가 앞서 계단을 걸어 내려갔다.

1층 대형 홀 가운데엔 댄스 플로어가 준비되어 있었다.

당연히 여러 레이디와 신사들이 파트너가 되어 춤을 추고 있었다.

우리도 춰야 하나? 하겠지……?

"아드리안."

"이모님."

목소리가 들려온 곳으로 고개를 돌리자 그곳에는 베로니카 황후가 있었다. 고개를 살짝 숙이자 로넨도 보였다.

"오랜만이구나. 잘 지냈니, 아드리안? 그리고 예비 황태자비도 잘 지냈고?"

"네. 폐하께서도 잘 지내셨나요?"

내가 되묻자 베로니카 황후가 우아하게 웃으며 고개를 끄덕였다.

별것 아닌 근황을 소소하게 주고받고 있을 때였다.

볼을 부풀리며 불만스럽게 서 있던 로넨이 자신을 봐 달라는 듯 제자리에서 폴짝폴짝 뛰며 나를 불렀다.

"아티! 나랑 춤추자. 저번에 나랑 춤추기로 약속했—!"

그러나 로넨의 말은 이어지지 못했다.

"어머, 로넨. 로넨은 나와 함께 갈 곳이 있지요?"

"아니, 아티!"

"자, 이모님께 생신 축하드린다고 인사하러 가야지?"

베로니카 황후의 손길에 얄짤없이 들린 로넨이 그대로 2층으로 끌려갔다.

"파티를 즐기기를 바란다."

"네, 폐하."

아주 잠시 약혼녀 연기를 했을 뿐인데 벌써 피곤했다. 이제 시작인데 말이야.

겨우 한숨을 돌리나 싶었는데, 또다시 누군가 알은체를 해 왔다.

"오라버니."

익숙한 사람의 등장에 나도 모르게 황태자의 팔을 꽉 잡았다.

마리에 공주!

전 상사가 아름다운 드레스 차림으로 모습을 드러냈다.

"아, 새언니. 두 분께 인사 올립니다."

"인사는 됐어. 무슨 볼일이지?"

"오빠 요즘 내 전언 무시하더라?"

마리에 공주가 단단히 화가 난 채로 아드리안 황태자를 흘겨보았다.

"무시한 적 없는데."

"내 시녀 하나 어디 갔냐니까?"

"그 이야기를 꼭 여기서 해야 하는 건가?"

뜨끔.

몸이 저절로 움찔했다.

황태자가 싸늘하게 쏘아붙이자 마리에 공주가 입을 다물었다. 뭔가를 생각하는 듯 아드리안을 노려보던 마리에가 잠시 후 가볍게 한숨을 쉬었다.

"나중에 제가 포인세티아 궁에 들르겠습니다. 꼭 만나 주시길 부탁드려요, 오라버니."

"그러지."

"새언니도 좋은 저녁 되세요."

끝까지 뾰로통한 표정이었지만 순순히 마리에 공주가 물러났다. 나는 놀란 가슴을 쓸어내렸다.

"드, 들킨 건 아니겠죠?"

"들켰으면 죽어야지."

별거 아닌 듯 가볍게 말했지만 듣는 나는 절대 가볍게 들리지 않았다.

사방이 전부 지뢰밭이야!

혹시나 다른 위험 요소는 없는지 주변을 살펴보고 있었다. 숨죽이고 사방을 살펴보고 있는데 언제 온 건지 연회복 차림의 디아노가 황태자 근처에 섰다.

모르는 사람 속, 아는 사람이라니, 비록 도움은 하나도 되지 않는 인간이지만 반가웠다.

"인상 써. 접근하는 인간들 내쫓아."

"넵, 전하."

디아노가 인상을 쓰기 시작했다. 난 또 나한테 시키는 줄 알고 인상 쓸 뻔했네.

민망해서 다른 데 시선을 주다가 우리를 쳐다보고 있던 드레스 무리 하나와 시선이 마주쳤다.

어? 클레스가의 남작 영애다. 시녀였을 때 봤던 마리에 공주의 말벗인 이바나 백작 영애도 있었다.

매번 인사하고 지나가기만 하다가 이런 데에서 마주치니 기분이 오묘했다.

"아티엔느 양 맞지?"

"어쩐지 아티엔느 양 평소랑 분위기가 좀 달라지지 않았어?"

"키도 좀 줄어든 거 같지 않아?"

"다른 때보다 좀 더 왜소해진 것 같기도 하고……."

이런 데서 들키나?

수군거리는 목소리가 여기까지 들려왔다. 다 들으라고 저러는 거지?

키랑 체격은 내가 어찌할 수 있는 게 아니었다. 그렇지 않아도 난생처음 이렇게 굽이 높은 신발을 신고 온 건데.

그래도 작아 보인다니 에센이라는 기사가 얼마나 컸는지 감도 잡히지 않았다.

마담 루시가 그분은 그냥 굽 없는 신발 신고 다녔다고 했는데. 설마 들키나? 긴장으로 허리가 꼿꼿하게 펴졌다.

불안을 삼키고 조금이라도 더 잘 듣기 위해 귀를 기울였다.

"드레스 바꿔서 그런가?"

"저런 디자인 처음 보는데 말이야. 어디 거지?"

"구두 힐을 좀 낮췄나 봐. 엄청 높은 거 신고 다니더니."

"맞아. 그래서 매번 황태자 전하와 키가 비슷했잖아."

"무슨 바람이 불어서 낮은 힐을 신은 거지? 요새 저게 유행인가?"

"아, 아드리안 전하. 오늘도 잘생기신 거 봐."

레이디들의 수다는 그렇게 아드리안 황태자의 미모로 화제를 옮겼다.

다, 다행이다. 가슴을 쓸어내리며 안심했다. 이대로만

버티면 된다.

그럼 살아남는다는 꿈도 더 이상 꿈이 아니었다.

모두의 예상대로 홀에는 많은 사람들이 있었다. 그리고 생각했던 것보다 많은 사람들이 우리를 주시하고 있었다.

황태자는 어떻게 이런 시선에 익숙한 걸까?

어떻게 해서든 모두에게 각별한 사이로 보이려고 우리는 보이지 않는 노력을 기울이고 있었다.

황태자가 자연스럽게 내 허리를 붙잡고 가끔 나를 쳐다보며 웃는데, 세상에 이런 곤욕이 또 없었다.

"웃지 마. 아래 봐. 시선 내려. 어라, 웃어?"

"아니에요. 안 웃었어요."

"웃었는데."

안 웃었다니까! 날카로운 황태자의 눈을 피해 고개를 돌렸다.

차라리 황후 앞이 나았다. 내가 웃는 게 그렇게 싫은 건지 연신 아드리안 황태자가 나를 갈궜다. 내가 웃는 게 웃는 게 아니다.

옆에서 아드리안의 시선이 집요하게 따라붙는 게 느껴졌다.

한바탕 실랑이를 하고 있는데 저 멀리에서 테르니가 환하게 웃으며 우리를 보고 손을 흔드는 게 보였다.

테르니의 옆엔 처음 보는 신사분도 한 명 서 있었다.

모르는 척해야지.

자연스럽게 시선을 돌리니 아드리안과 눈이 마주쳤다. 아드리안도 테르니를 본 모양이었다.

우리는 무언의 합의를 보았다.

무시하자.

"쟤는 모른 척해."

"네!"

우리가 평화롭게 테르니의 존재를 무시하려는 순간이었다.

"꺄악!"

날카로운 비명 소리에 반사적으로 소리가 난 곳을 쳐다봤다가 돌처럼 굳어 버렸다.

"어허, 길 좀 비킵시다."

"꺅!"

범인은 바로 테르니였다.

테르니는 댄스 플로어를 가로질러 춤을 추던 사람들을 찢어 놓으면서 일직선으로 내게 오고 있었다.

그것도 옆에 있던 신사분을 끌고서!

아니, 왜 저러는 거야.

춤추던 사람들은 소리를 지르며 저마다 도망치기 바빴다. 그렇게 부딪힌 사람끼리 넘어지기도 했다.

흡사 아비규환이었다.

나는 겁에 질려 아드리안 황태자에게 붙었다.

저 거국적 민폐. 왈츠는 계속 흘러나오는데 그 탓에 누구도 춤을 출 수 없었다.

"왜 내 눈을 피해?"

일직선으로 다가온 테르니가 당당하게 내게 물었다. 너무 당황한 나머지 말이 나오지 않았다.

"내 눈 피했잖아."

지금 그거 때문에 저길 가로질러 온 거야?

"이게 뭐 하는 짓이에요, 다들 놀라셨잖아요!"

내 처지도 잊고 그만 화를 내 버리고 말았다. 내 말에 테르니가 주변을 둘러보았다.

그리고 난장판이 된 댄스 플로어를 보며 고개를 갸웃했다.

"다들 왜 그러고 있어? 왜 춤 안 춰?"

너 때문이잖아, 너!

다들 기가 막히다는 시선으로 테르니를 볼 뿐, 딱히 어떤 말도 하지 않았다.

테르니는 조용히 수습되어 가는 댄스 플로어를 보며 나를 타박했다.

"이게 다 네가 내 시선을 피해서 생긴 일이잖아. 아티야, 빨리 사과해."

이 어이없는 자식.

내가 아무 말도 못 하고 쳐다보고만 있자 테르니가 선심 쓴다는 듯 고개를 끄덕였다.

"사과하면 용서하는 걸 고려해 줄 수도 있어."

"아, 안 피했어요."

"피했잖아! 내가 봤어!"

"아, 안 피했는데."

"그래?"

테르니가 심오한 얼굴로 나를 쳐다보았다.

혹시나 도움을 요청할 수 있지 않을까 황태자를 쳐다봤

지만, 아드리안은 어떻게 저런 인간이 있을 수 있냐는 듯한 표정으로 우릴 외면했다.

그럼 그렇지. 그놈이 그놈이야.

"뭐, 아티 네가 그렇다면 이번만큼은 그냥 넘어가 줄게. 아, 난 역시 마음이 넓어. 이건 다 내가 너그러운 마음을 갖고 있기 때문에 넘어가 주는 거야. 아티는 행복한 동생이야. 그렇지?"

"……네, 오라버니."

너그러운 마음은 개뿔. 너그러운 마음 갖고 있는 사람이 눈 피했다고 댄스 플로어를 가로질러 오냐.

춤추는 사람들 다 뿔뿔이 흩어지게 만들어 놓고.

"테르니."

지금까지 가만히 있던 중년의 신사가 테르니의 이름을 불렀다.

저분은 뭐 하시는 분이지? 아드리안 황태자와 눈인사를 끝낸 신사분이 나를 쳐다보았다.

테르니가 웃는 얼굴로 나와 신사분을 번갈아 보았다.

"아, 맞다. 까먹을 뻔했네. 인사해, 아티야."

"아……. 안녕하세요…….."

눈치상으로는 저 아저씨가 내 아빠인 모양이었다. 인사는 했는데 어째 모양새가 이상하게 돌아가고 있었다.

사람들이 춤도 안 추고 이쪽만 쳐다보고 있었다.

아, 씨이. 너무 남 같은가?

"그러니까, 후작님……."

다시 인사하려고 말문을 열었는데 내 호칭에 테르니가 인상을 쓰면서 팔을 엑스 자로 교차시켰다.

이거 아냐?

뭐라고 말해야 할지 몰라 동공에서 지진이 일어나는데 테르니가 다시 한번 입을 소리 없이 벙긋했다.

'아빠, 아빠.'

아, 아빠라고 말하라는 거야?

"아, 아빠……."

어색한 목소리가 흘러나왔다. 낯선 남자에게 아빠라고 부르려니 도무지 입이 떨어지지 않았다.

게다가 오비에도 후작님은 내가 생각한 것 이상으로 번듯하고 댄디한 신사분이셨다.

테르니라는 자식이 있다는 게 전혀 연상되지 않을 정도로.

"그, 그래."

인사를 받는 후작 각하도 어색해 죽으려는 표정이었다. 우리 사이에 어색한 공기가 흘렀다.

이제 어떡해야 하는 거지?

어색한 정적을 맘껏 누리고 있으니까 옆에서 이를 가는 소리가 들려왔다.

몸이 순식간에 긴장했다.

"죽는다."

나만 들리는 살벌한 목소리에 바로 경기를 일으키며 달려갔다.

"아빠! 오랜만이에요!"

오열하는 내 인사에 후작 각하도 덩달아 소리 지르며 나를 받아 주었다.

"그, 그래. 딸아!"

"이게 얼마 만이에요. 흐흑, 아빠!"

"그래, 그래. 오, 오, 오랜만이구나!"

명백하게 초면인데 부둥켜안고 감격의 상봉을 했다.

일단 반갑게 품에 안기긴 했는데, 이다음은 어쩌지?

난감한 건 나를 부둥켜안은 오비에도 후작님도 마찬가지인 모양이었다. 임시 아빠와 나는 서로의 눈치를 보기 시작했다.

옆에서 테르니가 흐뭇한 표정으로 우릴 쳐다보고 있는 건 열외로 치자.

대체 무슨 이야기를 해야 하지? 눈치 보다가 아드리안과 또 눈이 마주쳤다.

황태자의 눈빛이 나를 살해하고 있었다. 아빠도 그걸 본 모양이었다.

"자, 잘 지냈니? 우리 딸."

"잘 지냈…… 을 리가 있나요, 아빠 너무 보고 싶었어요!"

"그, 그래. 나도 보고 싶었단다."

"많…… 이 야위었구나. 전에 본 것보다 더 야위었어."

"네. 제가 좀…….."

많은 마음고생을 했더니.

……라고 대꾸하고 싶었는데 옆에 있던 아드리안 황태자가 나를 보며 싸늘하게 미소 지었다.

"아니에요!! 잘 먹고 있어요!!"

내가 쩌렁쩌렁하게 외치니까 아빠가 깜짝 놀라서 덩달아 쩌렁쩌렁 대답했다.

"그렇구나!! 내가 잘못 본 모양이다!!"

홀을 가로지르는 부녀의 쩌렁쩌렁한 목소리.

모두가 우리 가짜 부녀의 상봉을 진심으로 축하해 주었다. 쏟아지는 박수 세례에 낯이 절로 뜨거워졌다.

모두가 우릴 보고 있어.

어떻게 하면 이 분위기를 무난하게 극복할 수 있을까 싶었는데, 마침 박수 세례를 뚫고 낯선 두 사람이 우리에게로 다가왔다.

아니다. 하나는 아는 얼굴이었다.

"어머, 황태자 전하!"

가브리엘!

아드리안이 바로 내 옆에 붙었다. 나도 아빠를 놓아주고 황태자의 손을 붙잡았다.

"어허, 이런 곳에 계셨습니까? 못 찾아뵐 뻔했습니다. 오비에도 후작님."

"이거 재상 각하 아니십니까? 저를 찾고 계셨군요."

재상 각하? 그렇다면 가브리엘의 아버지라는 소리인가?

가브리엘이 생긴 건 예쁘게 생긴 것처럼 재상 각하도 생긴 건 번듯하게 생겼다.

그사이 가브리엘은 아드리안에게 다가와 인사를 건넸다.

"어머, 전하. 여기 계셨군요?"

"그래."

"어머나~ 제가 그렇게 보고 싶으셨나 봐요? 저 딱 저쪽에 있었는데. 어떻게 제가 여기 있는지 아시고. 호호호."

옆에서 이 가는 소리가 들린다.

아드리안 황태자가 손을 굳세게 쥐었다. 덕분에 황태자에게 붙잡힌 손이 바스러져 가고 있었다. 아프다…….

"어머나, 저한테 눈을 못 떼시네요. 전하, 그런 열정적인 눈으로 보면 부끄럽다고요! 그리고 다른 영애들이 질투하잖아요! 조금만 약혼녀 양을 바라봐 주세요~."

가브리엘이 부채로 입을 가리고 웃으니 옆에서 아드리안의 허탈한 웃음소리가 들렸다.

"저 입 찢어 버리고 싶다."

내 귀에만 들린 살벌한 목소리. 그것엔 진심이 담겨 있었다.

가브리엘의 목숨이 위험해.

앞뒤 가릴 것 없는 황태자가 이렇게 정색하는 건 드문 일이라 무슨 사고가 어떻게 터질지 몰라 긴장하고 있는데, 옆에서 대놓고 좋아하며 웃던 테르니에게 가브리엘의 시선이 향했다.

"공자님이 아무리 그렇게 저를 바라보셔도 소용없답니다. 아무리 제게 미소를 보내셔도 제 마음엔 황태자 전하 하나뿐이세욧!"

열심히 폭소하다가 날벼락 맞은 테르니가 웃다가 정색했다.

"뭐라는 거야, 미친."

테르니의 목소리는 내 귀에만 들렸다. 천하의 테르니를

정색하게 만들다니, 역시 듣던 대로의 명성이었다.

"이래서 예쁜 건 정말 피곤하다니까~."

다들 정색하며 가브리엘을 응시하고 있는데 이 분위기를 가브리엘 혼자만 모르고 있었다.

"하하. 사랑을 많이 받는구나, 우리 딸."

"어머, 아버지도 참. 이 정도는 기본이죠. 호홋."

아니다. 하나가 더 있었다.

저 답이 없는 부녀를 두고 우리는 모두가 환장했다.

정말 대단한 재능이야. 이렇게 자기 좋을 대로 보는 것도 힘든 일인데 말이야.

"이거 오랜만에 뵙는 것 같습니다, 황태자 전하. 통 바빠서서 얼굴을 뵐 수 있어야 말이지요."

재상이 가브리엘을 데리고 아드리안 황태자에게 알은체했다.

황태자는 나를 방패막이로 삼으려는 건지 더더욱 가까이 끌어당겨 두 사람이 다가오는 걸 막았다.

살아 있는 방패가 되었습니다.

"유감이군요. 오랜만이라도 이렇게 뵙게 되어 다행입니다."

"하하. 그러게 말입니다. 제 아들 녀석이 우리 황태자 전하의 힘이 되어 드려야 할 텐데 말입니다. 지금은 황제 폐하를 직접 모시느라 정신이 없군요."

"아, 그러십니까?"

대놓고 관심 없다는 어조로 아드리안이 나를 보았다.

뭐, 뭐요?! 계속 눈만 마주치니까 아드리안이 이내 인상을 썼다.

아, 또 뭔데!

다시 막 나를 눈빛으로 살해하려고 하는 기세라 빠르게 테르니를 봤다.

테르니는 후작님이랑 노느라 여념이 없었다. 저 도움 하나도 안 되는 오빠 같으니라고.

점점 더 흉악해져 가는 황태자의 눈빛에 나도 모르게 목숨의 위협을 느껴 소리를 냈다.

"아악."

아직 죽고 싶지 않아요!

내가 두 눈을 꼭 감았을 때였다. 별안간 황태자가 나를 품으로 끌어당기더니 미소를 지었다.

"이런, 오래 서 있느라 다리가 아픈가 보군."

아니요. 전혀 아프지 않은데요.

실눈을 뜨고 아드리안을 쳐다봤다. 처음 보는 달콤한 미소를 지으며 아드리안이 내게 부드럽게 말했다.

"쉴 때가 되긴 했지."

"네, 네?"

내 질문은 무시하고 아드리안이 재상과 가브리엘을 쳐다봤다.

"담소는 즐거웠습니다. 이만 제 약혼녀를 위해 자리를 옮겨야 할 것 같습니다. 다음에 또 시간을 갖죠, 재상 각하."

"오오, 예비 황태자비께서 다리가 많이 아프신 모양이십니다. 마땅히 그러셔야죠."

"그럼 이만."

황태자가 웃는 얼굴로 나를 이끌고 홀 곳곳에 마련되어 있는 소파로 데려갔다.

재상과 떨어지자마자 황태자의 표정이 한순간에 구겨졌다.

"……제일 먼저 죽일 거야."

음산하게 중얼거리는 황태자의 말을 못 들은 척하며 행여나 발을 잘못 디딜까 조심스럽게 걸었다.

쉬러 가는 길도 절대 평온치 못했다. 아드리안 황태자를 가만 놔두질 않으려는 속셈인지 사방에서 알은체하며 우리에게 말을 걸었다.

황태자는 노련하게 대답하며 적당히 쳐 냈지만, 아니지. 거의 노골적일 정도로 귀찮다는 표정으로 단답만 했는데 모두가 엄청난 능력으로 혼자서 대화를 이어 갔다.

역시 귀족도 아무나 하는 거 아니었어.

"여기 앉아."

소파에 앉으니 아드리안 황태자가 옆에 다리를 꼬고 앉았다.

다 죽여 버릴 기세로 인상을 쓰다가 그대로 눈을 감더니 나지막하게 한숨을 내쉰다.

피곤한 모양이었다.

가끔은 성질머리 때문에 잊고 있지만 황태자는 정말 그림책에서 튀어나올 법한 완벽한 왕자님이었다.

이 껍데기에 많은 레이디들이 속고 있겠지.

특별히 할 짓도 없어서 주변을 둘러봤다.

저들끼리 모여서 이야기 중이던 귀부인도 다른 신사들도 전부 아드리안 황태자를 흘긋 쳐다보고 있었다.

역시 황태자라 그런지, 인기가 엄청나.

언제 따라온 건지 디아노가 우리 옆에 섰다. 인상을 쓰라는 명령은 아직도 유효한 건지 열심히 인상을 썼다.

얼마나 흉악한 기세를 내뿜는지 오려던 귀족들이 디아노와 눈을 마주치고는 그대로 다시 물러났다.

그러나 그 철벽 방어를 뚫고 우리 근처로 다가오는 한 사람이 존재했다.

"어머, 저도 쉬려고 온 거예요."

너는 뭐냐는 듯 쳐다보는 내 시선에 가브리엘이 새침하게 대답하며 우리 앞에 앉았다.

다른 곳에도 자리가 많은데 굳이 하고 많은 자리 중에 우리 앞에 앉다니, 정말 대단하다는 생각밖에 안 들었다.

"여기 자리 많은데."

그래, 여기 자리 많…….

방금 내가 말한 건가 싶어서 고개를 갸웃했는데 어느새 눈을 뜬 아드리안이 가브리엘을 똑바로 쳐다보고 있었다.

가브리엘이 부끄럽다는 듯 몸을 배배 꼬았다.

"어머, 전하. 아무리 그래도 전하 옆에 앉을 순 없죠~. 다들 보는데. 부끄럽게."

옆에서 뭔가가 박살 나는 소리가 들렸다.

잘못했다간 박살 나는 게 나일 수가 있어서 모른 척하며 흐린 눈으로 가브리엘이 아닌 먼 곳 어딘가를 바라보았다.

최대한 모른 척하고 싶었건만, 안타깝게도 가브리엘은 그런 나를 배려해 주지 않았다.

"아티엔느 양?"

"⋯⋯네?"

"오늘 이 무도회가 어째서 열렸는지 당연히 알고 계시겠죠."

너무나도 새삼스러운 물음에 나는 고개를 끄덕였다. 그러자 가브리엘이 나를 힐끔 보며 웃었다.

어쩐지 비웃는 것같이 느껴진다면 과민 반응일까.

"그래요, 맞아요. 황후 폐하의 탄신 파티예요. 그래서 말인데, 아티엔느 양께서는 어떤 선물을 준비하셨나요?"

이게 본론이로구나. 역시 과민 반응이 아니었다.

황후 폐하께 드릴 선물에 관해서는 테르니가 내게 언질한 바가 있었다.

"선물은 우리 가문에서 알아서 아티 네 이름으로 준비할 거고. 아드리안도 너와 함께 황후 폐하께 드리는 걸로 처리할 테니 신경 쓸 거 없어!"

알아서 한다기에 전혀 신경도 쓰지 않고 있었는데⋯⋯ 괜찮겠지?

"네, 가브리엘 양. 이번에는 황태자 전하와 함께 준비했고, 나중에 황후 폐하께 따로 제 선물을 드릴 생각이었어요."

무엇을 준비했는지 물어볼까 봐 솔직히 조금 걱정하며 대답했다. 아드리안을 흘긋 보아도 내게는 눈길도 주지 않으니 도움을 구할 수도 없었다.

다행이라고 해야 할지 가브리엘은 내가 무엇을 준비했는지에 대해서는 딱히 관심이 없어 보였다.

대신 그녀는 자신이 황후께 드릴 선물을 자랑하는 데 열을 올렸다.

"아무리 아티엔느 양께서 진귀한 선물을 준비했다 한들 황후 폐하의 취향에 부합하지 않으면 전혀 소용없는 것 아닐까요?"

부채로 입가를 가리며 웃는 게 아무래도 약 오르라는 의도인 것 같은데, 안타깝게도 하나도 약이 오르지 않았다.

생각했던 반응이 아닌지 가브리엘의 얼굴이 살짝 달아올랐다.

"흥. 제가 준비한 선물을 보시면 아마 깜짝 놀라실걸요?!"

"그렇군요. 정말 대단하네요!"

솔직히 뭘 준비했는지 전혀 궁금하지 않아서 대충 손을 마주치며 감탄했다.

"대체 무엇인지 궁금해 보이는데, 비밀이랍니다. 궁금하지요, 아티엔느 양?"

"아니―."

"후. 어쩔 수 없죠. 이렇게 궁금해하시다니. 천사처럼 넓은 마음씨를 가진 제가 알려 드릴 수밖에!"

……궁금하다고 안 했는데.

어이없다는 듯 바라보았지만 가브리엘은 신경도 쓰지 않고 선물에 대해 자랑을 늘어놓기 시작했다.

"제가 준비한 선물은 무려! 장인 위르겐의 작품, 16번째 그릇 세트라고요!"

그릇 세트? 내가 고개를 갸웃하자 의기양양하게 웃은 가브리엘이 시녀에게 명령해 상자의 뚜껑을 열었다.

그곳에는 한눈에 봐도 아름다운 찻잔과 그릇이 반짝이며 담겨 있었다.

"이제 알아보시겠지요? 장인 위르겐의 작품은 이제 절품 되어서 구하기 힘들다는 건 아시겠죠?"

몰랐다. 저게 그렇게나 귀한 그릇이구나. 새삼 신기한 눈으로 바라보자 가브리엘이 찻잔 하나를 들어 올렸다.

"황후 폐하께서는 그릇을 모으는 취미를 가지고 계신데, 그 중에서도 특히 장인 위르겐의 작품을 가장 좋아하신답니다."

"그렇군요."

"이건 상식이에요, 상식! 사교계에서도 장인 위르겐의 작품은 인기가 아주 좋다고요. 아아, 이 그릇과 제가 만나 게 된 건 정말이지 운명이라고밖에 말할 수 없어요."

찻잔을 소중히 든 가브리엘이 그릇 세트를 구하게 된 경 위를 말하기 시작했다.

나는 가브리엘의 말을 귀담아듣는 대신 그릇에 시선을 고정시켰다.

이상하다. 분명 처음 보는 그릇들인데, 어디선가 많이 본 것 같은 느낌이 들었다.

순간 내 눈에 그릇 바닥에 새겨진 이니셜이 보였다.

W.H. 대충 휘갈겨 쓴 듯한 그 사인을 빤히 보다가 나를

툭 치는 손길에 고개를 돌렸다.

"대충 무시해."

황태자가 약간 찌증 난 듯한 표정으로 가브리엘을 노려보았다.

"넵."

죽기 싫어서 옆에서 말을 거는 가브리엘을 무시하고 정면을 보자, 그녀의 표적이 바뀌었다.

"전하~."

아드리안이 표정을 일그러뜨리며 가브리엘을 쳐다보았다. 가브리엘은 그게 보이지도 않는 건지 수줍게 운을 뗐다.

"전하, 첫 춤 상대……."

가브리엘이 그윽한 눈빛으로 아드리안을 쳐다보았다. 또 뭔가가 박살 나는 소리가 들렸다.

이쯤 되면 쟤도 알지 않을까? 아드리안이 자기를 싫어한다는 거?

황태자를 동정하고 있는데 덥석 그가 나의 손을 붙잡았다.

"저의 첫 춤 상대가 되어 주지 않으시겠습니까?"

나, 나?!

이 자리에서 안 춘다고 할 수가 없었다. 열심히 고개를 끄덕이자 아드리안이 빨리 움직이라는 듯 눈짓했다.

엉거주춤 일어서며 가브리엘을 바라보았다.

울까? 울려나?

"어머, 제가 다른 영애들에게 질투를 받을까 봐 이런 상냥한 배려를……."

쟤 뇌는 대체 어떻게 되어 있는 걸까? 답이 없다.

내가 고개를 절레절레 흔드니 가브리엘의 시선이 황태자에게서 나에게로 바뀌었다.

깜짝이야. 시선이 마주치자 괜히 뜨끔했다.

내가 어색하게 웃어 주니 가브리엘이 도도하게 내 앞으로 다가왔다.

뭐, 뭐, 뭐, 뭔데.

"언제까지 그렇게 웃을 수 있는지 보죠."

……안 웃고 있는데.

의미심장한 대사를 날리면서 가브리엘이 부채로 얼굴을 가리더니 그대로 도도하게 가 버렸다.

왜 아드리안 황태자가 치를 떨며 싫어하는지 이해가 되어 버렸다.

"뭐라 그런 거야?"

"제가 언제까지 그렇게 웃을 수 있는지 보재요."

"웃었어?"

"아뇨."

아드리안이 나를 빤히 바라봤다. 나 진짜 안 웃었는데.

때마침 곡이 바뀌었다. 아드리안이 나를 데리고 댄스 플로어 중앙에 섰다.

사실 우리는 중앙에 서고 싶지 않았는데 다들 알아서 자리를 비켜 주었다. 죽겠네.

왈츠가 흘러나오고 익힌 대로 춤을 추기 시작했다.

다들 흥겹게 춤을 추고 있는데 나 혼자만 잔뜩 신경을 곤두세우며 춤을 췄다.

틀리면 안 돼, 실수하면 안 돼!

너무 열심히 춤을 춘 모양이었다. 곡 하나가 끝나자마자 나가떨어졌다.

황태자가 혀를 찼다.

"더 출 수나 있겠어?"

"아직, 괜찮아요."

이 정도는 거뜬할 줄 알았는데. 역시 계속 긴장하고 있던 게 내 체력이 바닥난 원인이었다.

나를 이렇게 만든 주원인이 앞에서 고개를 절레절레 흔들었다.

춤추고 있는 만큼 다른 사람들이 자길 건드리지 않아서 좋은 모양이었다.

다음 곡이 이어지고 배웠던 대로 발을 옮겼다. 상대가 신경 쓰이는 것만 제외하면 춤추는 것 자체는 좋았다.

맨 처음 춤을 배웠을 때가 생각났다. 아빠랑 동생이 매번 내게 발을 밟히곤 했었다.

"앗."

조금 딴생각했다고 그대로 발을 밟아 버렸다. 온몸이 딱딱하게 굳었다.

내가 지금 누굴 밟은 거야?

얼어서 아무 말도 못 하고 있을 때 황태자가 잡고 있는 내 손을 움직였다.

그의 눈빛은 살벌했지만 춤은 계속 이어졌다.

이 멍청이. 연습 때는 내내 완벽했으면서!

조심스럽게 마저 춤을 추긴 했는데 어째 아드리안 황태자를 똑바로 볼 수가 없었다.

나는 이제 죽는 건가. 덜덜 떨고 있는데 어느새 춤추다가 변두리로 빠진 모양이었다.

그대로 아드리안 황태자가 나를 데리고 댄스 플로어를 이탈했다.

대체 어떻게 변명의 말을 해야 할지 머리가 복잡해져 있는 와중 내 옆으로 디아노가 다가왔다.

"방금 마리에 공주님께서 돌아가셨습니다."

"그래? 황후께선?"

"황후께선 아직 자리에 계십니다. 테르니는 요제프 후작님을 배웅하고 오겠다고 했습니다."

아드리안 황태자가 아무 말 없이 상석을 올려다보다 주변을 훑어보았다.

어김없이 황태자와 이야기를 나누려고 눈치 보는 사람이 사방에 깔려 있었다.

나는 또 살아 있는 방패가 되는 건가.

"우리도 이만 돌아가지."

좌중을 보던 황태자가 그대로 홀의 바깥으로 향했다.

이렇게 그냥 가도 되는 거야?

황후한테 간다고 인사해야 하지 않을까 싶었다가 드디어 해방이라는 듯 거침없이 발걸음을 옮기는 황태자를 보고 조용히 입을 다물었다.

얼마나 좋은 건지 발걸음도 평소보다 빨라서 따라가는 데 벅찼다. 드레스도 드레스였는데 구두가 문제였다.

평소에 잘 신지도 않는 높이의 구두 때문에 몸이 휘청했다.

어, 잠깐만.

"아, 악!"

계단을 내려오다 결국 몸이 중심을 잃고 휘청거렸다.

그대로 넘어질 뻔한 나를 아드리안 황태자가 받아 주었다.

사, 살았어. 그대로 죽는 줄 알았는데. 계단에서 굴러떨어 져 죽은 최초의 인물이 될까 싶었는데 다행히 그건 면했다.

머지않아 나는 난감한 상황을 자각했다.

황태자 품에 고이 안겨서…….

몸이 절로 굳었다.

✦ ♛ ✦

"죄, 죄송해요."

아티가 당장 떨어지려고 몸을 뒤로 뺐을 때였다.

"아악!"

넘어지면서 발목이 접질린 모양이었다.

'아파…….'

얼마나 아픈지 눈물까지 났다.

훌쩍거리면서 인상을 쓰니 지켜보던 아드리안이 혀를 찼 다. 한심하기 이를 데 없었다.

높은 계단도 아니었는데 이거 하나 못 내려온단 말인가?

게다가 아프면 가만히 앉아 있기라도 하지 낑낑대면서 일어나고 있었다.

"애쓴다. 진짜."

보고 있기 안쓰러웠다. 아드리안은 그대로 아티의 몸을 안아 들었다.

"자, 잠깐만요!"

"조용히 해."

'이런 거 너무 부끄러운데!'

아티가 부끄러움에 뭐라 말을 못 하고 있을 때 아드리안은 아티를 안은 채로 척척 계단을 내려갔다.

저번의 키스 사건 이후 불필요하게 아티를 의식하는 것 같아 아드리안은 오늘 파티 내내 의식적으로 거리를 두고 있었다.

이젠 그런 것 따위 아무런 소용도 없어 보이지만.

"저 괜찮아요."

아티가 헛소리를 했다. 아드리안이 인상을 쓴 채로 아티를 내려다보았다.

전혀 괜찮아 보이지 않는 얼굴이었다.

때마침 정원의 분수대가 아드리안의 시야에 들어왔다. 아드리안은 아티를 분수대에 앉혀 놓았다.

"감사합니다."

아티의 인사를 받고 아드리안이 물었다.

"못 걷나?"

"발목이 접질린 것 같아요."

아티가 확인차 치맛자락을 살짝 걷었다. 발이 벌써 퉁퉁 부어 있었다. 거기에 굽은 부러져 있었다.

'저것 때문에 넘어졌군.'

덜렁거리는 신발 굽을 보며 아드리안이 혀를 찼다.

"이건 다신 못 신겠군."

그거 비싼 구두인데.

아티가 울먹이며 살짝 고개를 숙였다. 덕분에 머리카락 이 흘러내려 어쩔 수 없이 머리를 쓸어 올렸을 때, 아드리 안은 무심코 아티를 보았다가 멈칫했다.

서늘한 공기, 튀는 물방울.

분수대에 앉아 머리카락을 쓸어 넘기고 있는 아티엔느를 본 순간 아드리안은 숨을 쉬는 것도 잊어버렸다.

달빛이 부서지는 창백한 은발에 살짝 내리뜬 눈과 차분 한 시선.

투명한 물방울이 튄 하얀 피부는 눈이 부실 정도였다.

살짝 올린 치맛자락 끝으로 드러난 다리와 가느다란 발목.

마치 신기루 같은 환상이 지나치도록 황홀했다.

아드리안은 숨을 내쉬는 것조차 하면 안 될 것 같았다.

혹시라도 이 환상이 깨어지기라도 할까 봐.

"전하?"

아티의 목소리에 아드리안의 정신이 서서히 돌아왔다.

제정신을 차렸는데도 여전히 눈앞의 여자가 실존하는 것 처럼 느껴지지 않았다.

"전하, 괜찮으세요?"

한편 아티는 아드리안이 조금 이상하다고 생각했다. 이상하게 조용하다고 해야 할까?

뭐라고 한마디 더 해도 될 법한데 조용하니까 이상했다.

"전하?"

아티는 조금 머뭇대다가 용기를 내어 아드리안 황태자를 올려다보았다.

황태자는 아무 말 없이 자신을 빤히 쳐다보고 있었다.

엄청나게 살벌한 표정으로.

놀라서 다시 아래를 내려다봤는데 다른 때 같으면 이미 뭐라고 비아냥거렸을 황태자가 엄청 조용했다.

'이상한데.'

아티는 본능적으로 뭔가 좋지 않다는 걸 느꼈다.

시간이 지나면 괜찮아질까 아무 소리 안 하고 기다리고 있는데 시간이 갈수록 분위기는 더 심각해지고 있었다.

"저기, 전하?"

계속 조심스럽게 불러 보고 있지만 좀처럼 아드리안은 답할 생각이 없는 듯했다.

분수대에서 튄 물방울들이 빠르게 등을 적시기 시작했다.

'춥다.'

추운 것도 추운 건데 그보단 이 상황을 빨리 벗어나고 싶었다.

황급히 머릿속이 빠르게 돌아가기 시작했다.

오늘 뭐가 마음에 안 들었나? 내가 뭐 잘못했나? 아닌데, 엄청 열심히 했는데. 대체 뭐가 마음에 안 든 거지?

결국 참다 참다가 아티가 먼저 요청했다.

"전하. 이만 돌아가 봐야 할 것 같아요!"

아티의 외침에 아드리안이 움찔했다. 인상을 쓰던 아드리안이 갑자기 손으로 입을 가리더니 뭐라고 중얼거렸다.

"내가 귀신에 씌인 건가?"

하마터면 자신도 모르게 키스할 뻔했다. 지난번 키스의 달콤함이 아직 잊히지 않은 상태였다.

아티는 듣지 못했지만, 아드리안은 그런 것도 고려하지 못할 만큼 지금 정신이 없었다.

이제야 아티의 상태가 보였다. 아파 보이는 발과 다 젖은 등.

"돌아가자."

아드리안이 다시 아티를 안아 들었다.

"꺄!"

몸이 들리는 게 낯설어서 아티가 소리를 냈다가 반사적으로 손으로 입을 막았다.

빠르게 아드리안의 눈치를 보았지만 다행히(?) 황태자는 아무렇지 않아 보였다.

"죄, 죄송해요."

"뭐가?"

말은 그렇게 했지만 무섭게 굳은 표정은 풀리지 않았다.

순전히 다른 이유 때문이었지만, 전후 사정을 모르는 아티는 간담이 서늘해졌다.

'아무래도 나, 죽을 거 같은데.'

Chapter 6. 죽을병에 걸린 기분이 들어

Chapter 6. 죽을병에 걸린 기분이 들어

파티는 끝났다.

하지만 아드리안은 파티의 여운에서 벗어나지 못했다.

아드리안이 심각한 표정으로 턱을 괴고 있었다.

책상에 앉아서 옆에 쌓인 서류는 들여다보지도 않고 오로지 심각한 표정으로 깊은 생각에 잠겨 있을 뿐이었다.

벌써 저러고 있는 것도 네 시간째.

테르니는 확인이 끝난 마지막 서류를 종이 더미 위에 올려놓으며 아드리안을 곁눈질했다.

"디아노, 전하 왜 저래? 혹시 알아?"

"나도 모르겠다."

"왜 저러지? 또 누굴 족치려고 저러는 거야?"

디아노가 심각한 표정으로 고개를 가로저었다.

테르니와 디아노는 누군지 몰라도 단단히 걸린 것 같다

며, 아드리안에게 걸린 자의 명복을 미리 빌어 주었다.

테르니가 턱을 쓸며 나름 추리를 시작했다.

"저번 파티 때문에 저러는 걸까?"

"저번 파티라면 잘 끝나지 않았나? 황후 폐하나, 뭐 다른 사람들도 아무 말 없었잖아? 아무도 에셴이 아닌 걸 눈치채지 못했던걸."

"내가 알기로 귀족들도 약혼녀가 바뀐 걸 눈치채지 못한 것 같더군."

"당연하지. 누가 준비한 건데."

테르니가 과하게 자랑스러워하며 고개를 끄덕였다.

"그나저나 테르니. 에셴 찾는 건 어떻게 됐어?"

"아아, 그거. 찾고는 있는데 허탕이야. 속임수였더라고."

"와, 정말 치밀한 녀석…… 평생 도망쳐 다닐 생각인가?"

"언젠간 돌아오겠지~!"

아드리안은 둘이 속닥거리는 걸 다 듣고 있음에도 가만히 놔두었다.

결국 테르니와 디아노는 그대로 한 시간 동안 노닥거리며 아드리안이 족칠 상대(?)를 연구하다가 떠났다.

제일 측근인 둘이 다른 할 일을 하러 떠난 사이, 누가 봐도 빡쳐 보이는 아드리안을 건드리는 용자는 없었다.

결국 아드리안은 한참이나 지난 후에야 자리에서 일어났다.

"……이상하단 말이지."

아드리안의 시선이 아래로 향했다.

고뇌 어린 아드리안 황태자는 명화 속 고대 신처럼 성스럽고도 장엄했다.

한 번 눈을 감았다가 뜬 아드리안이 인상을 썼다.

남들이 보기엔 다들 누구 하나가 또 심하게 당하겠구나 지레짐작했지만 아드리안의 진짜 사정은 달랐다.

아드리안은 며칠째 지워지지 않는 잔상에 괴로워하고 있었다.

"진짜 뭐지?"

이상했다. 정말 이상했다.

처음 겪는 현상에 아드리안의 인내심이 점점 바닥나고 있었다. 그나마 얼마 있지도 않은 인내심이 말이다.

다른 것을 생각해 보려고 해도 뇌 내에서 뭔가가 방해라도 하는 듯 지워지지 않았다.

결국 제자리걸음.

그렇다고 떠오르는 대로 가만히 놔두면 사라지느냐?

그것도 아니었다.

가만히 있어도 떠오르고 일을 하려고 서류를 열심히 쳐다보고 있어도 떠오르고 칼을 쥐고 대련에 열중하려고 해도 떠오르고 심지어 잠을 자도 꿈에서 나올 지경이라 거의 미치기 일보 직전이었다.

"돌겠군."

머리를 감싸 쥐며 괴로워해 봤자 뇌리에 남은 잔상은 지워지지 않았다.

"이건 무슨 현상이지?"

도무지 어떻게 해도 망막부터 뇌리에 새겨진 그 순간이

잊히지 않았다.

내가 정말 미친 걸까?

아드리안은 깊게 숨을 들이마셨다.

이 모든 것은 그날로부터 시작되었다.

황후 탄신 파티일!

연달아 터진 사건 사고와 어떻게 될지 모르는 상황 때문에 긴장의 끈을 놓지 못하고 단단히 벼르고 있었던 때라서 신경이 예민한 것까지는 이해가 되었지만, 파티 자체는 나쁘지 않았다.

별로 심각한 일도 없었고, 가브리엘…… 을 비록 보았지만 괜찮았다.

역시 약혼녀는 그에게 있어서 최고의 방패막이었다.

포기할 수 없을 정도로.

그래 거기까진 무난했지. 별일도 없었고.

"그럼 역시 그때부터인가."

아드리안의 눈이 흐려졌다.

눈만 감으면 그 순간이 생생하게 기억으로 되살아난다. 아직도 그 자리에 서 있는 것만 같은 기분이 들었다.

서늘한 공기, 튀는 물방울.

그리고 아티엔느.

숨을 내쉬면 사라질 환상 같은 순간. 아니지, 실재했으니 환상은 아닌 것인가.

이젠 머릿속에만 존재하는 장면에 아드리안은 또 넋을 잃었다.

어떻게 해도 떨어지지 않고 지난 며칠 내내 자신의 뇌리를 지배한 장면.

"내가 왜 이러지?"

기분 나쁜 장난에 걸린 것 같았다.

무도회가 끝났지만 나의 생존 여부는 여전히 불확실했다. 최선을 다했지만, 결과는 황태자의 의사에 달렸다.

그래도 아직까지 목이 붙어 있다는 것에 의의를 둬야 하지 않을까.

"그럼 이제 뭘 해야 하지……?"

내 목표는 단 하나였다. 무사히 무도회를 치러서 아무 의심도 받지 않고 임무를 마치는 것! 그게 끝났으니 이제 보내 주려나?

"자, 어서 일어나셔야죠! 오호호호!"

마담 루시가 우렁차게 외치며 내 방에 들어왔다. 나는 그녀에게 물었다.

"약혼녀 연기는 언제쯤 끝날까요?"

"물론 에셴 경이 돌아와야 끝나겠죠? 오호호호."

임무가 끝났는데도 원래의 내 삶을 찾지 못한다는 사실이 너무나 슬펐다.

에셴 경 어디 갔어요.

얼굴도 모르는 에셴 경이 너무나 그리웠다. 이러다 평생 에센 경이 돌아오지 않으면 어떡하지?

"하지만 아가씨, 에센 경을 기다리시면 안 되죠! 이 기회에 황태자 전하를 유혹해서 진짜 약혼녀가 되시는 거예요! 어때요?"

"저더러 죽으라는 거예요?"

무시무시한 이야기를 아무렇지 않게 하는 마담 루시의 언행에 나도 모르게 정색하고 말았다.

"어머, 농담도 참! 전하처럼 다정하신 분이 또 어디 있다고 그러세요? 오호호호!"

"……"

정말 말도 안 되는 말을 들어 버리고 말았다. 더 경악스러운 건, 마담 루시가 저 말을 진심으로 했다는 것이었다.

목욕을 끝내고 가벼운 슈미즈 차림새로 방에 돌아왔다.

머리칼은 마르지 않아 축축했다. 바닥에 뚝, 뚝 떨어지는 물방울을 보다 고개를 들었다.

그리고 그 순간, 끄악. 눈을 의심했다.

"저, 전하……!"

황태자가 내 방에 있었다. 마치 제가 주인인 것처럼 위풍당당하게 앉아서!

아드리안의 시선이 내게 날아와 꽂혔다. 그의 미간이 살짝 좁아지는 걸 보고 나서야 내 차림새를 깨달았다.

얇은 슈미즈만 입고 있는 채였다. 화르륵 얼굴이 달아올랐다.

"자, 잠깐 실례할게요!"

황급히 드레스 룸으로 향했다.

아니, 그보다 실례한 사람은 내가 아니라 황태자인 것 같은데.

황태자가 왔다는 소식에 시녀들의 손길이 분주해졌다.

"자, 다 됐어요. 아가씨."

시녀들이 드레스를 갈아입혀 주었다. 축축했던 머리도 어느 정도 말라 반쯤 틀어 올린 상태였다. 조마조마한 심정으로 시간을 확인했다.

으악, 벌써 20분이나 지났다! 그런데 왜 찾아온 걸까?

두근거리는 가슴을 진정시키며 드레스 룸을 나오자 아드리안의 옆모습이 보였다.

본능적으로 남자의 표정부터 살폈다. 살기 위해 생긴 내 습관이었다.

좁혀진 미간, 무겁게 내려앉은 분위기, 분명 화난 게 틀림없었다.

"기다리게 해 드려 죄송해요……."

작게 사죄를 구하며 황태자의 앞에 섰다. 벌 받는 학생이라도 된 기분이었다.

아드리안의 시선이 나를 바라보고 있다는 걸 느꼈지만 차마 고개를 들 수 없었다. 그 무시무시한 눈빛을 감당할 자신이 없었다.

무도회 때의 친절은 모두 꿈이 아니었을까?

이어질 황태자의 대답을 기다리고 있었지만, 어떤 말도 들려오지 않았다.

용기를 내서 고개를 들었다. 하지만 남자는 나를 지그시 바라만 볼 뿐 입을 열지 않았다.

"저, 전하?"

말을 걸어도 아무 대답이 없었다. 오히려 인상을 찡그려서 살벌하기까지 했다.

나는 죄인이 된 심정으로 그의 앞에서 잠자코 서 있기만 했다. 흘러가는 시간이 느리기만 했다.

다리의 감각이 없어져 서 있기 버거울 즈음, 황태자가 자리에서 일어났다.

그러고는 인사도 없이 방을 빠져나가 버렸다.

"뭐, 뭐야……."

여기까지 와서 단 한마디도 안 하고 무시무시한 기세로 노려보기만 하고 가다니.

설마 나, 황태자한테 찍힌 건가?

마법? 아니지, 저주의 일종인가?

상태가 나아질 때가 간혹 있었다. 아티엔느를 보고 있으면 좀 나았다.

그땐 환영 같은 기억이 자신을 괴롭히지 않았다. 비록 다른 것 때문에 머릿속이 복잡해진다고 해도 말이다.

진짜 미친 게 아닐까?

아드리안은 혹시 자신이 어디 아픈 건가 싶어서 진지하

게 태의에게 의혹을 제기하기도 했다.

'내가 요즘 헛것을 보는데 괜찮은 건가?'

당연히 태의는 스트레스가 과중한 것일지도 모른다며 업무를 덜어 놓고 쉬라는 헛소리를 해 댔다.

쉬어서 나았으면 안 물어봤지! 쉬었는데도 그러는 걸 어쩌라고!

그래도 이렇게 아무것도 못 하고 멍하니 앉아 있을 수만은 없었다.

"어쩔 수 없다."

계속 보다 보면 무슨 답이라도 나오겠지.

쌓여 있는 서류가 한 무더기였지만 그쯤이야 가뿐히 무시하고 아드리안은 집무실을 나섰다.

오늘도 그가 가는 곳은 정해져 있었다.

이제 완벽하게 그의 약혼녀 자리를 꿰차게 된 웬 시녀가 있는 곳이었다.

시녀. 그래, 시녀였지.

파티에서 보았던 아티엔느는 정말로 약혼녀가 아닐까 일순 착각할 정도로 자연스러웠다.

파티 준비 때 잠깐 보았던 인간 도화지가 어디 간 건지 의아할 정도로 화색이 돌고 아름다운 외모였다.

물론 에센과 비교하면 한참 뒤지지만 에센이 생각나지 않을 미모였다.

그렇게 예뻤던가, 싶었지.

"어머, 전하~. 여긴 또 웬일이세요. 호호호호."

아티엔느의 방에 도착하기 전에 복도에서 아드리안을 알아본 마담 루시가 먼저 접근해 왔다.

"아, 마담 루시."

"어머나, 우리 아티엔느 아가씨 보러 오신 건가요? 드디어 마음을 붙이신 건가요?"

"무슨 헛소리야."

"어머, 쑥스러워하시는 것 좀 봐. 호호호호호호홋."

어머니인 황후 다음으로 이해할 수 없는 마담 루시의 핑크빛 머릿속이 강제로 주변을 물들이고 있었다.

아드리안이 말을 그만두니 마담 루시가 더 반짝이는 눈으로 아드리안을 붙잡았다.

"결혼은 언제쯤으로 생각하고 계세요? 역시 여름이 좋지 않을까요? 햇살이 가장 따사롭고 아름다운 때잖아요."

"더워서 죽을 일 있나?"

"어머어머, 모르시는 말씀. 그때가 아주 아름다워서 모두에게 아름다운 세기의 커플 탄생을 알릴 수 있다고요. 물론 덥겠지만…… 하객들의 더위는 알 바 아니죠!"

"……."

아드리안은 자신도 덥다고 대꾸하려다가 한숨을 내쉬었다.

결혼은 뭔 놈의 결혼.

언젠가 그도 결혼을 하게 되겠지만 전혀 상상되지 않았다.

정략결혼을 피하려고 어머니인 황후가 좋아하는 '사랑'이라는 명목으로 에센을 들이밀었지만 아드리안은 막상 황제가 되어서도 결혼할 생각이 없었다.

여자는 뭔 놈의 여자?

황제만 되면 조질 생각이었다.

하나하나 마음에 안 드는 걸 싹 다 고쳐 버려야지.

아주 어릴 때부터 생각했던 계획을 가슴에 고이 묻어 두고 아드리안은 오늘도 인내의 황태자 시절을 보냈다.

가끔은 빨리 황제가 되고 싶은 마음에 암살을 시도할까 진한 유혹을 느낀 적도 있었다.

물론 계획 단계에서 그만두었지만.

아버지를 사랑해서든가, 불효라든가, 인류애를 저버리는 행동이라서 같은 고리타분한 이유는 물론 아니었다.

그냥 감수해야 할 위험이 너무 컸다. 가만히만 있어도 물려받을 수 있는 황위인데.

뭐, 다른 문제도 있었다. 현실적으로 황제의 방어 체계도 너무 견고하기도 했고.

하. 차라리 아버지가 폭군이었다면 좋았을 뻔했다. 그럼 이따위 연극을 벌일 필요도 없을 텐데.

한편 마담 루시는 결혼식 계획을 벌써부터 하나둘씩 세우고 있었다.

"역시 야외가 좋을까요? 블레스터 별궁은 어떠세요? 그쪽 정원이 바다랑 이어져서 정말 풍경이 아름답잖아요? 거기서 딱 식을 올리면 정말 아름다운 그림이 완성될 것만 같아요. 하객은 대충 천 명 정도로……. 어머, 저 너무 설레 버려요. 오호호호호호호홋."

옆에서 손을 붙잡고 꿈꾸는 표정으로 정신이 날아가 있는 마담 루시를 아드리안은 조금 두려운 눈으로 바라보았다.

이러다가 날짜까지 최종 확정되겠다.

마담 루시의 추진력이 얼마나 좋은지 알고 있는 아드리안은 이쯤 제동을 걸어야겠다고 생각했다.

이 여성은 에센을 약혼녀로 만들 거라는 말 한마디에 그 자리에서 어울릴 법한 드레스와 이미지 컬러와 콘셉트 성격을 한 시간 만에 만들어 온 전문가였다.

천하의 에센을 성격으로 눌러 버리고 여장을 시켜 낸 일등 공신이 바로 마담 루시가 아니었던가?

아드리안은 다시 한번 황후와 마담 루시를 따로 떼어 놓은 걸 잘했다고 생각하며 자신의 결정에 감탄했다.

탁월한 선택이었어.

"마담 루시."

"네네, 왜 그러시죠. 우리 귀여운 태자님?"

"그 호칭은 좀 집어치울 수 없어?"

마담 루시가 웃는 얼굴로 태세를 바로잡으며 아드리안을 따스한 눈빛으로 바라보았다.

"제 사랑이 담겨 있는 호칭이랍니다."

그러니까 안 바꾸겠다는 소리지?

아드리안은 아무 말 없이 마담 루시를 바라보았다. 마담 루시도 웃는 얼굴로 아드리안을 바라보았다.

어린 시절부터 손수 키운 내공 탓인지 마담 루시에겐 조금의 흔들림도 없었다.

결국 아드리안이 포기했다.

"나 궁금한 거 있는데."

"어머, 제게요? 뭔데요? 말씀해 보세요. 호호호호."

"걔 말이야, 얼굴을 갈아엎은 건가?"

아드리안의 질문에 마담 루시가 잠깐 멍한 표정을 지었다.

"그게 무슨 말씀이세요?"

"아니라면 어떻게 그럴 수 있었지?"

아드리안이 구사하는 것이 무척이나 뜬금없고 지극히 자기 주관적인 화법이었는데도 불구하고 유모의 내공인지 마담 루시는 단박에 아드리안이 말하고자 하는 바를 잡아냈다.

아드리안은 평소 아티엔느의 미모와 파티 날의 미모 차이에 대해 말하고 있는 것이었다.

마담 루시의 표정이 묘하게 변했다. 아드리안도 마담 루시의 시선을 느끼고 인상을 썼다.

"오호호호호홋. 어머, 우리 전하께서 아티엔느 아가씨의 미모에 반하셨구나."

"그런 거 아닌데."

"어라, 또 쑥스러워하시는 건가요? 오호호호호호홋."

아드리안이 대놓고 노려보아도 마담 루시는 웃음을 그칠 기색이 보이지 않았다.

마담 루시가 한참을 웃다가 아드리안을 붙잡고 묘한 미소를 지었다.

불길함을 느낀 아드리안이 무시하고 가려고 하자 마담 루시가 서둘러 아드리안을 붙잡았다.

"아티엔느 아가씨 미모의 비밀, 알고 싶지 않으신가요?"

아드리안은 결국 멈춰 서서 뒤를 돌아보았다. 그녀는 은밀하게 입을 열었다.

"호호. 제가 한 건 별로 없답니다. 그게 원래 미모시랍니다. 단지, 거기에 약간의 마법을 더했을 뿐!"

아드리안의 표정이 바로 구겨졌다.

"마법?"

아드리안이 어떤 반응을 보이건 상관없다는 듯 마담 루시가 아련한 표정으로 그날을 회상했다.

"아주 약간의 마법이지요! 그날 아티엔느 아가씨께선 정말 아름다우셨죠. 하. 정말 최고였어. 제 인생의 역작이라고 불러도 좋답니다. 호오오호호홋."

감격한 표정으로 웃는 마담 루시를 보며 아드리안은 이미 인정했으면서도 한편으로는 인정하고 싶지 않은 마음이 꿈틀거렸다.

"예쁜 건 에센이 더 예뻤지."

"어머~ 그걸 말이라고 하세요? 당연히 미모는 비교할 수 없죠! 에센 공자께선 우리 아펜니노 제일의 미모이셨는걸요?!"

"어……. 뭐, 그랬었지."

분명히 맞는 말인데 왜 긍정당하는데도 기분이 더럽지?

아드리안은 자신의 기분 변화를 눈치채고 인상을 찡그렸다. 자기 자신의 변화였는데도 원인을 알 수 없었다.

"벌써 그립긴 하네요. 에센 공자를 꾸미는 것도 너무나 좋았죠. 아티엔느로서 미모 정점은 역사에 길이 남을 만했어요. 얼굴을 공개하는 걸 싫어하셔서 정말 그게 문제였지요. 가만히 있어도 빛이 나는 미모셨잖아요?"

"그래. 알지."

자기가 먼저 예쁘다고 말을 꺼낸 주제에 아드리안은 한없이 나빠지는 자신의 기분에 이를 꽉 악물었다.

아드리안의 표정 변화를 모르는 척하며 마담 루시가 환하게 웃었다.

"오호호호. 하지만 아티엔느 아가씨는 달라요. 그래서 더 만족스럽다고요."

마담 루시는 또 폭풍 같은 수다를 쏟아 냈다.

"하지만 그렇게 물러서 황궁 생활을 제대로 할 수나 있을지 가끔은 걱정되네요. 그래도 황태자비로 모시게 된다면 저는 정말 대찬성이랍니다."

"아니라니까."

"부끄러워하시긴. 후훗. 이렇게 수줍은 황태자님을 보는 것이 얼마 만인지~."

아드리안은 그냥 포기했다.

떠들고 싶은 대로 떠들라는 듯 내버려 두니 마담 루시가 쿡쿡 웃음을 터뜨렸다.

"지금 아티엔느 양은 언뜻 보기에는 평범해 보이시지만, 마치 역작이 탄생하길 기다리는 하얀 캔버스처럼 대단한 가능성이 보이는 분이세요. 어떤 색을 입혀도 잘 어울리시고 더 빛을 발하시죠. 두 분, 정말 잘 어울리세요. 오호호홋."

아까는 정말 기분이 더러웠는데 아드리안은 갑자기 기분

이 좋아졌다.

동시에 약간 짜증이 나기도 했다.

마담 루시가 그 멍청이를 칭찬하는 게 기분이 좋으면서도 마음에 들지 않았다.

또 뭐 때문에 이렇게 기분이 도로 나빠지는 거지. 자신의 변화를 감지하면서도 아드리안은 이유를 몰라서 짜증 났다.

게다가 이렇게 이야기를 하고 있는 와중에도 여전히 달빛의 잔상이 사라지지 않아서 괴로웠다.

"그렇다니 다행이군. 앞으로도 부탁하지."

"오호호호홋, 맡겨만 달라구요, 우리 황태자님!"

"그럼 이만 들어가 보지. 걔는 안에 있나?"

"네네. 황태자 전하와 어울리는 교양 있고 기품 있는 황태자비가 되기 위해서 열심히 공부 중이시랍니다!"

마담 루시가 길을 비켜 주었다. 공부라는 소리에 아드리안은 대번에 비웃었지만 기분은 좋아졌다.

그럼 그래야지.

"아까 테르니 님도 왔다 가셨는데 정말 다들 아티 양을 아낀다니까요."

테르니라는 소리에 아드리안의 몸이 멈칫했다.

"그 자식은 맨날 드나드는 것 같군."

"외동이시라 그런지 동생이 생긴 것이 좋으신 모양이에요. 에셴 공자가 아티엔느였을 적에도 곧잘 동생이라면서 세심하게 챙기시곤 했는데 이번 아티 양에겐 정말 정을 붙이신 건지 지극정성이시랍니다."

그런 정성이 또 없을 거라며 마담 루시가 손을 모으며 칭찬했다.

아드리안은 또 기분이 나빠졌다.

뚝뚝 떨어지는 기분에 인상을 쓴 아드리안은 마담 루시를 뒤로하고 아티엔느가 있는 방으로 향했다.

문을 열고 들어가니 아티가 정말로 두꺼운 책을 읽고 있었다. 인기척에 고개를 든 아티가 아드리안을 보더니 그대로 굳었다.

딱딱하게 굳은 표정에 아드리안의 기분이 또 요동쳤다.

"아, 안녕하세요. 황태자 전하."

주섬주섬 멈칫거리면서 일어난 아티가 조심스럽게 인사했다.

아드리안은 마땅히 답인사를 해야 한다는 걸 알았지만 아티의 얼굴을 보자마자 기분이 복잡해져서 무시했다.

저 멍청한 얼굴을 들여다보고 있으니 기분이 한결 나아진다.

대체 뭐지? 뭐 때문에 이러는 거지?!

"하하. 하하하……."

듣기만 해도 어색한 웃음을 흘리며 아티가 고개를 숙였다.

주눅이 든 얼굴로 눈치를 살피는 모습이 처음 봤을 때와 별다르지 않았는데 오늘따라 유난히 귀엽게만 느껴졌다.

하. 귀엽다니. 자괴감이 몰려왔다. 저런 걸 내가 귀엽다고 느끼다니!

고통스러웠다. 그런데도 뭐에 씌인 건지 계속 귀여워 보여 미칠 거 같았다.

심지어 달빛의 잔상도 떠오르지 않는다고!

"웃지 마."

"넵."

반발하는 기색도 없이 아티가 바로 웃는 걸 멈췄다.

또다시 멍청한 표정. 대낮인데 자다 일어난 지 얼마 안 된 모양이었다.

낮잠이라도 잔 것인가? 아주 한가롭고 좋아 보이는군.

입고 있는 건 엷은 푸른색의 드레스였다. 황궁의 다른 레이디들에 비하면 수수하기 그지없었지만 아티에겐 매우 잘 어울렸다.

화려함의 극치였던 파티 드레스도 잘 어울렸지만 아드리안의 취향은 이쪽이 더 좋았다.

그리고 청순하군.

청순하다는 평가를 내리자마자 도로 기분이 나빠졌다.

저거 어디가 청순한 건데!

내 미적 센스가 대체 어디까지 추락하고 있단 말인가. 1초에 한 번씩 자괴감에 허우적거리게 되었다.

이상하단 말이야. 왜 쳐다보고 있으면 그게 생각나지 않는 거지? 다른 걸 하고 있을 땐 그렇게 떠올라서 미치게 만드는데.

대체 뭐가 문제지?

잔뜩 굳은 얼굴로 억지웃음을 짓고 있는데도 예뻐 보였다.

젠장, 저게 예뻐 보인다니 내 시력 다한 거 아닌가? 눈파야 하나?

"괘, 괜찮으세요?"

아드리안이 손을 들어 관자놀이를 꾹꾹 누르자 아티가 걱정하며 물었다.

진짜 내가 미쳐 돌았나, 저 조심스러운 목소리조차 천사의 복음처럼 들려온다.

천사의 복음 좋아하시네, 뒤져서 진짜 천사의 복음을 들어야 정신을 차리려나.

"야."

"네?"

"잠깐 나가 봐."

아티가 영문을 모르겠다는 표정으로 고개를 갸웃했다.

하. 귀엽다.

그렇게 느끼자마자 또 저런 멍청하고 굼뜬 행동의 뭐가 귀엽다는 거냐며 스트레스가 몰려왔지만 아티가 어영부영 나가서 자신의 눈앞에서 사라지는 바람에 자괴감을 느낄 틈도 없었다.

실물이 사라지자마자 다시 뭉게뭉게 피어오르는 달빛의 잔상에 아드리안은 다시금 괴로워졌다.

확실해.

저주에 걸린 게 틀림없다.

"아냐, 들어 와."

괴로워하며 불러 봤지만 문이 다시 열리는 기색이 없었다. 또 부르러 나가야 하는 건가?

한숨을 내쉬며 나가 보니 아티가 바로 문 앞에 멍청하게 서 있었다. 얇은 소재의 드레스를 입어 추운 건지 아티가 몸을 오들오들 떨고 있었다.

와, 정말 별 게 귀엽고 난리네.

"들어와."

"네? 네."

들어오려는 아티를 위해 비켜서며 아드리안이 손을 내밀자 아티가 조심스럽게 아드리안의 손 위에 자신의 손을 올려놓았다.

아드리안은 아티와 맞닿은 손 부위에서부터 찌릿한 감각이 밀려 들어와 인상을 썼다.

대체 뭔데, 이거!

"앗!"

아드리안이 반사적으로 쳐 낸 손에 아티가 아픈 표정을 지었다. 밀려오는 죄책감에 아드리안이 인상을 썼다.

내가 왜 죄책감을 느끼고 있는 거지?

"괘, 괜찮으세요?"

또 머리를 짚으며 괴로워하자 아티가 물어본다. 아드리안은 대꾸하지 않고 아티엔느를 빤히 쳐다보았다.

이 시녀 원래 이름이 뭐더라? 분명 알았는데?

이젠 자신도 이 녀석이 진짜 아티라고 느끼고 있어서 더 괴로웠다.

빤히 바라보는 시선이 부담스러운 건지 아티가 가만히 서서 자기 손을 만지작거렸다.

어떻게 하질 못하고 안절부절못하는 걸 지켜보는 게 재미있었다.

……갑자기 뭔가 절망스러운데.

분명 이전엔 한심했었는데? 한심하기 그지없었는데? 달라진 자신이 너무 낯설었다.

빌어먹을.

"야."

"네, 네?!"

"저기 걸터앉아 봐."

방 안에 분수대는 없었다. 대신 창문가를 가리키며 아드리안이 아티에게 명령했다.

아티는 영문을 모르는 표정으로 창가에 가서 기댔다.

"조금 옆으로. 그래. 그렇게 걸터앉아."

"이, 이렇게요?"

왜 또 지랄일까? 아티가 겁먹은 표정으로 아드리안을 바라보았다.

신중하게 아티의 움직임을 관찰하던 아드리안은 겁먹은 듯 살짝 어깨를 움츠리는 아티의 모습조차 작은 아기 새 같고…….

망할, 작은 아기 새가 다 죽었나!

비슷한 걸 재현해서 보면 이 증세도 나아지려나 헛된 희망을 부여잡았으나 결과는 처참했다.

걸터앉은 아티의 자태를 봤는데도 달빛의 잔상은 지워지지 않았다.

오히려 거기에 겹쳐져서 막 잠에서 깨서 앉아 자신이 돌아오는 것을 반기는 약혼녀가 강림한 것 같아서 더 미칠 것 같았다.

"으아아아아악!"

대체 뭐냐고, 진짜!

혼란스러움에 머리를 부여잡은 아드리안이 그대로 방을 나왔다.

아티를 보는 것도 괴로웠지만 아드리안은 방을 나오자마자 다른 괴로움에 시달려야만 했다.

또 그 장면이 떠올랐던 것이었다.

"으아아아아악!"

머리를 감싸 쥐며 아드리안이 빠르게 달려 나갔다.

이 잔상에서 그만 좀 벗어나고 싶은데 이래도 난리, 저래도 난리. 진짜 돌아 버릴 것만 같았다.

아드리안이 괴성을 지르며 달려가자 영문을 모르는 시종들이 뒤에서 수군거렸다.

"왜 저러시는 걸까?"

"모르겠어. 조심하자."

"그래."

✦ ♛ ✦

아드리안 황태자의 기행은 그날로 끝난 게 아니었다. 그는 시도 때도 없이 내 방에 들어왔다.

아니, 들어온 게 아니라 침범했다는 게 맞았다.

황태자가 올 때마다 나는 그 앞에 얌전히 서서 시선을 받아 내야만 했다. 엄청난 자기반성이 들었다.

대체 내가 뭘 잘못한 걸까……. 매일 세워 놓는 벌을 줄 정도로 죽을죄일까?

혹시 나도 모르는 사이에 황태자의 심기를 건드리는 짓을 해 버린 건가.

왜 그랬니, 과거의 나야.

그 광경을 내 방에 우연히 놀러 온 테르니와 디아노도 포착했다.

그들 또한 아드리안의 기행을 이해하지 못했다.

황태자가 또 한참을 노려보고 간 이후 내 방에 남아 있던 테르니가 심각하게 나를 보았다.

"너, 곧 죽을 건가 봐."

단호한 그 말에 내 공포심은 더욱 극에 달했다.

정말로 나한테 불만이 있는 걸까? 그럼 말로 하면 되지 왜 노려보고만 가냐고!

그 이후로도 며칠 동안 황태자가 침범했다. 줄곧 침묵하던 디아노까지 입을 열었다.

그는 짐짓 진지한 얼굴로 내게 조언해 주었다.

"아무래도 탈출 루트를……."

탈출 루트를 계획하라는 의견까지 나왔다.

황태자의 심복인 테르니와 디아노가 보기에도 저 행동이 정상이 아닌 모양이었다.

내 공포심은 날로 깊어져서 악몽을 꾸는 지경까지 이르렀다.

황태자는 언제까지 나를 노려보려는 걸까. 대체 내가 잘못한 게 대체 뭐지?

대놓고 물어보고 싶었지만 그럴 용기는 내게 없었다. 조용히 입을 다물고 황태자의 앞에서 벌을 설 뿐이었다.

마침내 황태자가 떠났다. 하도 오랫동안 서 있었더니 다리가 저렸다.

의자에 쓰러지듯 앉으며 내 앞에서 뭔가를 와작와작 씹는 테르니에게 진지하게 물었다.

"정말 저 죽어요?"

"아무래도 그럴 것 같은데?"

자기 일 아니라고 테르니는 해맑게 웃으며 답했다.

"허……."

허탈한 한숨을 내뱉으며 실의에 빠졌다. 이렇게 허무하게 죽으려고 그 고생을 한 게 아닌데.

"나도 그놈이 그러는 건 처음 봤거든. 좀 이상하잖아, 빤히 쳐다보고 가는 건. 분노로 제정신이 아닌 게 틀림없어. 대체 얼마나 큰 죄면 며칠 동안 그러는 걸까?"

"으악, 그만……!"

듣는 것조차 괴로웠다.

황태자의 심복인 테르니라면 내가 살 방법을 생각해 낼 수 있지 않을까? 막연한 희망을 가지고 그를 바라보았다.

테르니는 아주 한가롭게 접시 위에 있던 과자들을 조지

고 있었다.

"살아남으려면 어떻게 해야 해요?"

"역시 딜출일까…….

정말 방법이 그것밖에 없냐고!

테르니마저 디아노의 진지한 조언을 수용했다.

"하핫. 아무튼, 수고해!"

마지막 남은 과자 하나까지 깨끗하게 싹쓸이한 테르니가 발랄하게 웃으며 사라졌다.

텅 빈 접시를 바라보며 생각했다.

저 오라버니 자식, 분명 여기 과자 먹으러 온 게 틀림없어.

✦ ♛ ✦

방 안에만 있으려니 어쩐지 답답했다.

팔자에도 없는 약혼녀 노릇을 한 것도 꽤 오랜 시간이 지났지만, 죽을지도 모른다는 공포에 허투루 밖을 나선 적이 없었다.

내가 지겨워하는 걸 눈치챈 마담 루시가 한 가지 제안을 했다.

"매번 후원 쪽만 다니셨으니, 이번에는 앞쪽 정원에 다녀오시는 건 어떨까요? 아주 잠깐이라면 괜찮을 거예요."

"정말 나가도 돼요?"

"그럼요. 대신 산책하고 바로 돌아오셔야 해요. 오호호호."

그래, 나도 발이 있는데 잠깐 나가는 것 정도야 괜찮겠지! 용기를 얻고 궁을 나섰다.

늘 그렇듯 얼굴에는 면사까지 장착한 상태였다.

오랜만의 외출(?)이라 가슴이 두근거렸다. 기세 좋게 건물을 나선 나는 앞으로 전진했다.

그리고 곧바로 문제에 봉착하고 말았다.

"······정원이 어디에 있어."

그런 거 없는데요.

아무리 걸어도 정원 비슷한 건 눈에 보이지 않았다. 정원이라기엔 그냥 길이었다.

건물과 건물 사이로 난 길. 나는 정처 없이 걸으며 주위를 두리번거렸다.

낯익은 풍경은 사라지고 모르는 장소에 와 있었다.

"바로 앞이라며!"

마담 루시한테 속았다.

바로 앞이라고 했는데 한참을 걸어도 정원 같은 건 없었다.

어쩌지. 길을 잃었으니 가만히 있어야 하는 걸까? 멀거니 서서 고민하고 있는데, 어디선가 사람의 목소리가 들려왔다.

"잘됐다."

가서 돌아가는 길을 물어보는 게 좋겠어.

목표를 정한 뒤 거침없이 앞으로 나아갔다. 점점 목소리의 근원과 가까워질수록 대화 내용이 언뜻언뜻 들렸다.

여자 한 명의 목소린가? 아, 아니다. 유심히 귀를 기울여 보니 남자 목소리도 간간이 들렸다.

"······엘 님. ······요!"

다른 사람의 대화를 엿듣고 싶은 마음은 없어서 딱히 내용에 관심을 주지는 않았다.

내 목적은 어디까지나 길을 물어보는 것이었으니까.

그런데 점점 가까워질수록 분위기가 뭔가 이상했다. 나는 본능적으로 발소리를 죽이고 살금살금 걸었다.

그리고 건물의 옆에 딱 붙어 서서 고개만 쏙 빼고 상황을 살폈다.

"데뷔탕트 볼에서, 처음 미카엘 님을 뵈었을 때 저는 깨달았어요. 지금껏 제가 기다려 왔던 사람이 나타났다고, 그 사람이 바로 미카엘 님이라고!"

"······."

"좋아해요, 미카엘 님!"

아, 아니. 이게 대체 무슨 상황이람?

정말 의도치 않게! 고백을 목격하고 말았다!

아무래도 길을 물어보기엔 애매한 상황이니 여기서 벗어나는 게 맞는데, 상황이 상황인지라 함부로 움직일 수가 없었다.

일단 저 고백이 끝날 때까지 가만히 있다가 상황이 정리되면 몰래 빠져나가든가 해야지.

사실 아주 조금 흥미를 느끼기도 했고······. 하핫.

나는 눈 아래까지만 고개를 빼고 남녀를 관찰했다.

갈색 머리칼을 예쁘게 다듬은 여자는 나를 등지고 있어 얼굴이 보이지 않았다. 대신 남자의 얼굴은 똑똑히 보였다.

마치 벌꿀처럼 진한 금발을 가진 남자는 한순간 혹할 정도로 잘생겼다.

어째서 상대 여성이 보자마자 반했는지 알 수 있을 정도로.

하지만 타인에게 관심 없어 보이는 표정이 언뜻 차갑게 느껴지기도 했다.

상황은 재빠르게 흘러갔다. 감정을 내비치지 않는 남자의 무감한 눈동자가 감겼다 뜨였다.

그러자 초조해진 모양인지 여자가 간절한 음성으로 재촉했다.

"어째서 답이 없으신가요, 미카엘 님. 저는 정말로…… 당신이 좋아요. 그러니 제발 제 마음을 받아 주세요."

과연 어떻게 될까? 나는 내 상황도 잊고 저들의 고백에 빠져들었다.

잠깐 정적이 찾아들었다가, 이내 남자가 입을 열었다.

"죄송합니다."

나는 두 눈을 휘둥그레 떴다.

그가 입에 담은 말이 거절이라서가 아니라, 남자의 짙푸른 눈동자가 나를 똑바로 쳐다보고 있었기 때문에.

순간 착각이겠거니 했지만, 정말로 남자의 시선은 내게 향해 있었다.

어, 어쩌지? 들킨 건가?

"흑, 너무해요!"

설상가상으로 여자는 두 손에 얼굴을 파묻은 채 울며 장소를 떠나갔다.

잠깐 그녀를 보던 남자의 시선은…… 도로 내게 향했다.

나는 흠칫 몸을 굳히며 한 발짝 뒤로 물러났다. 그러자 미카엘이라는 남자가 한 발짝 다가왔다.

왜, 왜 오는 건데?

아주 짧은 갈등 끝에 나는 결론을 내렸다.

"저, 저는 아니에요!"

튀기로!

긴 출장을 끝낸 미카엘은 오늘에서야 수도 펜그람에 귀환했다.

누적된 피로 탓에 그의 육체는 휴식을 요구했으나, 미카엘은 짐을 저택에 풀어 두자마자 황성으로 향했다.

성격상 보고를 미루면 찜찜해서 제대로 쉬지 못할 게 분명했다.

타고 온 말을 맡긴 미카엘은 보고를 위해 곧장 포인세티아 궁으로 향했다. 이번 사절단의 총책임자가 아드리안 황태자였기 때문이다.

건물과 건물 사이로 난 길을 따라 걷던 미카엘은 갑자기 나타나 자신의 앞을 가로막은 사람 탓에 걸음을 멈췄다.

"저, 오랜만에 뵈어요, 미카엘 님."

자신에게 말을 거는 여인의 얼굴을 본 후, 그는 잠깐 생각했지만 결국 누구인지 떠올리지 못했다.

조금의 시간이 지나고 나서야 그녀가 종종 무도회에서 얼굴을 보았던 영애라는 것을 깨달았다.

하지만 대화를 나눈 적은 한 번도 없었다. 미카엘은 그 점을 지적하는 대신 대외적인 미소를 지었다.

"예. 오랜만입니다, 레이디."

그러자 여인의 안색이 환해졌다. 미카엘은 그 표정을 보고 그녀가 자신을 붙잡은 이유를 대강 예측할 수 있었다.

이런, 시간이 없는데.

"미카엘 님께 드릴 말씀이 있답니다. 저어, 아주 잠깐만 시간을 내주실 수 있을까요?"

미카엘이 곤혹스러운 표정을 짓자 여인이 애절한 눈으로 그를 올려다보았다.

"정말 잠깐이면 돼요. 네?"

"알겠습니다."

그들은 자리를 옮겼다. 사람이 잘 다니지 않는 건물 뒤편이었다.

잔뜩 긴장한 여인이 우물쭈물하며 입을 열었다.

"미카엘 님. 저는 미카엘 님께서 펜그람으로 돌아오시는 날만을 기다렸어요!"

그 말을 했을 뿐인데, 그녀의 뺨이 발갛게 물들었다. 그녀는 두 눈을 질끈 감고, 처음 보았을 때부터 자신을 좋아했노라 고백했다.

예상과 한 치도 다르지 않은 상황에 미카엘은 약간 난처해졌다.

이런 상황을 직면할 때마다 늘 고민하게 되는 것이다. 애초에 고백을 듣지 않으려 피하는 것도 한두 번이지, 아예 대화를 거부하는 것은 실례다.

어차피 거절이라면, 어떻게 에둘러 말해도 결국은 상처받게 될 것이다.

"어째서 답이 없으신가요, 미카엘 님. 저는 정말로…… 당신이 좋아요. 그러니 제발 제 마음을 받아 주세요."

여인이 재촉할 때, 미카엘은 딴생각을 하고 있었다.

자신의 맞은편, 건물의 뒤에서 타인의 인기척이 느껴졌기 때문에.

간자인가? 아니, 그랬다면 이렇게 쉽게 위치를 드러내지 않았을 터. 일단은 눈앞의 여인을 돌려보내는 게 우선이었다.

"죄송합니다."

짤막한 거절과 함께 미카엘은 눈길을 돌렸다.

곧바로 시선이 부딪혔다.

마치 맑은 날의 하늘처럼 푸르른 빛깔.

언뜻 자신의 눈동자 색과 비슷하다고 생각했지만, 달랐다. 더 옅고, 맑았다.

그에게 거절당한 여인이 눈물을 흩뿌리며 사라졌지만, 그는 아랑곳하지 않고 다시 건물 뒤의 불청객에게 시선을 돌렸다.

얇은 면사로 얼굴을 가리고 있으나 당황한 기색이 여실했다.

저렇게 얼굴에 감정이 다 드러나는 사람은 처음이라 신

선했다.

미카엘은 그녀를 향해 한 걸음 떼었다. 딱히 어떤 의도가 있는 건 아니었다. 저도 모르게 발이 움직였을 뿐.

그러자 크게 당황하던 여자가 슬금슬금 물러나기 시작했다.

겁을 줄 의도는 없었는데. 미카엘 또한 당혹에 빠진 사이 여자가 소리쳤다.

"저, 저는 아니에요!"

뭐?

그게 대체 무슨 말이지? 뜻을 물어보려고 했지만 미카엘은 그럴 수 없었다.

아차, 하는 사이 이미 여자는 사라지고 없었기 때문에.

"뭔가 오해를 한 것 같은데……."

이유 모를 웃음이 나왔다.

대체 무슨 생각을 하고 달아난 건지 물어보고 싶었지만, 그는 따라가지 않기로 했다.

혹시라도 겁을 먹을 수도 있으니까.

하지만 그를 똑바로 응시하던 맑은 눈동자가 계속 떠올랐다. 바람에 휘날려 눈 앞을 가렸던 은색의 머리칼도.

예쁜 사람이었다. 얼굴을 제대로 보지도 않았지만 그런 감상이 들었다.

다시 만날 수 있을까.

만약 다시 만나는 순간이 오면 그때 이름을 물어봐야겠다고 생각하며 미카엘은 발걸음을 돌렸다.

황태자를 알현한 미카엘은 이번 사절단의 결과 보고를 끝마쳤다.

그가 올린 서류를 살펴보는 아드리안의 표정은 늘 그렇 듯 딱딱했다.

매사에 관심이 없다는 듯 무심한 얼굴.

"거리가 멀어서 오가는 데 고생이 많았겠군. 수고했다, 미카엘."

황태자의 의례적인 치하에 미카엘은 고개를 숙였다.

"감사합니다, 전하."

"그나저나 오늘 귀환했다면 하루쯤 여독을 푼 후에 보고 를 했어도 됐을 텐데."

평소라면 절대 하지 않았을 말을 하는 아드리안의 행태 에 미카엘은 조금 놀랐다.

원래 아드리안이라면 용건이 끝나기 무섭게 '그럼 나가 봐.'라고 하며 바로 집무실에서 내보냈을 텐데, 갑자기 왜 이러는 걸까.

미카엘은 금세 이성을 되찾고 황태자를 보았다.

"보고를 끝낸 후에 쉬는 편이 마음이 편합니다."

"그렇군. 그럼 나가 봐."

미카엘은 예를 표한 후 문가로 향하면서 의아함을 느꼈다.

그가 사절단을 이끌며 타국에 가 있던 시간은 불과 5개월 남짓.

그 짧은 시간 동안 황태자는 이전과 달라졌다. 처음에는 그 차이를 느끼지 못했지만 유심히 관찰하니 사소한 변화를 눈치챌 수 있었다.

이를테면 이야기 도중에 아주 잠깐, 다른 생각을 한다든가. 상대방의 표정을 살핀다든가.

전에 없던 변화였다.

미카엘은 문득 고개를 돌려 황태자를 보았다. 아드리안은 서류를 내려다보면서도 인상을 사정없이 찌푸리고 있었다.

뭔가 잘 풀리지 않는 게 있다는 듯.

미카엘은 도로 정면을 바라보며 집무실을 빠져나갔다.

가브리엘이 알면 한바탕 난리 나겠군.

황태자의 변화에 대한 미카엘의 짧은 감상이었다.

"그거 반한 거 아닐까?"

마리에가 가볍게 대꾸했다. 아드리안의 표정이 무참히 구겨졌다.

반했다고? 말이 되는 소리를 해야 '아, 그런 거군.' 하며 납득을 하지.

대번에 미친놈 보듯 쳐다보는 아드리안의 시선에 마리에가 어깨를 으쓱이며 찻잔을 우아하게 내려놓았다.

황후께 안부 인사를 왔다가 우연히 만난 마리에와 일정

에도 없는 티타임을 가지던 중이었다.

재한테 상담한 내가 등신이지. 아드리안이 고개를 절레절레 젓고 있을 때였다.

마리에가 심각하게 물어 왔다.

"또 어떤 말이야?"

"뭐?"

예상치 못한 질문에 아드리안이 반사적으로 대꾸했다. 마리에가 왜 그렇게 놀라냐는 듯 쳐다보며 말을 덧붙였다.

"오빠, 갖고 싶은 말 생기면 그렇게 시름시름 앓잖아. 이번엔 어떤 말이야? 혹시 그거야? 키우려고 했는데 죽어 버린 포프테르 말?"

무척이나 충격적인 말이었다.

말 아닌데.

내가 말을 갖고 싶었을 때 그랬다고? 그런가. 기억을 되짚어 봤으나 딱히 남아 있는 게 없었다.

그럼에도 뿌옇던 머리가 맑게 갰다. 제정신이 돌아온 기분이었다.

내가 정말 그랬단 말인가?

"아니면 뭐야? 말밖에 더 있어, 오빠 그러는 거?"

"잠깐만 입 다물어 봐."

"아, 진짜. 왜 또!"

생각할 시간이 필요했다. 마리에의 목소리가 생각을 방해하고 있었다.

"됐고, 내 시녀나 돌려 달라니까? 와, 이거 봐. 시녀 애기만 나오면 무시하는 거! 내 시녀!"

마리에가 신경질을 내든 말든 아드리안은 머리를 붙잡고 곰곰이 생각했다.

반했다고? 반한 거라고?!

"말도 안 돼."

내가 그 멍청이한테?!

지금도 여전히 머리 한편으로 그날의 기억이 생생하게 환상처럼 떠오르고 있었다.

일도 손에 잡히지 않아 문안 인사나 드릴 겸 그레이스 궁으로 온 것인데. 아드리안이 무참히 얼굴을 구겼다.

"어머~. 우리 아들, 딸. 웬일로 얌전하게 나를 기다리고 있었구나."

이번 탄신일 때 황제 카를로만이 특별히 하사한 별궁 공사 일정으로 관계자들과 회의를 마친 황후가 상큼한 미소로 둘을 바라보았다.

둘은 일어나서 황후를 맞이했다.

"먼저 오라고 해도 오지 않던 우리 아드님께서 무슨 일로 나에게 온 것일까?"

"그런 거 아닙니다. 인사차 방문했습니다."

"그러세요~? 흐응. 저번 파티 일로 항의하러 온 거 아니고?"

자리에 앉으며 황후가 아드리안을 곱게 흘겨보았다.

루드밀라가 보기에도 그날 아드리안은 유난히 제 약혼녀를 챙기느라 정신이 없었다.

자기만 알고 주변에는 통 관심이 없는 안하무인으로 자

랄까 봐 전전긍긍했는데 걱정을 놓아도 될 듯했다.

마리에가 두 눈을 동그랗게 떴다.

"오빠가 그랬어?"

"그랬단다. 내가 자기 약혼녀 괴롭힌다고 얼마나 노려보던지. 하아, 자식 낳아 봤자 쓸모가 없다는 선조들의 말은 하나 틀릴 것이 없단다, 마리에."

"와, 오빠 정말 나빴다. 하긴. 평소에도 그리 썩 효자는 아니지."

'그럼 그렇지.'라며 마리에가 아드리안을 한심하게 쳐다보았다. 그러자 아드리안이 마리에를 노려보았다.

"다물어."

"싫은데."

마리에가 혀를 내밀고 그대로 루드밀라에게 붙었다.

황후가 웃으며 둘을 번갈아 보다 온화하게 웃었다.

"여전히 사이가 좋구나."

"……."

둘은 뭐라 항의하고 싶었지만 그대로 하고 싶은 말을 삼켜 냈다.

시녀가 새로 차를 내왔다. 황후가 맑은 홍차를 한 모금 마시고 나서 마리에를 돌아보았다.

"우리 딸은 오늘 왜 왔을까?"

"아, 엄마. 나 내일 황궁 밖으로 나가고 싶어. 허락해 줘!"

"안 돼."

"……."

딱 잘라 대꾸한 황후가 우아하게 찻잔을 내려놓았다.

"마리에, 나가고 싶은 마음은 알겠지만 지금은 수도가 유난히 혼란할 때란다. 그럴 때 네게 무슨 일이라도 생기면 어떡해?"

"나 정말 문제없이 다녀올 자신 있는데……!"

"마리에. 저번에 호위도 없이 시녀만 데리고 나갔던 것은 기억이 나지 않는 거니?"

마리에가 시무룩하게 고개를 숙였다.

내일 좋아하는 작가의 신작이 입고되는 날이라서 나가고 싶었던 것인데, 아무래도 계획은 글러 먹은 듯했다.

"그래. 공주로서 자각을 좀 더 하도록 해."

가만히 있던 아드리안이 한마디 거들었다. 마리에의 눈에서 불꽃이 튀었다. 저게!

그러거나 말거나 아드리안은 유유히 차를 마실 뿐이었다.

"정 그렇게 나가고 싶다면 가브리엘 양과 함께 나가는 것은 어떠니?"

보다 못한 황후의 부드러운 권유에 마리에의 표정이 경직되었다.

갑자기 나가고 싶은 마음이 싹 사라져 버렸다.

"아니에요. 공주로서 자각을 하고 살아야죠. 지금은 어머님 탄신 파티로 수도 곳곳이 조금 혼란하니 좀 더 분위기가 가라앉으면 호위 기사를 데리고 나가도록 할게요. 그때는 허락해 주실 거죠?"

"네 의견이 그렇다면 어쩔 수 없지. 그땐 허락해 주마."

"감사해요, 엄마!"

마리에가 웃으며 고개를 숙였다. 루드밀라 황후는 떨떠름한 표정으로 고개를 끄덕였다.

아들이고 딸이고 왜 이렇게 가브리엘을 꺼리는지 영문을 몰랐다. 어쨌든 싫어하는 건 아닌 듯하니, 그저 맞지 않는 것이겠지.

깊이 생각하지 않고 넘기며 황후가 미소를 지었다.

"그러고 보니 내가 오기 전에 둘이 아주 재미있는 이야기를 하는 것 같던데, 무슨 이야기 중이었니?"

루드밀라 황후의 질문에 마리에의 눈이 반짝거렸다.

"엄마, 오빠 또 새로운 말에 꽂혔나 봐."

"새로운 말?"

"하루 종일 멍하니 떠오르는 자태에 괴로워하며 몸부림을 친다고 하잖아. 분명 딱 새로운 말 이야기야."

루드밀라 황후가 걱정스러운 표정으로 아드리안을 바라보았다.

"아드리안, 벌써 마구간에 네 말만 2천 마리잖니? 또 새로운 말이라니?"

"그런 거 아닙니다."

아드리안이 불편한 표정으로 대꾸했다. 하지만 두 여자 누구도 그 말을 믿지 않았다.

"내가 볼 땐 조만간 사들일 거 같아. 생각하지 않으려고 해도 하루 종일 생각난다잖아? 그거 분명히 반한 거라고. 상사병이야."

"귀한 말 전부 네가 타지도 않잖니? 그렇다고 누구한테 하사하는 것도 아니고. 마구간 유지 비용도 엄청나단다. 적당히 하거라, 아드리안."

"그런 거 아니래도요."

아드리안이 부정했지만 둘의 반응은 여전했다.

"오빠 반했지? 말해 봐. 또 무슨 말한테 반한 거냐니까?"

"아, 아니라고."

차라리 말이었음 좋겠다. 말이었으면 정말 좋겠다.

왜 하필 그런 멍청한 여자한테!

반했다고? 반했다니, 말도 안 돼. 아드리안이 괴로워하며 머리를 감싸 쥐었다.

"저거 봐, 저거. 진짜 참사랑을 하고 있네. 분명히 다음 달 안으로 새로운 말 산다."

"저렇게 괴로워하다니……. 정말 내 아들이지만 말을 심하게 좋아하는구나."

"말 전부 타지도 않으면서. 낭비야, 낭비."

"그래도 아드리안이 유일하게 아끼며 모으는 것이잖니, 마리에."

"그래, 다물어."

루드밀라 황후의 두둔에 아드리안이 바로 마리에에게 일침을 놓았다.

마리에는 물론 들어주지 않았다. 혀를 내밀며 아드리안의 말에 고개를 가로저었다.

그런 자식들의 모습을 흐뭇하게 지켜보던 황후가 부드럽

게 달래며 물었다.

"살 때 사더라도 대체 뭐 때문에 또 그러는 거니. 한번 말해 보렴?"

"그런 거 아니라니까요."

"아니긴 뭐가 아냐, 오빠 정말 딱이라니까?"

두 여자가 고개를 끄덕였다.

자신에게 호기심 어린 시선이 돌아올수록 아드리안은 괴로워져만 갔다.

내가 그런 여자한테 반했을 리가 없다고!

이게 다 이상한 여자가 자신의 약혼녀 행세를 하고 있어서 생긴 일이었다.

아드리안은 돌아가면 당장 테르니와 디아노에게 에센을 찾아오라 명령해야겠다고 다짐했다.

중요해서 두 번 다짐했다.

"반드시 잡고 만다."

이게 다 에센이 도망쳐서 생긴 일 때문이었다.

에센만 돌아오면 이 이상한 현상도 사라질 것이다.

암. 그렇고말고!

아드리안의 의지가 활활 불타올랐다.

Chapter 7. 길을 잃으면 찾아오는 사람

Chapter 7. 길을 잃으면 찾아오는 사람

오늘도 길을 잃었다.

"······."

그런 스스로가 어이없어서 아무 말도 나오지 않았다.

어제 길을 잃은 이후 마담 루시에게 길을 잃었노라 시인하자 그녀가 '오호호' 웃으며 답했다.

"정원은 그쪽이 아니에요."

"분명 마담 루시가 저쪽이라고······."

"어머! 제가 그랬나요?"

그래서 오늘은 일부러 어제 갔던 곳과 반대 방향으로 걸었다. 얼마간 걷자 마담 루시의 말대로 정말 정원이 나타났다.

드디어 정원을 발견했다는 기쁨에 호기롭게 안으로 들어선 지 벌써 한 시간째.

나는 이곳의 망령이 되고 말았다…….

분명 다른 길로 걷는 것 같은데, 계속 같은 자리로 되돌아왔다.

얼마나 많이 걸었던지 다리가 너무 아팠다. 그렇다고 주저앉아서 누군가를 기다릴 수도 없었다.

아무도 찾으러 오지 않을 테니까.

"이 정도면 산책이 아니라 운동이잖아, 완전."

불평을 늘어놓으며 하염없이 걷고 있는데, 저 멀리 누군가 나무에 기대 있는 게 보였다.

정원의 망령이 된 지 장장 한 시간 만에 처음으로 발견한 사람이었다!

나는 낯선 사람을 향해 빠르게 다가갔다.

"저, 혹시 길…… 을……."

내 목소리가 점점 잦아들었다. 차마 더 물어볼 수가 없었다.

나무에 기대 있던 이 남자가, 다름 아닌 어제 만났던 미카엘이라는 남자였으니까.

"음…….."

슬그머니 뒷걸음질을 쳐 사라지려 했으나, 이미 눈을 마주치고 난 후였다.

나는 어색하게 웃으며 꾸벅 인사한 후 뒤돌았다.

다행인지 불행인지 미카엘이라는 남자는 내게 신경도 쓰지 않았고, 나는 무사히 그곳에서 벗어날 수 있었다.

그리고 그것이 불행의 시작이었다.

"……말도 안 돼."

최대한 그곳을 벗어난다고 열심히 걸었건만, 또다시 원점으로 돌아오고 만 것이다.

미카엘과 눈이 마주쳤다. 어색한 공기가 흘렀다.

"하하. 여기가 아닌가 보네."

머쓱한 웃음을 흘리며 다시 뒤돌아 가려는데, 바닥의 돌부리를 보지 못하고 걸려 균형을 잃고 말았다.

"으앗!"

고함을 내지르며 두 눈을 질끈 감았다.

하지만 고통은 없었다. 대신에 낯선 감각이 느껴질 뿐이었다.

누군가가 내 허리를 낚아채 넘어지려는 것을 붙잡아 주었다. 급히 숨을 들이마시며 눈을 떴다.

"괜찮으십니까?"

눈을 뜨자마자 보이는 건, 휘황찬란한 얼굴이었다.

찬란하고 반짝거리는 진한 금발에 호수처럼 푸르른 벽안을 지닌 미남자, 미카엘이 나를 내려다보고 있었다.

쏴아아―.

순간 바람이 불어와 내 머리칼을 강하게 헤집고 사라졌다. 남자의 눈동자로, 놀란 내 모습이 어렴풋이 비쳤다.

갑작스런 상황에 순간 심장이 두근거렸지만, 재빨리 정신을 차렸다.

고작 두 번 마주친 낯선 사람에게 추태를 보이고 말았다는 수치심이 더 컸기 때문이다.

"괘, 괜찮아요."

무심코 얼굴에 손을 댄 나는 내 얼굴을 가리고 있던 면사가 어디론가 사라졌다는 걸 깨달았다. 넘어지려는 순간 바람에 날아간 것 같았다.

맨얼굴을 그 누구에게도 절대로 보여서는 안 된다고 했는데. 어쩌지?

걱정을 했지만 이미 늦은 이후였다.

어차피 이 남자는 내가 황태자의 약혼녀라는 사실을 모를 테니 괜찮지 않을까.

다행히 목격자는 아무도 없었다. 남자가 나를 보며 작게 웃었다.

"조심하십시오."

"네, 감사합니다."

내 대답을 끝으로 그 누구도 입을 열지 않았다.

저기요? 이것 좀 놔주시면 안 될까요?

눈빛으로 부탁을 했지만 이름 모를 미남자는 그저 나를 빤히 보기만 했다.

으윽, 엄청난 부담감이 몰려들었다.

"저, 저기 이것 좀……."

결국 내가 부탁해야만 했다.

이러다 거의 안겨 있는 상태로 하루가 지나 버릴 것만 같은 말도 안 되는 위기감이 들었기 때문이다.

"아, 실례했습니다."

그제야 깨달았다는 듯 남자는 신속히 나를 일으켜 세운 후 한 걸음 뒤로 물러났다.

아주 깔끔하고 군더더기 없는 동작이었다.

그 이후에 찾아온 건 엄청난 어색함의 시간이었다. 이대로 침실로 돌아가고 싶었으나, 또다시 이곳으로 돌아오게 될 게 뻔했다.

나는 간절한 눈으로 남자를 바라보았다.

"도와주셔서 감사해요. 그런데 혹시……."

"예."

대답하는 남자의 눈빛에 나는 지레 찔리고 말았다.

마치 '이 여자도 내게 고백하려고 주위를 맴돌며 수작 부리는 건가?' 하는 생각을 하고 있는 것만 같았다.

"저는 정말 고백 같은 거 하려는 게 아니니까 안심하셔도 돼요! 진짜로 길을 잃어서 그런데 길 좀 여쭤봐도 될까요?"

휴. 말했다. 부디 오해받기 싫은 내 마음을 이해해 주기를 바라며 남자를 올려다보았다.

남자가 비스듬하게 고개를 기울이며 웃었다.

"그건 좀 아쉽네요."

"네?"

"목적지가 어디십니까?"

금방 뜻 모를 대답을 들은 것 같은데…….

하지만 앞서 걷는 남자의 뒤를 따르느라 그 의문은 금세 사라졌다.

"릴리 궁으로 가려고 해요."

"······릴리 궁, 말씀이십니까?"

남자의 목소리가 일순 가라앉은 것처럼 들린다면, 내 착각일까.

살짝 놀라 그를 올려다보았으나, 남자의 표정은 바로 전과 다를 바 없었다.

내가 착각한 모양이다.

"네. 거기에서 머물고 있거든요."

"그렇군요."

"그, 일전에 실례를 범한 건 정말 죄송했습니다."

고의는 아니었지만 개인적인 고백을 몰래 본 후에 도망치기까지 했다. 마땅히 사과를 해야 할 일이었다.

"일부러 그러신 것도 아닌데, 신경 쓰실 것 없습니다."

돌아온 것은 배려심 넘치는 남자의 한마디였다.

저벅저벅. 자박자박.

걷다가 깨달은 건데, 이 남자는 결코 나와 큰 거리를 벌리는 법이 없었다.

문득 황태자가 떠올랐다. 그 인간은 나를 추월해서 멀찍이 떨어진 후 인상 쓰는 게 취민데.

아주 가끔, 정말 아주 가끔 배려란 걸 보여 줘서 사람 심란하게 만들긴 하지만······.

"어?"

그를 따라 걷다 보니 정말로 내가 아는 길이 나왔다.

지금부터는 나 혼자서도 갈 수 있을 것 같았다. 하지만 먼저 말을 걸 용기가 없어 그냥 조용히 뒤를 쫓았다.

근 몇 시간 만에 보는 익숙한 건물에 눈물이 날 것만 같았다.

살았다! 길을 찾았어!

감사 인사를 하기 위해 고개를 들자 남자가 나를 내려다보고 있었다. 푸른 호수를 닮은 눈동자가 가만히 응시했다.

"데려다주셔서 감사해요. 저기, 음……. 아니셨으면 오늘 안에 돌아오지 못했을지도 몰라요."

뭐라고 불러야 할지 몰라서 중간에 말을 좀 더듬고 말았다.

"미카엘이라고 불러 주시면 됩니다."

"앗, 네. 제 이름은―."

이름을 말하려던 때, 그리 멀지 않은 곳에서 익숙한 목소리가 들려왔다.

마담 루시가 나를 찾고 있는 모양이었다.

"그럼 다음에 또 뵙도록 하겠습니다."

"네?"

다음에 또?

미카엘은 내게 정중하게 인사한 후 반대 방향으로 빠르게 사라졌다.

뒤늦게 내 이름을 알려 주지 않았다는 사실을 깨달았다.

"어차피 또 만날 일은 없을 테니까 상관없겠지."

다음에 또 뵙자고 말한 건 아마 형식적인 인사말일 것이다.

나는 미카엘이 사라진 방향을 보며 감탄했다.

황궁 내에서 저렇게 사람 같고 인간성도 좋으며 배려심마저 넘치는 사람을 보는 건 처음이었다.

내가 만난 인간들이라고는 디아노, 테르니, 마담 루시, 아드리안 등이 있지만, 모두…… 인간성에 심각한 하자가 있었다.

처음으로 정상인을 만났다는 사실 때문인지 나는 혼자 감동에 빠져 있었다.

"아직 인류애는 살아 있어."

감격에 겨워 감상평을 내뱉었다.

"아티. 무슨 고민 있어?"

오늘도 내 몫의 간식을 대신 훔쳐 먹던 테르니가 내게 물었다.

나는 눈에 들어오지도 않는 두꺼운 책을 덮으며 한숨을 내쉬었다.

"그래 보여요?"

"응. 표정이 완전 구려!"

말을 해도 꼭…….

나는 입가에 쿠키 부스러기를 묻히는 테르니를 한심한 눈으로 바라보았다.

고민이 있긴 한데, 이 인간이 과연 제대로 된 고민 상담을 해 줄까?

이미 답을 알고 있지만, 달리 물어볼 곳도 없어서 한번 물어나 보기로 했다.

"황후 폐하께서 그릇을 모으는 취미를 가지고 계시다고 들었어요."

"응, 맞아. 유명하지. 아마 그레이스 궁 내 스무 개가 넘는 방이 황후 폐하 컬렉션으로 꽉 차 있을걸?"

방 20개에 그릇이 가득 차 있다니. 역시 황족의 수집력은 차원이 다르구나.

"개인적으로 황후 폐하의 탄신 축하 선물을 드리려는데, 그릇을 선물로 드리면 좋아하실까요?"

"잠깐, 잠깐. 아티 너 황후 폐하께 그릇 드리려고 그러는 거야? 관둬! 황후 폐하 눈이 얼마나 높으신데, 웬만한 걸로는 성에도 안 차실걸?"

내가 생각했던 것보다 더 격렬한 반대였다. 하지만 지금 와서 다른 선물을 생각하기에는 딱히 떠오르는 게 없었다.

테르니가 쿠키 하나를 집어 들며 고개를 절레절레 저었다.

"장인 위르겐 신작 정도가 아니면 소용이 없다고."

장인 위르겐.

황후 폐하의 탄신 파티 때 가브리엘이 내게 보여 줬던 그릇이 바로 그 장인의 작품이었다.

그날 이후로 때때로 그 그릇이 생각나곤 했는데, 이제 어렴풋이 그 이유를 알 것 같았다.

나는 테르니를 보며 방긋 웃었다.

"그건 걱정하지 않아도 될 거예요."

"잉? 무슨 자신감이야?"

어처구니없다는 듯 나를 쳐다보는 테르니의 시선을 무시

하며 화제를 돌렸다.

"잠깐 황성 밖에 나갈 일이 있는데, 전하께 말씀드리면 나가는 걸 허락해 주실까요?"

와그작. 경쾌하게 쿠키를 베어 문 테르니가 싱긋 웃으며 대답했다.

"아마 안 해 줄걸?"

역시……. 황태자의 측근인 테르니가 이렇게 말할 정도면 황태자에게 이야기를 꺼낼 필요도 없었다.

괜히 말을 꺼냈다간 또다시 목숨의 위협을 느낄 가능성이 다분했다.

황후 폐하께 드릴 선물을 구해야 하긴 하는데, 황성 밖을 나가는 방법은 안 된다니 남은 방법은 하나뿐이었다.

그래도 오랜만에 한번 나가고 싶었는데. 괜히 아쉬워서 시무룩해지자 테르니가 내 어깨를 툭툭 두드렸다.

"고개를 들어, 아티!"

"……?"

고개를 들자 입가에 쿠키 부스러기를 잔뜩 묻힌 테르니의 얼굴이 보였다.

"내가 누구냐!"

바보……?

자기 얼굴이 어떤 꼴인지도 모르고 위풍당당하게 소리치는 꼴은 영락없는 바보의 모습이었다.

테르니가 호탕하게 웃으며 주먹으로 자신의 가슴을 두어 번 두드렸다.

"좋아. 이 오빠만 믿거라! 책임지고 황궁 바깥에 데리고 나가 줄 테니까!"

"아, 아니. 괜찮⋯⋯."

"자. 그럼 어서 준비하자!"

잔뜩 신난 테르니는 엄청난 추진력으로 나갈 준비를 시작했다.

말릴 새도 없었다.

✦ ♛ ✦

마차의 창밖으로 보이는 황궁 밖의 풍경은 여전했다. 황궁에서 어느 정도 멀어지니 민가가 보이기 시작했다. 민가는 황궁과 달리 복작복작하여 사람 사는 냄새가 물씬 풍겼다.

오랜만의 외출이라 나도 모르게 들떴다가 황급히 이성을 되찾았다. 그리고 나와 함께 나온 테르니에게 조심스럽게 물었다.

"이렇게 몰래 나와도 될까요?"

"당연하지!"

이렇게 확신할 정도면 안심해도 되겠지. 마음 놓고 창밖을 구경하려는데, 테르니가 내 어깨에 손을 얹었다.

"당연히 안 된단 의미야."

"⋯⋯."

"농담 아니고, 아마 아드리안이 나를 죽일 수도 있어."

장난기 가득한 목소리와 별개로 테르니의 눈빛이 너무

진지해서 믿을 수밖에 없었다.

"저는 돌아가자마자 무릎 꿇고 빌 거예요."

"아티, 넌 자존심도 없어?"

"네!"

"오, 나도!"

이런 바보 같은 대화를 나눠야 한다니 문득 회의감이 들었다.

"에휴."

이미 황궁 밖에 나왔으니 돌이킬 수 없었다. 황태자 문제는 일단 돌아간 이후에 생각해 보기로 하고, 나는 해야 할 일에 집중했다.

창밖을 빤히 쳐다보던 난 익숙한 길이 나타나자마자 테르니의 옷자락을 잡아당겼다.

"여기예요."

"여기?"

테르니는 고개를 갸웃하면서도 마차를 멈춰 세웠다.

나는 자연스럽게 나를 에스코트하려는 테르니를 만류하고 먼저 마차에서 내렸다.

일부러 옷차림도 평민처럼 차려입고 나왔는데, 귀족인 티를 내면 들켜 버리고 말 테니까.

"이 근처에서 기다리고 있어."

마부에게 명령한 테르니가 내게 다가왔다. 그 와중에도 테르니는 뭔가 얼떨떨한 듯했다.

"그런데 여기는 왜 온 거야?"

테르니가 주변을 둘러보며 묻자 나는 어색하게 웃었다. 그 질문은 나갈 준비를 하기 전에 했어야 했던 게 아닐까.

내가 온 곳은 그렇게 특별할 것 없는 민가 한복판이었다. 그리 빈곤하지도, 그렇다고 부유하지도 않은 딱 중간 소득층의 평민들이 사는 곳.

고급 상업 구획인 엘도라도 거리도 아닌 평민들의 주거지인 랜트리 구역으로 온 게 의아하긴 하겠지.

"여기에 볼일이 있어서요."

"황후 폐하 선물 사러 온 거 아니었어?"

"음. 비슷하긴 해요."

처음으로 테르니가 답답하다는 표정을 짓자 왠지 모를 쾌감이 일었다. 너도 아무것도 모르는 답답함을 한번 느껴봐라!

나는 일부러 아무런 설명도 해 주지 않고 앞장서 걸었다.

하지만 이내 테르니는 싱글벙글 웃으며 내 뒤를 따라왔다. 아무래도 상관없는 모양이었다.

머지않아 내가 도착한 곳은 관리된 티가 전혀 나지 않는 허름한 저택 앞이었다.

겉보기에 낡은 건물은 규모가 상당히 컸다.

미심쩍은 시선으로 저택을 훑어보던 테르니가 나를 내려다보았다.

"폐가 아니야? 무너져서 깔려 죽을 것 같은데!"

"여기 사시는 분께 실례예요."

"아티, 이 오라버니한테 너무 매정한 거 아니야? 응?"

헛소리를 하는 테르니를 무시하고 저택의 문을 두드렸다. 하지만 안에서는 아무런 인기척도 느껴지지 않았다.

"사람이 안 사는 저택 같은데."

"아니에요."

지금쯤이면 주무시다가 깨어날 때인데. 나는 한 번 더 문을 두드렸다.

똑똑.

역시나 반응이 없었다.

잠자코 내 옆에 서 있던 테르니가 갑자기 소매를 걷어붙였다.

"문을 그렇게 두드리면 쓰나! 비켜 봐, 아티. 이 오라버니가 기막힌 노크를 보여 주지!"

"아니, 잠깐만요……!"

황급히 말렸지만 이미 늦었다.

쾅쾅쾅!

테르니는 아주 문이 떨어져 나갈 정도로 세게 두드려 댔다. 길을 걷던 사람들마저 화들짝 놀라 돌아볼 정도로 큰 소음이었다.

나는 깊은 한숨을 내쉬며 양손에 얼굴을 묻었다.

"대낮부터 어떤 빌어먹을 놈이 남의 집 대문을 두들겨?!"

문이 벌컥 열리고 괄괄한 목소리의 집주인이 모습을 드러냈다.

오랜만에 보는 헬머 아저씨는 전과 다를 것 없는 모습이었다. 조금 더 피곤해 보이는 것 빼고는.

나는 아저씨에게 다가가며 활짝 웃었다.

"헬머 아저씨!"

"라라?"

"아저씨, 오랜만이에요. 잘 지내셨죠? 술 좀 줄이시는 게 좋겠다고 말씀드렸는데, 요새도 많이 드시는 건 아니죠?"

오랜만에 만나는 거라 잔소리가 절로 나왔다. 황궁에 들어간 이후로는 한 번도 못 뵈었으니 얼굴을 못 본 지 반년이 훌쩍 넘었다.

금방까지 누구 한 명 죽일 것처럼 살벌하던 기세는 사라지고, 헬머 아저씨는 식은땀을 뻘뻘 흘리며 변명을 늘어놓았다.

"아니, 라라……. 아저씨가 마시고 싶어서 마신 게 아니고, 다 옆집 한스 녀석이 하도 마실 사람 없다고 졸라 대서……. 혼자 있을 때는 안 마셨다! 맹세하마!"

열린 문 너머를 슬쩍 보자 수북이 쌓여 있는 술 궤짝이 있었다. 나는 그것들을 눈짓하며 방긋 웃었다.

"맹세요?"

"……잘못했다, 라라. 다 이 아저씨 잘못이다."

"뭐, 사실 기대도 없었어요."

내 말에 충격받은 헬머 아저씨를 두고 집 안으로 들어갔다. 물론 테르니도 뒤에 달고.

전보다 더 엉망이 된 것 같은 집 안 꼴을 보며 한숨을 내쉬는데, 테르니가 내 귀에 대고 속닥댔다.

"아티. 저 아저씨가 누군데?"

"아버지의 절친한 친구분이세요."

"흐음. 아버지?"

테르니의 목소리가 어쩐지 못마땅하다는 듯 느껴진다면 내 착각일까. 슬쩍 표정을 살폈지만 테르니는 나를 보며 미소를 지을 뿐이었다.

역시 착각이군.

"그나저나 라라. 황궁에 시녀로 들어간다더니 출궁은 어떻게 한 거냐?"

내가 황태자의 대역 약혼녀가 된 것은 그 누구도 알아서는 안 되는 철저한 비밀이었다.

"허락받았으니까 괜찮아요."

대충 얼버무리자 헬머 아저씨는 납득한 듯 고개를 끄덕였다. 그러다 아저씨의 시선이 내 뒤에 멀뚱히 서 있는 테르니에게 닿았다.

"라라. 이 놈팡이는 대체 누구냐?"

"음……."

테르니의 부담스러운 시선이 느껴졌다. 뭔가를 기대하는 듯한 눈치긴 한데, 대체 뭘 바라는 걸까?

아마 100퍼센트의 확률로 오빠라고 소개되기를 바랄 텐데, 그건 너무나 헛소리였다.

나는 테르니의 눈빛을 외면하며 심드렁하게 대답했다.

"어쩌다 알게 된 분이에요."

"뭐? 아티, 너무해!"

그럼 정말 오빠라고 소개되기라도 바랐단 소린가. 아무리

답도 없는 테르니라지만 그 정도로 생각이 없지는 않을…….

"내가 바로 라라의 오빠다!"

없었다.

어처구니없다는 듯 테르니를 보던 헬머 아저씨가 나를 돌아보았다.

"이 작자는 대체 무슨 헛소리를 하는 거냐?"

"아하하…….."

무슨 대답을 해야 할지 몰라 그저 웃자 헬머 아저씨의 표정이 굳었다.

"이보시오. 라라의 오빠라니, 그게 무슨 헛소리요? 나는 이 애가 태어나기 전부터 이 애 아버지와 절친한 친구였소. 라라에게는 오빠가 없단 말이오!"

헬머 아저씨가 갑자기 사납게 구는 이유를 나는 알고 있었다.

나는 갑작스럽게 가족을 잃었다.

그건 우리 가문의 수석 장인으로서 아버지를 비롯한 모든 가족들과 허물없이 지내던 헬머 아저씨도 친우를 잃었다는 의미였다.

내 가족에 대한 이야기는 헬머 아저씨에게 아픈 상처와도 같았다.

하지만 이런 사실을 전혀 모르는 테르니는 그저 해맑게 답했다.

"걱정 마십시오. 제가 라라의 오빠가 돼서 평생 행복하게 만들어 주겠습니다!"

"뭣이?"

그렇지 않아도 험상궂은 헬머 아저씨의 얼굴이 더욱 흉악하게 일그러졌다.

……이런. 내가 손쓸 틈도 없이 상황은 순조롭게 악화되었다.

오만상을 찌푸린 헬머 아저씨가 위협적으로 테르니를 문가로 몰아세웠다.

"보아하니 돈 많은 집 한량 같은데, 라라에게 추근거리지 말고 썩 꺼지시오!"

"어? 잠깐만!"

"잠깐만은 무슨 잠깐만? 썩 꺼져!"

쾅! 테르니의 면전에서 문이 닫혔다.

"망했다……."

나는 얼굴을 가리며 깊은 한숨을 내쉬었다.

가히 절망적이었다. 벌써부터 이 일에 대해 나를 물고 늘어질 테르니가 떠올라서 피로가 몰려왔다.

"라라. 아저씨가 내쫓았으니 걱정 말고 말해 봐. 저 놈팡이가 협박이라도 했냐?"

슬퍼하는 나를 보고 또 오해를 했는지 헬머 아저씨는 진심으로 나를 걱정했다.

"협박은 지금부터 당하겠죠……?"

"뭣이?! 정말 협박했단 말이냐?"

"아니에요. 협박 같은 거 안 당했어요."

하지만 헬머 아저씨는 의심스러운 시선을 거두지 않았다.

그러는 와중에도 문밖에 서 있을 테르니 생각에 나는 점점 초조해졌다.

"생각하시는 것처럼 이상한 사람은 아니에요. 좀 이상하긴 한데."

아, 이렇게 말하면 안 되려나?

무심코 진심을 말해 버리고 말았다. 나는 테르니를 일단 안으로 들여야 된다는 생각에 그를 필사적으로 변호했다.

"황궁에서 저를 많이 도와준 분이에요!"

"그렇게는 안 보이는데."

"치, 친절하고! 그, 그러니까 좋은 분이에요!"

"역시 저 놈팡이가 협박을……! 가만둬선 안 되겠구먼?!"

"으아악! 안 돼요!"

나는 당장에라도 팔을 걷어붙이고 뛰쳐나가 테르니를 흠씬 두들겨 팰 것만 같은 헬머 아저씨를 붙잡고 말렸다.

"정말로 좋은 분이에요! 정말이에요, 아저씨!"

두들겨 패면 후회할 사람이란 말이에요!

나는 거의 울기 직전으로 헬머 아저씨한테 매달렸다.

내 간절함이 통한 것일까. 씩씩대던 아저씨의 표정이 아주 살짝 풀렸다.

"……정말이냐?"

"네! 일단 안으로 데리고 올게요!"

"그건 허락 못—."

나는 그런 헬머 아저씨의 말을 무시한 채 얼른 달려가 문을 열었다.

혹시 없을까 봐 걱정했는데, 다행히 테르니는 문 앞에 있었다.

문제가 있다면…….

"흑흑. 아티한테 버림받았어."

문 앞에 웅크려 앉은 채 얼굴을 파묻고 슬퍼하고 있다는 것일까.

다 큰 성인 남자가 웅크려 앉아 있는 건 상당히 꼴불견이었다.

"얼른 들어와요."

"흑흑. 너무 슬퍼서 못 들어가겠어."

나는 테르니를 질질 끌고 헬머 아저씨의 집으로 들어왔다.

아직 본론은 시작도 하지 않았는데 벌써부터 기진맥진했다.

못마땅한 듯 테르니를 흘겨보는 헬머 아저씨와, 내 뒤에 부루퉁하게 서 있는 테르니를 외면하고 곧바로 본론을 꺼냈다.

"헬머 아저씨. 요새도 그릇 만드세요?"

"응? 뭐, 그렇지. 딱히 할 일도 없고…….."

관심 없다는 듯 심드렁한 반응이지만, 나는 알고 있었다. 사실은 헬머 아저씨가 자신의 직업과 작업을 무엇보다 사랑한다는 것을.

어쩐지 착잡한 마음에 애써 웃으며 헬머 아저씨를 응시했다.

"그럼 여전히 아깝게 깨 버리시겠네요?"

"……그것들은 전부 실패작이다."

실패작이라니. 헬머 아저씨의 그릇들은 결코 실패작이
아니었다.

"그런 말 하지 마세요."

"하지만, 라라. 너도 잘 알고 있잖냐? 네 부모님이 그렇
게 된 건 전부—."

늘 되뇌었던 말을 이번에도 하려는 헬머 아저씨의 말을
자르며 방긋 웃었다.

"그럼 저 그릇 좀 가져가도 될까요?"

내 물음에 헬머 아저씨는 방금까지 자신이 하던 말도 잊
은 듯 떨떠름한 얼굴을 했다.

"내 그릇을? 뭐 하려고?"

"저 헬머 아저씨 그릇 좋아하는 거 알죠? 그냥 황궁에 들
고 가서 쓰려고요!"

일부러 자세한 사용 용도는 말하지 않았다.

누군가에게 선물로 주려는 걸 안다면 아저씨가 절대 안
된다며 반대할 게 눈에 선했기 때문이다.

"최근에 몇 개 만든 게 남아 있다만……. 필요하면 가져
가든가."

하나도 남김없이 전부 깨 버렸으면 어쩌나 걱정했는데,
한시름 덜었다.

"아마 공방에 있을 게다. 어차피 버릴 거, 다 가져가."

"고마워요, 아저씨."

빈손으로 돌아가지 않아도 된다는 사실에 기뻐 테르니를
단 채 공방에 들어섰다.

생생한 작업 현장을 처음 본 모양인지 테르니가 감탄사를 연발했다.

"와. 나 그릇 공방은 처음 봐. 아티, 아티. 저 아저씨 그릇 장인이야?"

"네."

"황후 폐하 선물로 드리려는 거지? 내가 저번에 말했잖아. 황후 폐하는 장인 위르겐 작품 아니면 안 될 거라고. 그 정도로 훌륭한 장인인 거야? 응?"

나는 깨진 파편을 밟으며 안쪽 벽 선반으로 걸어갔다. 뭐가 그렇게 궁금한지 테르니는 연신 질문을 쏟아 냈다.

대답하는 대신 티팟 세트와 그릇을 살펴보았다. 실패작이라는 헬머 아저씨의 말과는 달리 더할 나위 없이 훌륭한 작품이었다.

나는 그릇 하나를 집어 들었다.

"웬만한 장인 작품이 아니고서는 만족시켜 드리기 힘들 텐데?"

테르니의 말에 살짝 웃으며 손끝으로 그릇 아래를 쓸었다.

"괜찮아요."

내 엄지가 쓸고 지나간 자리를 본 테르니가 두 눈을 휘둥그레 떴다.

"웬만한 장인이 아니거든요."

"위르겐?"

그곳에는 또렷한 이니셜이 새겨져 있었다.

W.H.

장인 위르겐이 자신의 작품 아래에 표시한다는 일종의 표식.

"위르……?!"

"쉿!"

검지를 들어 뒤늦게 놀라는 테르니를 조용히 시켰다.

공방 문밖을 눈짓하자 내 의도를 알아들었는지 테르니가 고개를 천천히 끄덕였다.

장인 위르겐이라는 이름을 처음 들었을 때는 그게 헬머 아저씨인지 몰랐다.

위르겐이라는 이름보다는 헬머라는 성으로 늘 불러 왔으니까.

장인 위르겐의 정체를 알게 된 건 가브리엘이 그릇의 바닥을 보여 줬을 때였다.

아주 어릴 때부터 보아 왔던 이니셜을 어떻게 모를 수 있겠는가.

나의 대부와도 같은 헬머 아저씨의 사인이라는 걸.

그 사실을 알고 나니 장인 위르겐의 작품이 전부 절품되었다는 것도 납득이 되었다.

"이렇게 깨 버리니까 당연히 작품을 내놓을 수가 없었겠죠."

"왜 깨 버리는 건데?"

"복잡한 사정이 있어요."

무슨 사정인지 궁금한 눈치였지만 이야기해 줄 생각은 없었다.

"그럼 이걸 들고 나갈까요?"

"전부 다 들고 가게?"

"남겨 봤자 어차피 다 깨질 텐데, 그럴 바엔 들고 가는 게 낫잖아요."

멀쩡한 그릇들을 조심스럽게 챙기고 있는데, 엄청나게 부담스러운 시선이 느껴졌다.

고개를 돌리자 테르니가 초롱초롱하게 두 눈을 반짝이며 나를 보고 있었다.

불쾌했다!

"그런 의미에서 말인데…… 나의 소중한 동생아!"

"네……?"

"나도 그릇 하나만 주라."

갑자기 왜 그렇게 부담스럽게 쳐다보나 했더니 그릇이 탐이 났던 거로군.

"으음……."

내가 선뜻 답하지 않고 머뭇거리자 테르니가 끈적하게 들러붙더니 답도 없이 조르기 시작했다.

"아티. 아티이이이이. 하나만 주면 매정하게 나를 내쫓았던 거 용서해 줄게. 응? 으으응? 으응?"

귀찮다.

매우 귀찮다. 심히 귀찮다.

나는 슬그머니 테르니의 팔을 떼어 내며 대충 고개를 끄덕였다.

"알았어요. 여기서 나가면 하나 줄게요. 아저씨가 알면 허락 안 해 줄 테니까 조용히 하고 있어야 돼요. 알았죠?"

"응! 당연하지!"

장인 위르겐이 대단하긴 대단한가 보다. 계속 뚱한 표정이던 테르니를 미소 천사로 만들다니.

그릇을 챙겨 나오자 물을 술처럼 들이켜고 있는 헬머 아저씨가 보였다.

아니, 왜 물을 저렇게 세상 근심을 짊어진 얼굴로 마시는 거지?

"아저씨. 무슨 걱정거리라도 있으세요?"

"걱정거리는 무슨. 볼일 끝났으면 이제 들어가 봐!"

갑자기 찾아온 내가 귀찮다는 듯 쫓아내려는 아저씨지만 나는 아저씨의 본심을 알았다.

혹시라도 내가 늦게 돌아갔다고 혼날까 봐 배려해 주신 거였다.

나는 그런 아저씨를 웃는 얼굴로 바라보았다.

"헬머 아저씨."

"왜?"

"아저씨 작품은 실패작이 아니에요."

"……."

"아저씨 때문에 제가 혼자 남게 된 것도 아니고요."

"……라라."

"그러니까 전처럼 예쁜 그릇을 계속 만들어 주셨으면 좋겠어요."

늘 아저씨의 탓이 아니라고 말했지만, 아저씨는 쉽사리 부채감을 지우지 못했다.

이 한마디로 아저씨의 마음을 달래기엔 아무런 소용이 없을지도 몰랐다.

하지만 이렇게 아저씨의 탓이 아니라고 계속 말하면, 언젠가는 알아주실 거라는 믿음이 있었다.

"그럼 저는 이만 가 볼게요. 아저씨. 술 줄이시고요."

"멀리 안 나가마."

퉁명스럽게 대꾸하는 아저씨에게 미소 지어 준 후 문을 열었다.

막 문을 닫으려던 때, 문 사이로 아저씨의 목소리가 들려왔다.

"……너무 힘들어서 갈 데가 없으면 이곳으로 와라, 라라. 너 하나쯤은 먹여 살릴 수 있으니까."

그 속에서 아저씨의 진심이 느껴졌다.

✦ ♛ ✦

아티의 침실을 찾는 것은 이제 아드리안의 습관과도 같았다. 오늘은 일이 좀 많아서 늦었지만, 어김없이 아티의 침실에 들렀다.

그런데, 없었다.

도대체 언제부터 자리를 비웠던 건지, 머물렀던 흔적이 느껴지지 않았다.

방 안에 가만히 있으라고 했더니 도대체 어딜 돌아다니는 거야?

아티가 제멋대로 행동했기 때문인지, 그도 아니면 보고 싶을 때 당장 보지 못했기 때문인지.

뭣 때문인지 몰라도 짜증이 일었다.

"마담 루시."

"어머. 오늘도 오셨네요, 오호호!"

"어디 갔어?"

"무얼 말씀하시는 걸까요?"

눈치껏 알아들었을 테지만, 일부러 놀리는 건지 마담 루시는 모른 척 우아하게 웃었다.

짧은 눈싸움 끝에 이번에도 패배한 것은 아드리안이었다.

"내 약혼녀."

"평소에도 그렇게 말씀하시면 얼마나 좋아요? 오호호!"

"그래서, 어디 갔어?"

"안타깝게도 저 또한 모른답니다."

"뭐?"

수석 시녀가 모시는 사람의 행방을 모르면 어쩌자는 거지?

너무 어이가 없어서 마담 루시를 보고 있으려니, 그녀는 어깨를 으쓱이고는 웃음소리와 함께 사라졌다.

아티의 행방은 그렇게 미궁 속으로 빠졌다.

아드리안은 지끈거리는 머리를 부여잡으며 소파에 대충 걸터앉았다.

도대체 어딜 간 거지?

"젠장."

고작 오늘 하루 보지 못한 것뿐인데, 금단 현상에라도 시달리는 것 같았다.

왜 이렇게 불안하지.

아드리안은 초조하게 아티의 침실을 살폈다. 지금까지와 비교했을 때 뭔가 사라지거나 한 것은 없었다.

몇 분간 가만히 앉아 있던 아드리안은 굳은 얼굴로 벌떡 일어섰다.

그는 곧바로 침실을 빠져나가 디아노와 테르니를 찾았다.

"디아노. 테르니는?"

연무장에 있는 디아노는 찾았지만 테르니는 없었다. 디아노는 흐르는 땀을 닦으며 영문을 모른다는 표정을 지었다.

"같이 계신 거 아니었습니까?"

"오전에 잠깐 본 것 말고는 오늘 못 봤다."

"아, 그러면 아티엔느 님께 간 모양입니다."

아드리안의 표정이 삽시간에 굳어졌다.

"없어."

"예?"

"없다고."

뭐가 없다는 거지? 아드리안의 말을 곱씹던 디아노의 표정이 점점 어두워졌다.

그 표정 변화에서 무언가 있음을 직감한 아드리안은 싸늘한 기세로 디아노를 압박했다.

"뭔가 아는 게 있군."

"확실하진 않습니다."

"말해."

아드리안이 씹어뱉듯 뇌까리자 난감해진 디아노가 뒷머리를 긁었다.

뜸을 들일수록 주위의 공기가 더욱 살벌해졌다. 결국 디아노는 일전에 테르니와 했던 대화를 이실직고했다.

"그, 최근에 전하께서 조금 이상하셨지 않습니까? 매일같이 아티엔느 님 방에 들러서 아무 말 없이 빤히 보다가 가시고."

그랬지.

"그 일 때문에 아티엔느 님이 저희에게 상담을 청하신 적이 있습니다. 그래서 저희는 진심을 담아 조언해 드렸죠."

"뭐라고 지껄였지?"

"전하께서 곧 아티엔느 님을 죽이실 것 같으니 아무래도 탈출 루트를 계획하는 게 좋겠다고—."

쾅!

디아노의 말이 끝나기도 전에 아드리안이 멀쩡하게 서 있던 허수아비를 발로 찼다.

그리고 채 말릴 새도 없이 연무장을 빠져나갔다.

'……아무래도 전하께서 눈이 도신 것 같은데.'

최근에 이렇게까지 분노한 아드리안을 본 적이 없었다.

디아노는 흉흉한 눈빛으로 자신을 노려보던 아드리안의 시선을 떠올리며 서둘러 뒤를 쫓았다.

아드리안은 애써 숨을 골랐다.

분노 탓에 머리가 돌 것 같았다.

도망? 감히 도망을 가?

모후의 탄신 연회가 끝나면 보내 주겠다고 말했지만, 그 것은 에셴을 찾아낸 이후의 일이었다.

아직 에셴을 찾지 못했으니 달아나선 안 됐다.

"젠장."

아니, 사실 그건 핑계다. 아드리안은 그냥 아티를 어디에도 보내 주고 싶지 않았다.

에셴이 돌아오든 말든, 보내 줄 생각이 없었다.

자신은 누구보다 이기적이라, 좋아하는 사람을 위해 떠나보낸다는 생각을 추호도 하지 않았다.

정말로 자신이 싫어서 떠난 거라면, 무슨 수를 써서라도 되찾아올 것이다.

아드리안은 자신이 어디로 향하는지도 모르는 채 그저 걸었다. 아티가 있을 법한 곳은 모두 뒤졌지만 머리카락 한 올도 보이지 않았다.

치미는 분노에 주변을 초토화시키지 않은 것은 한 자락 남은 그의 인내심이었다.

릴리 궁을 빠져나가던 아드리안의 걸음이 점점 느려졌다.

"전하?"

아티엔느가 그곳에 있었다.

무언가를 소중히 품에 안은 그녀는 두 눈을 동그랗게 뜬 채 자신을 보았다.

그 존재를 인식했을 때, 사고가 멈췄다.

생각보다 몸이 더 먼저 움직였다.

아드리안은 거침없이 다가가 아티를 품에 안았다.

치밀던 분노는 온데간데없이 사라졌다. 그 빈자리에 남은 것은 잃지 않아서 다행이라는 안도뿐.

"저, 전하?"

당황한 기색이 역력한 반응에 아드리안은 아티를 더욱 강하게 끌어안았다.

늘 연하게 코끝만 스치던 그녀의 향기가 진하게 풍겼다.

놓아주기 싫은 마음에 그는 그대로 끌어안은 채 물었다.

"어딜 다녀온 거지?"

"황후 폐하께 드릴 선물을 구하려고 잠깐 나갔다 왔어요. 꼭 나가야만 구할 수 있는 거라서 어쩔 수 없었어요. 정말 죄송해요."

눈치를 보는 목소리가 점점 기어들어 갔다.

고작 목소리를 들었을 뿐인데, 놀랍게도 기분이 좋아졌다.

그에 반해 갑자기 아드리안에게 안긴 아티는 하얗게 질린 채 구구절절하게 빌기 시작했다.

"잘못했어요. 다시는 이런 일 없을 거예요."

아티의 목소리가 애처롭게 떨렸다. 갑자기 안긴 상황이 당황스러운 데다가, 아무리 좋게 생각하려고 해도 그렇게 생각되지 않았다.

멀리서 아드리안을 보았을 때의 표정이 금방이라도 누구 하나를 죽일 정도로 살벌했기 때문에.

"벌을 내리시면 달게 받을게요……."

이윽고 아티는 체념하고 말았다. 허락도 받지 않고 나갔으니 벌을 받아도 마땅했다.

"너한테 책임을 물을 생각은 없어."

"네?"

아드리안은 아티를 안은 채로 고개를 들었다.

모든 상황을 관전하고 있던 테르니가 발랄하게 웃으며 손을 흔들었다.

"죽여 버릴 녀석은 따로 있으니까."

겁 많은 약혼녀를 기어코 황궁 밖으로 데리고 나간 건 전적으로 테르니의 짓일 터.

앞으로 웃지도 못하게 만들어 버릴 작정이었다.

✦ ♛ ✦

아드리안에게 흠씬 두들겨 맞은 테르니는 훌쩍이며 집무실 구석에 틀어박혔다.

"내가 뭘 그렇게 잘못했는데……."

반성이라고는 없는 테르니의 발언에 아드리안의 표정이 다시금 살벌해졌다.

테르니는 식겁하며 아드리안의 눈치를 보더니 조심스럽게 무언가를 꺼내 들었다.

"히히. 내 그릇."

아티에게서 기어코 받아 낸 장인 위르겐의 작품 중 한 점이었다.

"그거 뭐야."

아드리안이 낮은 목소리로 물었다.

방금까지 신나게 얻어맞았다는 사실조차 잊어버린 듯 테르니는 그릇을 들고 아드리안 앞에 쪼르르 달려왔다.

"이거? 궁금해? 뭘까? 궁금하지?"

"또 맞고 싶은가 본데."

"아티가 나한테 선물로 줬지롱! 나한테만! 특별히!"

그렇지 않아도 아티와의 첫 외출을 테르니 자식에게 빼앗겼다는 사실에 슬슬 화가 나던 참이었다.

그런데 뭐? 선물을 받아?

아드리안은 아티에게 선물 같은 걸 받은 적이 없었다.

그런 아드리안에게 테르니는 기름을 붓다 못해 불까지 질러 버린 격이었다.

아드리안은 촐싹대는 테르니의 그릇을 낚아챘다.

"앗! 내 그릇 돌려줘!"

아드리안은 당장 그릇을 깨부수려고 했다. 하지만 그보다 테르니의 외침이 더 빨랐다.

"그거! 아티가 준 건데!"

"……."

"깨면 아티가 슬퍼할 텐데?!"

그 말을 부정할 수 없었다. 아드리안은 고뇌했다.

자신이 준 선물이 산산조각 났다는 걸 알게 되면 아티는 아마 자신을 미워할지도 몰랐다.

"압수."

"뭐? 야! 그건 아니지! 아드리안!"

아드리안은 테르니의 항의를 깔끔히 무시하고 그릇을 서랍 속에 넣어 버렸다.

한참이나 난리를 치던 테르니는 결국 공포와 권력에 굴복하고 잠잠해졌다.

짜증스러운 한숨을 내뱉은 아드리안은 보던 서류도 덮은 채 심복들에게로 시선을 돌렸다.

"너희들, 대체 그 녀석에게 무슨 소리를 지껄인 거지?"

그 부분에 대해서는 명확하게 짚고 넘어갈 생각이었다.

그때 자신의 감정을 모르고 있었다고는 하지만, 아티를 보러 찾아갔었던 건 두렵게 하려는 의도가 아니었다.

이 감정의 정체를 몰라서, 그러니 알고 싶어서.

그 방황했던 순간을 저 자식들이 망쳐 버리고 말았다.

뚱하게 앉아 있던 테르니가 통명스럽게 대답했다.

"너 그때 진짜 이상했거든? 매일 찾아가서 아무 말도 안 하고 우리 아티 빤히 쳐다보다가 갑자기 소리 지르면서 달려 나가고. 그게 정상인 사람의 행동이냐?"

"그건—."

아드리안은 변명하려다 황급히 입을 닫았다.

테르니에게 털어놓는다면 아마 방해만 해 댈 게 분명했다.

아드리안은 테르니를 투명 인간 취급하며 잠자코 앉아 있던 디아노에게 시선을 돌렸다.

"디아노. 내가 정말 그래 보였나?"

"예, 예?!"

"미친 사람 같았냐고."

갑작스러운 질문에 당황하던 디아노가 두 눈을 열심히 굴리더니 이내 고개를 끄덕였다.

"……예에."

아드리안은 이마를 짚었다.

젠장. 망했군.

뭘 시작하기도 전에 상황은 순조롭게 망해 있었다.

아티가 자신을 미친 사람으로 본다고 생각하니 당장에라도 테르니를 없애 버리고 싶었다.

굳이 테르니인 이유는 그냥. 재수 없어서.

하지만 이렇게 굴복할 수 없었다. 아드리안은 진지한 얼굴로 디아노에게 손짓했다.

"이리 와 봐."

디아노가 쭈뼛쭈뼛 다가와 아드리안의 옆에 섰다. 아드리안은 디아노의 목에 팔을 걸고 은밀하게 입을 열었다.

"내가 물어볼 게 있는데."

"예."

"어떻게 하면 나를 무서워하지 않을 것 같아?"

"……?"

'지금 이러는 게 너무 무서운데요.'

디아노는 속마음을 꾹 감추며 맹렬하게 머리를 굴렸다.

주어는 없지만 알아들을 수 있었다.

어떻게 하면 아티가 아드리안을 무서워하지 않을 수 있을까.

그걸 고민하자니 자연스럽게 자신의 귀엽고 사랑스러운 동생 아카시아가 떠올랐다.

"선물을 주면 좋아하지 않을까요."

"선물?"

"예. 아카시아는 제가 선물을 사 들고 가면 가끔 뺨에 뽀뽀도 해 줍니다."

아드리안은 고개를 끄덕였다.

뽀뽀라. 노력 대비 상당히 괜찮은 보상이군.

"뭘 주면 좋지?"

그 질문에 대답한 건 삐쳐 있던 테르니였다.

"보석이나 드레스나 꽃은 식상하고 재미없어. 아마 아티도 별로 안 좋아할걸?"

"넌 조용히 해."

아드리안의 차가운 한마디에 테르니는 입술을 삐쭉였다.

곰곰이 고민하던 디아노는 테르니의 의견에 동의했다.

"그런 건 전하께서 안 주셔도 이미 많잖습니까? 그러니 실용적이며 예쁜 것을 준다면 아마 기뻐하겠죠."

실용적이며 예쁜 것?

당장 떠오르는 게 없었다.

"……그게 뭔데?"

디아노는 무뚝뚝하게 표정을 굳히며 한 발짝 물러났다.

"그건 전하께서 직접 고민하시는 게 좋지 않겠습니까?"

"……."

그렇게 아드리안의 고민거리가 하나 더 늘어났다.

황후의 탄신 연회가 끝나면서 황궁에 머물던 사절들이 하나둘 고국으로 돌아가기 시작했다.

시리우스 제국의 사절단도 예외가 아니었다.

이른 아침부터 시작된 준비는 정오가 되기 전 끝이 났다.

아드리안과 아티는 황제와 황후의 대리로 시리우스의 사절단을 배웅 나왔다.

"싫어! 싫다고! 나 안 가!"

"로넨!"

베로니카 황후가 짐짓 엄하게 꾸짖었지만, 로넨은 아랑곳 않고 울었다.

처음에 아펜니노가 싫다며 버티던 로넨은 이제 아펜니노를 떠나기 싫다며 울고불고 떼를 썼다.

그 광경을 지켜보던 아드리안은 코웃음을 쳤다.

'저 망할 꼬맹이, 빨리 사라졌으면 좋겠는데.'

아드리안은 로넨을 한시라도 빨리 시리우스로 보내 버리기 위해서 황궁 내 마법진을 개방했다.

발동 시 많은 마력이 들어 황가의 일원도 쉬이 사용하지 않는 마법진이지만, 그 정도로 아드리안은 로넨이 꼴 보기 싫었다.

"안 가. 안 간다고! 난 아직 아티랑 결혼도 못 했단 말이야!"

로넨은 이제 아티를 붙잡고 늘어지기 시작했다.

베로니카 황후는 그런 아들을 보며 얼굴을 푹 숙였다.

"미안하구나, 아드리안. 아들이 저 꼴이라 면목이 없어."

"예."

괜찮습니다, 라는 겸양의 말은 나오지 않았다. 정말로 안 괜찮았으니까.

"일부러 마법진까지 준비해 주다니, 정말 감동했단다. 덕분에 돌아갈 때는 편하게 돌아갈 수 있게 되었어."

"이모님께서 마차 멀미를 하신다는 소식을 듣고 급히 준비해 보았는데, 마음에 드신다니 다행입니다."

의젓하게 대답하는 아드리안을 기특하다는 듯 본 베로니카 황후의 시선이 다시금 아들에게로 옮겨 갔다.

"싫―다―고! 아티! 나랑 춤도 안 췄잖아! 어떻게 이럴 수 있어! 아티도 나랑 떨어지기 싫잖아. 그치? 맞지?"

로넨의 떼는 점점 그 정도를 높여 가는 중이었다. 표적이 된 아티는 쩔쩔매며 로넨을 달래느라 여념이 없었다.

"다음에 또 놀러 오면 되잖아."

"다음은 없어! 난 지금 아티랑 같이 있고 싶다고!"

"로넨……."

아드리안은 한숨을 내쉬며 아티와 로넨에게로 다가갔다. 로넨은 우느라 미처 아드리안의 접근을 알아채지 못했다.

"그럼! 아티도 같이 가자! 그래서 나랑 결혼하는 거야. 어때? 좋―!"

"좋긴."

대신 대답한 것은 아드리안이었다. 그는 망설임 없이 로넨의 뒷덜미를 붙잡아 마법진을 향해 던졌다.

우웅.

짧은 공명음과 함께 마법진이 발동하더니, 그대로 로넨을 삼켰다.

"……."

"……."

숨 막히는 침묵이 흐르는 가운데, 웃고 있는 것은 오로지 아드리안뿐이었다.

감히 누굴 데려가?

망할 꼬맹이의 얼굴이 보이지 않는다는 사실에 속이 다 시원했다.

가장 먼저 침묵을 깬 것은 베로니카 황후였다.

"아드리안……. 애를 먼저 보내 버리면 어떡하니?"

"아, 죄송합니다. 조심히 가십시오, 이모님."

하지만 전혀 죄송한 얼굴이 아니었다. 베로니카 황후는 바로 전까지 아드리안이 기특하다고 생각했던 것을 취소했다.

그리고 아직도 충격에 빠져 있는 아티의 어깨를 토닥였다.

"네가 고생이 많겠구나."

"아, 아닙니다."

"돌아가면 또 울음소리로 시끄럽겠지. 벌써 머리가 아프구나."

몇 번 혀를 찬 베로니카 황후는 우아하게 마법진 위에 섰다.

문이 박살 날 듯 세차게 열렸다.

무시무시한 기세로 들어온 누군가는 어떤 망설임도 없이 아드리안을 향해 진격했다.

"직접 찾아와서 찾으면 발뺌 못 하겠지? 어디다 숨겼어? 내 시녀 내놔!"

들어선 인물은 다름 아닌 마리에 공주님이었다.

내가 모시던 상관이며 동시에 이 나라 아펜니노의 하나밖에 없는 공주. 더불어 황태자의 친동생이었다.

"뭐?"

"내 시녀. 도자기 심부름 보낸 시녀!"

헉. 내 이야기였다.

나도 모르게 숨을 크게 들이마시고 말았다. 황태자의 날카로운 시선이 내게 날아왔다.

황급히 입을 닫으며 상황을 살폈다.

"사정이 딱해서 돈 좀 쥐여 줘서 원래 집에 보냈어."

"거짓말하지 마! 어디 오빠가 그럴 위인이야? 차라리 죽였다고 해, 그럼 믿을게!"

이러다 내가 아티엔느가 아니라 비올라라는 사실을 들키면 어떡하지?

그래도 근처에서 모신 적이 있으니 얼굴을 알아보지 않을까 걱정이 되었다. 화장을 하긴 했지만, 영 불안했다.

품을 뒤적여 면사를 찾아내려 했지만 불행히도 없었다.

아까까지 분명히 있었는데! 어, 어떡하지?

"그래, 죽었어."

"그걸 내가 믿을 거 같아?"

"죽였다고 하면 믿는다며."

"말이 그렇다는 거지!"

피곤한지 황태자는 작게 한숨을 내쉬며 소파에 몸을 기댔다.

권태로운 시선이 아래로 내리깔렸다.

이내 그가 다시 고개를 삐딱하게 들고 마리에 공주를 보았다.

"믿든 말든 별로 상관없어. 용건은 그게 끝인가?"

"간만에 맘에 든 시녀였는데. 말수도 적고 고분고분하고 그래서 좋았다고. 요새 그만한 시녀 찾기 힘들단 말이야. 정말로 오빠가 죽였어?"

타인의 입으로 듣는 내 이야기에 어쩐지 민망해졌다.

이들의 대화에서 나는 완전히 소외되어 있지만, 아이러니하게도 대화 주제는 나였다.

내가 말수가 적고 고분고분했었구나…….

최대한 눈에 띄지 않으려고 조용히 입을 다물고 있었는데, 그래서 나를 옆에 두었던 거구나.

몰랐던 사실을 알았다. 동시에 엄청난 절망이 몰려왔다.

엄청 떠들고 나댔으면 포인세티아 궁으로 도자기 심부름을 갈 일도 없었을 텐데, 그럼 이 약혼녀 행세를 하는 것도 내가 아니었을 텐데!

"아니, 궁 밖으로 내쫓았어."

예전부터 생각했던 거지만 아드리안 황태자는 정말로 거짓말에 타고난 재능이 있었다.

어떻게 저렇게 얼굴색 하나 변하지 않고 거짓말을 하지? 그 시녀가 지금 멀쩡히 서서 지켜보고 있는데.

"왜 쫓았는데?"

"내 도자기 깨 먹어서."

"······."

어처구니가 없다는 듯 마리에 공주가 입을 다물었다.

나는 그 심정을 아주 절절히 이해할 수 있었다.

"그럼 진작 도자기 때문에 쫓았다고 말해 줬으면 좋았잖아."

"내가 왜."

마리에 공주가 돌연 뒷목을 붙잡았다. 급격하게 혈압이 오른 모양이었다.

마리에 공주의 얼굴이 분노로 달아올랐다.

"아오, 저 성질머리! 진짜 이놈의 집구석에 제대로 된 인간이 하나도 없어! 나 빼고 다 비정상이라니까!"

"내가 제일 정상이지."

황태자의 발언에 마리에 공주는 물론 나까지 어이를 상실하고 말았다.

지금 뭐가, 정상이라고? 청력을 의심케 하는 발언이었다.

양심이 있는 걸까. 아니, 분명 없었다. 있었다면 저런 말을 지껄일 수 없었겠지.

"됐어. 오빠랑은 말이 안 통해. 새언니, 언니는 못 봤어요?"

"네, 네?"

마리에 공주가 갑자기 내게 시선을 돌렸다.

등장부터 쭉 공기 취급을 받고 있던 터라 갑작스런 질문이 엄청나게 당황스러웠다.

어, 어쩌지? 아직 얼굴을 못 가렸는데…….

"엄청 귀여운 시녀 하나를 보냈거든요. 그런데 그 뒤로 돌아오질 않아서요. 못 봤어요?"

"모, 못 봤어요."

그게 난데요……. 귀엽다는 칭찬은 좋았지만, 즐길 상황이 아니었다.

마리에 공주의 뒤로 황태자가 나를 노려보고 있었다.

눈빛이 나를 뚫어 버릴 듯 아주 강렬했다. 으흑, 무서워.

"그러고 보니, 새언니 얼굴이……."

"헉."

내 얼굴이 새하얗게 질렸다. 황급히 입가를 가렸지만 소용이 없었다.

눈을 가늘게 든 마리에 공주가 내게 천천히 다가왔다. 뭔가를 의심하는 듯한 눈초리였다.

들키나? 이대로 세상을 하직하나?

들킬 가능성이 아주 높았다. 단기간이라고는 하나 마리에 공주의 바로 옆에서 일을 했다. 얼굴을 알아본 거겠지?

"정말 예쁘네요!"

"……."

삐끗, 긴장이 풀린 나머지 하마터면 주저앉을 뻔했다.

내가 그 시녀라는 사실을 알아채지 못한 게 분명했다. 아니, 그럴 거면 대체 왜 찾은 건데!

"이렇게 예쁜데 그동안 얼굴을 왜 가리고 다닌 거예요?"

"그게……."

황태자가 가리고 다니라고 협박했지만, 그 사실을 곧이 곧대로 말할 수 없었다.

슬그머니 마리에 공주 어깨 너머의 아드리안을 보았다. 여전히 이글거리는 눈빛으로 나를 노려보고 있었다.

잘하자. 그렇게 말하고 있는 것만 같았다.

"전하께서 다른 사람들에게 제 얼굴을 보여 주지 말라고 하셨어요. 오로지 자기만 보고 싶다고……."

물론 헛소리였다.

"어머어머, 어쩜!"

더 놀라운 건, 그 개소리에 두 손을 모으고 눈을 반짝반짝 빛내는 마리에 공주의 태도였다.

아니, 저게 믿겨?

"오빠한테 그런 면이 있었다니, 상당히 의외네요."

"그, 그렇죠?"

어색하게 웃으며 또 황태자의 동태를 살폈다. 여전히 나를 노려보고 있었다. 내가 말한 게 마음에 들지 않는 모양이었다.

그래도 저게 내가 할 수 있는 최선의 대사였다고!

"흠, 일단 알겠어요. 따로 더 찾아봐야겠네요."

아직 의심이 완전히 걷히지 않은 눈으로 매섭게 주위를 훑은 마리에 공주가 문가를 향해 다가갔다.

휴, 드디어 끝났나?

안도의 한숨을 내쉬는데, 마리에 공주가 돌연 걸음을 멈췄다. 더불어 나는 또다시 긴장 상태에 돌입했다.

"새언니!"

"네?!"

"아이, 깜짝이야. 그렇게 크게 대답하지 않으셔도 돼요."

나도 모르게 긴장한 나머지 있는 힘껏 대답하고 말았다. 괜히 머쓱해져 볼을 긁적였다.

"별건 아니고, 이번에 아빠가 새언니 보고 싶다고 해서요. 꼭 오라고 하더라고요."

"화, 황제 폐하께서요?"

만찬이라니. 나는 전혀 듣지 못한 소식이었다. 아무도 내게 만찬이 열릴 거라는 말을 해 준 적이 없었다.

"안 갈 건데."

지켜만 보던 황태자가 입을 열었다. 마리에 공주와 나의 시선이 일제히 그를 향했다.

아드리안은 만사 귀찮다는 얼굴로 인상을 찌푸렸다.

"정말 안 와?"

"안 가."

"정말?"

네가 과연 그럴 수 있을까? 하는 듯한 웃음을 지으며 마리에 공주가 재차 질문했다.

뭔가가 있는 것 같았다. 대체 뭐지? 저 야릇한 미소는. 내가 괜히 불안해졌다.

"정말로 안 갈 거니까 그렇게 알아. 더 귀찮게 할 거면 이만 꺼……."

아드리안은 말을 채 이을 수 없었다. 중간에 마리에 공주가 말을 잘랐기 때문이었다.

"안 오면 아빠가 오빠 말들 다 팔아 버릴 거래."

"……뭐?"

황태자가 와작 인상을 찡그렸다.

그리고 찾아온 엄청난 고요. 주위의 공기가 얼어붙은 것 같은 착각이 일어 숨이 턱 막혔다.

무시무시한 기세였다. 살인이라도 날 것 같았다. 누구도 꿈쩍하지 못하는 상황에서 먼저 입을 연 것은 황태자였다.

"간다고 전해."

"역시 그럴 줄 알았어."

마리에 공주가 생글생글 웃었다. 아드리안은 미간을 누르며 한숨만 내쉬었다.

만찬에 참석하기 어지간히 싫은 모양이었다. 그리고 그건 나도 마찬가지고.

귀찮다는 듯 황태자가 손짓하자 마리에 공주는 살랑살랑 밖으로 나갔다.

"새언니, 그럼 내일 봐요!"

마지막 인사마저 아주 발랄하기 그지없었다. 정말 해맑은 캐릭터야. 테르니와는 다른 종류의 쾌활함이었다.

마치 폭풍이 휩쓸고 간 것 같았다. 나는 너덜너덜해지고 말았다.

돌아가서 쉬고 싶은 마음이 간절했지만 아직 용건은 끝난 게 아니었다.

슬쩍 고개를 드니 역시나 황태자가 나를 보고 있다. 숨막히는 시선에 뒤돌아 도망쳐 버리고 싶었지만 꾹 참고 쭈뼛쭈뼛 다가갔다.

"들었지. 만찬에 참석할 거다."

"네."

"내 말에 문제라도 생기면……."

"잘할게요!"

열심히 고개를 끄덕거렸다. 말을 위해서라면 무엇이든 할 수 있을 것 같았다.

말이 더 소중하지, 암 그렇고말고. 말이 무사해야 내가 살았다.

"그래, 잘하자."

"네!"

아주 힘차게 대답했다. 그래야 내 목숨을 부지할 확률이 조금이라도 올라갈 것 같았다.

거슬리지는 않는지 황태자의 표정이 구겨지거나 그러지는 않았다.

"그런데, 저는 왜 부르신 거예요?"

드디어 아까부터 하고 싶었던 질문을 내뱉었다.

아드리안의 시선이 느껴졌다. 그가 눈을 깜빡였다. 새빨간 눈동자가 요요하게 빛났다.

마치 홀리는 기분이었다.

어, 나 왜 이러지?

"……그냥."

싱거운 대답이었지만 고개를 끄덕일 뿐 아무 대답도 할 수 없었다.

황태자의 태도가 정말로 이상했다.

대체 뭐가 이상한지 설명할 수 없지만, 정말로 이상했다.

고개를 갸웃거리며 이유를 생각하려다 그냥 포기했다.

Chapter 8. 황실의 실체

Chapter 8. 황실의 실체

마리에 공주가 화려하게 예고하고 간 다음 날, 정말 포인 세티아 궁에 정식으로 시종들이 찾아왔다.

오후 6시부터 크리스텐 궁에서 만찬이 있을 것이며 참석을 요망한다는 깍듯한 인사에 괜스레 기분이 이상해졌다.

정말로 황가의 일원이 된 것 같은 기분이라고 해야 할까?

황실 사람들이 대단하다는 건 알고 있었지만 저녁 만찬조차 이렇게 시종을 통해서 연락하고 모여야 한다는 건 역시 적응이 되지 않았다.

"저녁 만찬 준비라~. 빠듯하겠어요. 호호호호."

"빠듯하다니요? 그냥 평소대로 입고 가면 되지 않을까요?"

"어머나."

마담 루시가 놀란 표정으로 나를 바라보았다. 내가 뭘 잘못 말했나?

"그렇게 순진한 말씀을 하시다니. 아직 세상의 때를 덜 타셨군요. 후후. 신선해요."

"네?"

갑자기 세상의 때가 왜 나오는 거지?

영문을 모르겠다는 표정으로 고개를 갸웃하니 마담 루시가 검지를 까딱까딱했다.

한 수 가르쳐 주겠다는 자세로 마담 루시가 나를 붙잡았다.

"황실은 겉으로는 평화로워 보이지만 사실은 가장 권모술수가 난무하는 최전방의 전쟁터랍니다. 어느 누구도 쉽게 봐선 안 돼요. 언제 어디서 누군가가 어떻게 아티 양을 노리고 함정을 팔지 모르는 거랍니다."

"아…… 그, 그런가요."

황실 사람들이 나에게 함정을 판다는 소린가? 마담 루시의 말을 이해할 수 없어서 고개를 갸웃했다.

내 떨떠름한 반응에도 불구하고 마담 루시의 일장 연설은 끝날 줄을 몰랐다.

자신의 말에 심취한 상태로 마담 루시가 비통한 표정을 지었다.

"황실 식구들은 겉으로는 따뜻해 보일지도 모르지만 사실은 속은 차갑기 그지없는 비정한 사람들이랍니다. 들은 것도 못 들은 것처럼, 알아도 모르는 척, 절대 누구와도 쉽사리 연이 닿으면 안 된답니다. 황가의 일원으로 사는 것이란 그리도 비정한 것! 절대 누구와도 친해지면 안 되고, 절대 누구와도 척을 지면 안 돼요. 흑흑. 저는 그 중요한 원칙을 지키지 않아 스러져 간 많은 생명들을 알고 있답니다."

뭐라는지 모르겠다.

그냥 침통한 표정으로 같이 고개를 끄덕였다.

마담 루시는 비통한 표정으로 눈물도 없이 흑흑 울다가 돌연 나를 드레스 룸으로 데리고 갔다.

"그러니까 우선 어르신들께 잘 보이셔야겠지요? 저는 이 드레스가 좋을 것 같아요. 호호호."

결론이 왜 그렇게 되는지 모르겠지만, 나도 꾸며야 할 것 같은 기분이 들긴 했다. 일반 귀족가의 만찬이랑은 격이 다를 테니까.

마담 루시는 척 보기에도 파티용인 게 분명한 화려한 드레스를 나에게 내밀었다.

"이건 좀……. 너무 화려하지 않을까요?"

그래도 저녁 만찬인데.

내가 부담스러워하니 마담 루시가 쯧쯧 혀를 차며 고개를 가로저었다.

"이곳은 황궁이랍니다. 황궁!"

윽. 그래도 너무 화려한 거 같은데. 푸른 드레스를 받아 들며 난감해했다.

그런 나를 마담 루시가 단호하게 설득했다.

"기억하세요. 황궁에선 오로지 화려함만이 전투복이 된다는 것을! 이것은 전투복이라고요!"

"아, 알았어요."

정말 내키지 않았지만……. 나는 결국 마담 루시가 골라

준 대로 입을 수밖에 없었다.

　나는 그 무거운 차림새를 하고서 힘겹게 황후 폐하를 위한 선물을 챙겼다.

　헬머 아저씨가 나한테 대충 던져 주었던 그릇 세트였다. 깨지지 않도록 조심해서 상자에 포장한 채였다.

　"일단 준비하긴 했는데……."

　마음에 드실지 모르겠네. 혹시라도 황후 폐하의 취향에 맞지 않을까 봐 걱정이 됐다.

　그런 불안함을 안고서 침실을 빠져나왔다.

✦ ♛ ✦

　"저녁 만찬이라는 말 못 들었나?"

　에스코트하러 온 아드리안 황태자가 나를 보자마자 인상을 구겼다.

　이거 다 마담 루시가 이러자고 한 건데!

　황태자는 뭐 이렇게 입었냐는 듯 나를 훑어보았고 그럴수록 내 뺨은 수치심에 붉게 물들어 갔다.

　억울함에 마담 루시를 돌아봤지만 마담 루시는 나 몰라라 딴청을 피웠다.

　전투복이라며! 전투복이랬잖아! 또 속았다.

　낭패한 표정으로 고개를 숙이니 아드리안이 한심하다는 표정으로 나를 내려다보았다.

　잔뜩 주눅이 들어서 어깨를 움츠렸다.

"……지금이라도 다른 걸로 갈아입고 올까요?"

자신 없는 목소리로 물어보니 아드리안 황태자가 나를 빤히 쳐다보기만 했다.

또 이러시네.

이제 이렇게 말없이 바라보는 일이 하도 많아지다 보니 익숙해져 버렸다. 그렇다고 눈치가 안 보이는 건 아니었지만.

"다른 걸로 갈아입고 올게요!"

안 되겠어. 다른 사람들이 놀라워할 걸 생각하니 부끄러움을 참을 수 없어졌다. 어서 위화감이 없게 비교적 평범한 옷으로 갈아입어야겠다.

다급하게 몸을 돌렸지만 바람대로 안으로 들어가지는 못했다. 아드리안 황태자가 내 팔을 붙잡았기 때문이었다.

얼떨결에 붙잡혀서 멈춘 상태로 뒤를 돌아보았다. 왜 붙잡은 거지?

내가 몸을 돌리니, 아드리안 황태자가 심오한 표정으로 나를 보고 있었다.

"저, 전하?"

"그냥 그대로 가지."

"그래도 되나요?"

너무 화려한 거 아니었어? 조심스럽게 물어보니 황태자가 차분하게 고개를 끄덕였다.

"시간 없어."

"……."

그럼 그렇지. 따뜻한 배려를 바랐던 내가 머저리였다.

마담 루시는 이제 완전히 나를 외면하고 있었다.

아드리안 황태자가 내게 손을 내밀었다. 에스코트하려고 내민 손에 내 손을 살포시 올려놓았다.

맞겠지? 주변의 분위기를 살피며 눈치껏 행동했는데 다행히 맞는 모양이었다.

아드리안이 내 손을 꽉 잡았다.

"그럼, 출발하지."

"네, 네!"

오늘 저녁 만찬이 열리는 곳은 크리스텐 궁이었다.

루드밀라 황후 폐하의 생신을 맞이해 가족끼리 단출하게 모여 축하하는 것이 이 만찬의 목적이라고 했다.

이렇게 성심성의껏 축하하다니, 정말 가족애가 남다른 황가였다.

입궁하기 전까지 황가 식구들은 정말 피도 눈물도 없는 무서운 사람이라고 귀에 못이 박히도록 들었는데, 편견이 깨지고 있었다.

게다가 막상 한 번씩 만나 본 바로는 아드리안 황태자를 제외하고는 다 좋은 사람 같았다.

황태자와 함께 걷고 있으니 당연한 말이지만 뒤에 수행원이 따라붙었다.

황태자의 시종들과 내 시녀들이 일부 붙어서 따라오는데 꼬리를 달고 다니는 기분이라 느낌이 이상했다.

황가 사람들은 어떻게 이걸 아무렇지 않게 견디지?

나도 마리에 공주의 수행원으로 자주 뒤를 따라다녔기

때문에 더 느낌이 이상했다. 막상 따라다닐 때는 아무 생각 없었는데.

"왜 그래?"

"네, 네?"

"왜 인상 쓰냐고. 뭐가 맘에 안 들어?"

"아, 아니에요. 마음에 들어요."

"뭐가 마음에 드는데?"

또 뭐 때문에 이러는 걸까?

내가 다급하게 대꾸하니 아드리안이 묘하게 웃었다. 오싹한 감각이 훑고 지나갔다. 대체 뭔데.

"어…… 음……. 제 드레스?"

싸늘한 공기가 지나갔다. 흑흑. 내가 이럴 줄 알았어.

아드리안이 혀를 찼다. 나는 고개를 푹 숙였다.

"내가 무슨 말 할지 알지?"

"네……."

"앞으로 잘해야겠지?"

"네……."

"알았으면 굳이 말하지 않을게."

"네……."

잔뜩 움츠러든 채로 아드리안을 올려다보았다. 황태자랑 눈이 마주치자 심장에 칼이라도 꽂힌 듯 오싹한 기분이 들었다.

깜짝 놀라 몸을 흠칫하니 아드리안이 나를 주시했다.

뭐지? 눈이 마주친 순간 이상한 기분이 들었어. 붉은 눈이 무서워서 그런 건가?

"뭐지?"

"네? 아, 아무것도 아니에요."

"아픈 건가?"

스윽. 아드리안이 다가와 손을 내 이마에 올려놓았다. 갑작스러운 접촉에 깜짝 놀라 경직되었다.

숨을 죽이고 있으려니 내 이마에 손을 대 보던 아드리안 황태자가 의아해했다.

"열은 없는데."

또 뭐라고 하는 게 아닐까? 눈치를 보고 있으려니 아드리안이 나를 빤히 쳐다보았다.

이제 이 시선에 하도 노출이 되었더니 익숙해졌는데…… 그래도 무서웠다.

"빨리 걸어. 이러다 저녁 다 먹고 난 뒤에 도착하겠다."

"네, 네!"

다행히 우리는 저녁 만찬이 시작하기 전에 크리스텐 궁에 도착할 수 있었다.

크리스텐 궁. 일명 황제 궁은 당연한 소리이지만 내성에서도 가장 출입 통제가 심했기 때문에 일정한 자격이 있는 시녀만 들어올 수 있었다.

가끔 근처까진 와 본 적 있어도 크리스텐 궁 내부에 들어온 적은 처음이었다.

시녀로서 들어왔다고 해도 긴장으로 온몸이 떨릴 지경인데, 오늘 나는 황가의 일원으로 방문한 것이었다.

오늘 정말 잘할 수 있을까? 자신이 없는데.

얼굴에 뒤집어쓴 면사를 다시 한번 고쳐 쓰고 크게 심호흡을 했다.

아드리안 황태자는 별생각 없는지 크리스텐 궁 시종들의 안내에 따라 식당으로 향했다.

"들어가시면 됩니다."

마지막으로 식당 문에 서서 아드리안 황태자가 나를 봤다.

눈이 마주치자마자 또 몸이 흠칫했다. 붉은 눈동자가 이렇게 매혹적이라니, 정말 반칙이었다.

그대로 내 손을 잡고 아드리안 황태자가 식당 안으로 들어섰다.

이미 루드밀라 황후를 비롯한 마리에 공주까지 자리에 앉아 있었다.

카를로만 황제는 아직 식당 내에 없었다.

"아드리안, 좀 늦었구나."

"많이 기다리셨습니까?"

태연한 아드리안의 목소리에 마리에 공주가 입술을 삐죽이며 끼어들었다.

"어. 엄청 기다렸어."

"마리에!"

황후가 엄하게 마리에 공주를 꾸짖고 다시 인자한 시선으로 아들 내외를 바라보았다.

"둘 다 어서 자리에 앉으렴. 폐하께서는 아직 공무 중이시란다. 공무를 마치고 바로 오신다고 하셨단다. 어머나,

오늘 새아가가 아주 예쁘군요. 우리들 본다고 꾸미고 온 것인가요?"

"네? 그, 그것이……."

마담 루시가 이렇게 만들어 놨어요……. 하소연을 하고 싶었지만 장소가 장소이니만큼 눈치를 보다가 그냥 고개를 숙였다.

"황후 폐하께 잘 보이고 싶어서……."

내 한마디에 루드밀라 황후의 표정이 흔들렸다.

말을 잘못 한 것인가, 생각나는 게 그 말밖에 없었는데.

아차 싶어 입술을 깨물었을 때였다. 돌연 황후가 환하게 웃으며 손으로 입을 가렸다.

"귀엽기 그지없는 이유구나. 하마터면 깨물 뻔했단다. 혹시 아드리안, 네가 시켰니?"

"아니요. 제가 그럴 위인으로 보이십니까?"

"하긴 그렇지. 새아가, 오늘 정말 예쁘군요. 자, 어서 앉아요."

뭔지는 모르겠지만 잘 넘어간 모양이었다.

내가 조심스럽게 자리에 착석하자 옆에 앉은 마리에 공주가 나를 빤히 바라보았다.

이거 참 부담스러운데.

"새언니, 오늘따라 더 예뻐 보여요. 역시 꾸며서 그런가?"

"감사합니다. 마리에 공주님도 오늘따라 더 예뻐요."

"어머, 그럼 제가 평소엔 별로라는 소리예요?"

"아, 아니요. 그게 아니라……."

황실 식구들은 왜 이렇게 다들 말꼬리를 잡아서 이상하게 꼬아 버리는 버릇이 있는 걸까?

　말 한번 잘못했다가 분위기를 망치게 생겨서 어쩔 줄을 모르고 있는데 아드리안 황태자가 내 어깨를 감싸 자신 쪽으로 당기며 마리에 공주를 노려보았다.

　"죽는다, 너."

　"와, 자기 부인이라고 감싸는 거 봐. 윽. 오글거려."

　"말 안 가려서 쓰냐?"

　"싫은데."

　혀를 날름 내밀다가 마리에 공주가 웃으면서 나를 보았다.

　"그냥 새언니가 너무 순해서 놀려 보고 싶었어요. 미안해요, 새언니."

　"아, 아니에요. 괜찮아요."

　"근데 저 정말 평소에 별로라고 생각하세요?"

　누가 남매 아니랄까 봐, 뒤끝까지도 완전 아드리안 황태자랑 빼닮았다.

　내가 난감하게 웃으니 황태자가 마리에 공주를 노려보았다. 마리에 공주는 싱글싱글 웃으며 나를 바라보다가 이내 손뼉을 치며 웃음을 터뜨렸다.

　대체 뭐가 저렇게 좋은 걸까?

　"우리 가족이 이렇게 모여서 만찬을 갖는 게 얼마 만인지 모르겠구나. 폐하께선 아직 오시지 않으셨지만 분명 기뻐하실 게야."

　"맞아, 늘 새언니가 아파서 만찬에 나오지 못했잖아요.

요즘 건강해지신 거 같아서 내가 다 좋아요."

마리에 공주의 말에 어색하게 웃을 수밖에 없었다.

그랬었어? 아티엔느에게 병약 설정이 붙어 있다는 소리는 처음 듣는데.

의혹을 해소하기 위해 아드리안 황태자를 쳐다보았지만 황태자는 내 시선을 가뿐하게 무시했다.

……정말 도와주는 사람 하나도 없어.

"그래. 새아가가 몸이 많이 연약하고 늘 말도 없고 안색도 창백하기만 해서 나도 많이 걱정했단다. 아드리안과 사이는 좋아 보여 다행이었지만 역시 건강이 제일인 것이야."

"새언니, 우리 얼굴 좀 자주 보고 그래요. 네? 이제 한 식구가 될 사이잖아요."

이런 다정한 사람들…….

아티엔느가 되고 나서 너무 시달린 모양이었다. 마음이 찡해졌다. 마리에 공주와 황후 폐하의 말씀이 이렇게 감격스러울 수가 없었다.

누가 황가 사람더러 비정하고 정 없다고 했어! 대체 누구야!

아드리안 황태자를 보면 인정하는 이야기였지만 내 앞의 두 사람에겐 전혀 해당이 되지 않는 이야기였다. 흑흑. 상냥해.

"마리에 말처럼 앞으로는 자주 좀 보자꾸나. 늘 릴리 궁에서 나오질 않는 것 같아 나도 많이 걱정했단다."

"새언니, 우리 다음엔 제 궁에서 티 파티 해요. 어때요?"

"어머, 이 어미를 빼고 둘이서만 만나는 것이니?"

"에이, 그럴 리가요! 엄마도 같이 셋이서 티 파티 해요!"

"나는 좋단다. 후후."

왜 내 의견은 무시되고 당연히 티 파티를 진행하는 걸로 분위기가 흘러가는 거지.

내가 뭐라고 말을 하기도 전에 공주와 황후가 나란히 후후후 웃음을 흘리며 티 파티 건을 확정해 버렸다.

아드리안 황태자는 심드렁하게 두 여자를 방관할 뿐 나를 도와주지 않았다.

마담 루시, 당신의 말이 맞는 거 같아요. 여긴 전쟁터야…….

"황제 폐하께서 드십니다."

그때, 시종의 외침에 문이 열리며 건장한 풍채의 황제 카를로만이 안으로 들어섰다.

반사적으로 자리에서 일어나려고 했는데, 나머지 식구들은 편하게 앉아서 황제의 등장을 반겼다.

어, 어? 일어서야 하는 거 아닌가?

"폐하, 어서 오세요."

"황후. 많이 기다렸소?"

"아니에요. 담소를 나누다 보니 시간이 흘러간지도 몰랐습니다."

마리에 공주와 아드리안 황태자는 묵례하는 걸로 인사를 대신했다. 나도 얼떨결에 그들과 마찬가지로 황제에게 묵례를 했다.

루드밀라 황후의 권유로 가장 상석에 앉은 황제가 그대로 나를 바라보았다.

윽, 가시방석이야. 지금이라도 일어나서 무릎 꿇으며 인사를 해야 하는 거 아닌가 싶어서 불안했다. 어, 어떡하지.

매번 초상화나, 행차하시는 자리에서 고개를 숙이고 있으면 다리랑 발이나 혹은 목소리, 그리고 먼발치에서 보이는 모습만 뵙다가 이렇게 가까이서 알현하려니까 긴장감에 허리가 꼿꼿이 섰다.

황제는 황제였다.

엄청난 위압감에 숨을 제대로 쉴 수가 없었다. 황후와 공주 덕에 녹았던 마음이 다시 얼어붙었다.

방심하면 안 된다!

폐하의 굳은 표정이 무서웠다. 나에게 뭔가 마음에 들지 않는 점이 있는 것만 같아 더 가시방석이었다.

역시 너무 무례했던 게 아닐까? 내가 막 이것저것 걱정을 하고 있을 때였다.

"며늘아기."

부드럽게 웃으며 카를로만 황제가 나를 불렀다.

그 말에 아드리안의 표정이 무참하게 구겨졌다.

"네, 네……."

나를 부르는 거 맞지? 급하게 대답하느라 당황해서 목소리가 이상하게 나갔다.

황제가 나를 보더니 아주 흐뭇한 미소를 흘리며 입을 열었다.

"오랜만에 보는구나. 저번에 황후의 파티에선 짐이 바빠서 인사를 제대로 못 했는데 이렇게 느긋한 자리에서 보게 되니 반갑구나. 오늘도 아주 예쁘구나, 우리 며늘아기."

"가, 감사합니다. 폐하."

며늘아기라는 말이 폐하의 입에서 나올 때마다 아드리안 황태자의 표정이 무참하게 변했다.

대놓고 저렇게 얼굴을 구겨도 되는 것인가 의아했지만 나는 지금 내 앞길이 바빴다.

"폐하라니, 우리 사이에. 그냥 아빠라고 부르렴. 하하. 이렇게 가족이 다 모이니 흐뭇하기 그지없구나. 나중에 크리스텐 궁에 와서 말벗이라도 되어 주지 않겠니?"

"마, 말벗이요?!"

아니, 그건 좀. 그래도 되는 거야? 자신 없는데.

내가 당황해서 뭐라고 해야 할지 난감해할 때였다. 갑자기 마리에 공주가 신경질을 부렸다.

"아, 며느리한테 그게 무슨 추파야!"

거침없는 마리에 공주의 외침에 황제가 서운한 표정을 지었다.

"그게 무슨 소리냐, 마리에. 며느리도 내 딸이라고."

"며느리는 며느리지! 그게 무슨 말도 안 되는 소리야? 아, 아빠 작작 나대!"

황제한테 작작 나대라니. 내가 놀라서 숨을 멈췄을 때였다.

나를 제외한 황실 식구들 누구도 마리에 공주의 언행에 놀라지 않았다.

아니, 시녀로서 모셨을 때도 저런 말투를 구사하시는 분이 아니셨는데?

마리에 공주는 진심으로 싫은 표정을 지으며 카를로만 황제를 멀리했다.

"아, 진짜. 부끄럽지도 않아? 새언니는 아드리안 오빠 부인이 될 사람이라고!"

"부끄럽다니, 마리에. 너 지금 이 아비가 부끄러운 게냐?"

"당연하지!"

아니, 저기, 공주님. 잠깐만!

내가 기겁해서 말리고 싶어 할 때였다. 우아하고 기품 있게 황후가 두 사람을 불렀다.

"마리에, 그리고 폐하. 둘 다 그쯤 하시지요. 그리고 마리에, 말을 가려서 하렴. 새언니가 있는 자리에서 그렇게 불손한 언행을 구사해서야 어디 체면이 서겠니?"

"뭐 어때요. 금방 들킬 거."

"그러다가 아티가 널 싫어하기라도 하면?"

"헉. 언니, 저 싫어요?!"

아니, 싫은 건 아니지만……. 딱히 좋다고도 할 수 없었다.

대답하기 애매해서 웃고 있으니 옆에서 가만히 있던 아드리안 황태자가 툭 대꾸했다.

"싫대."

전하, 저 아직 싫다는 말 안 했는데요.

마리에 공주가 대놓고 시무룩해졌다. 아까 그렇게 활발하게 말을 걸더니 갑자기 어깨를 떨구고는 그대로 고개를 숙였다.

너무 낙심한 듯해서 말을 걸기도 미안해졌다.

뭐가 그렇게 좋은 건지 아드리안 황태자는 그런 마리에 공주를 보고 실실 웃었다. 인성 나쁜 것 좀 봐.

어떻게 기분을 풀어 줘야 할지 몰라 머뭇거리는데 그 틈을 타고 시녀들이 트레이를 끌고 들어와 테이블을 세팅했다.

식전 빵과 함께 아뮤즈 부쉬가 앞에 놓여졌다.

한 입 거리의 치즈 소스와 미트볼이 너무 예뻐서 쉽게 손을 댈 수가 없었다.

동시에 작은 마티니 잔에 담겨 나온 양송이 수프도 특이하고 예뻤다.

"그럼 오랜만에 우리 가족이 모여 만찬을 즐기는 기념으로 건배나 할까?"

황제의 말에 모두 화이트 와인이 담긴 잔을 들었다. 나도 적당히 합류했다.

아드리안 황태자는 왜 귀찮게 이런 걸 하냐는 표정이었지만 딱히 뭐라고 불만을 토로하진 않았다.

"아펜니노의 평화를 위하여."

"위하여—!"

오기 전에 떠올린 상상보다 만찬 분위기는 부드럽고 즐거웠다. 정말 가족끼리 모여 단란하게 이야기를 나누는 분위기라 긴장도 점점 풀려 갔다.

다들 깐깐할 거라 생각했는데 루드밀라 황후도 카를로만 황제도 나를 다정하게 대해 주었다.

나는 그 분위기를 틈타 주섬주섬 준비해 온 상자를 올려 놓았다.

"이게 무엇인가요, 아티엔느 양?"

"황후 폐하께 드리려고 가지고 온 선물이에요."

그러자 루드밀라 황후의 두 눈이 일순 커졌다.

"어머. 선물은 이미 받았는걸요. 오비에도가에서 선물을 보내 주었잖아요?"

"그렇지만 직접 고른 선물을 폐하께 드리고 싶었어요."

혹시 실례가 된 걸까? 처음 만났을 때부터 루드밀라 황후는 내게 친절하게 대해 주어서, 거짓말을 하고 있다는 죄책감이 유독 컸다.

진짜 약혼녀도 아닌데 내가 이런 상냥한 말을 들을 자격이 있는 걸까.

그래서 죄송한 마음 반, 감사한 마음 반으로 준비해 보았는데 아무래도 불필요한 선물인 모양이었다.

힐끗 옆을 보니 황태자가 나를 빤히 쳐다보고 있었다.

그 눈빛이 마치 왜 쓸데없는 짓을 저지르냐는 질책 같아서, 가슴이 따끔거렸다.

"죄송해요, 폐하. 곤란하게 해 드릴 생각은 아니었어요. 그저 폐하께 고마운 마음이 커서 준비해 보았는데……."

시무룩하게 상자를 치우려는데, 루드밀라 황후가 우아하게 웃으며 고개를 가로저었다.

"곤란하다니 그런 게 아니랍니다, 아티엔느 양. 그저 뜻밖의 선물에 아주 살짝 놀랐을 뿐이에요. 괜찮다면 여기서 선물을 열어 봐도 될까요? 아티엔느 양의 따뜻한 배려를 모두와 함께 나누고 싶답니다."

상냥한 황후의 말에 내 표정이 밝아졌다.

다행이다. 정말로. 혹시 괜한 짓을 한 거라면 어떻게 해야 하나 걱정했는데.

괜히 부끄러워서 작게 웃으며 고개를 끄덕였다.

"네. 괜찮아요. 마음에 드실지 모르겠어요."

꽤 오래 고민한 끝에 준비한 선물인 만큼 루드밀라 황후의 마음에 들었으면 했다.

나는 은근히 긴장한 채 루드밀라 황후가 상자의 포장을 푸는 것을 지켜보았다.

황제 폐하와 마리에 공주 또한 내 선물에 주목하고 있어서 낯이 뜨거웠다.

"아티엔느 양이 준비한 선물이 과연 뭘까요?"

잔뜩 들뜬 목소리로 노래를 부르듯 중얼거린 루드밀라 황후는 이내 상자 뚜껑을 열었다.

그리고 루드밀라 황후는 굳어 버리고 말았다.

"여보?"

황제 폐하가 불렀지만, 전혀 미동이 없었다. 눈도 깜빡이지 않았다.

설마 티팟 세트가 깨진 건가?

깨지지 않도록 엄청 조심했기 때문에 그럴 일은 없을 텐데!

"어머."

살짝 열린 황후의 입에서 짤막한 감탄사가 새어 나왔다. 무슨 의미일까.

"맙소사. 말도 안 돼. 내가 지금 꿈을 꾸고 있는 걸까요?"

황후는 언제 얼었냐는 듯 뺨을 양손으로 감싼 채 속사포로 말을 내뱉었다.

"이건 장인 위르겐의 작품이 아닌가요? 그가 발표한 작품은 하나도 빠짐없이 알고 있는데, 이건 처음 봐요. 이 섬세한 문양, 감각적인 배치. 노련한 장인이 아니고서 만들 수 없는 한 폭의 정취……!"

황후가 얼마나 장인 위르겐의 작품을 좋아하는지 느낄 수 있었다.

그 반응에 나는 한시름 덜었다. 다행이다. 마음에 드시는 것 같아서.

뿌듯하게 웃으며 기뻐하는 황후를 보고 있는데, 황후가 고개를 들어 나를 보았다.

"내가 장담할 수 있어요. 이건 진품이에요. 장인 위르겐이 아니고서는 만들 수 없는 작품이니까. 그렇다면 이게 장인 위르겐의 신작이라는 말인데……."

"네."

"어떻게 구하셨나요, 아티엔느 양?"

다행히 예상했던 질문 중 하나였다.

절품되었다는 장인의 작품을 가지고 오면서 이 정도 대비쯤이야 당연히 해 두었다.

"아버지의 오랜 친구분께서 소장하고 계시던 작품인데, 황후 폐하께 드리려고 가져왔어요. 그 작품이 신작일까요?"

완전히 거짓말도 아니었다.

아버지가 그 아버지가 아니고, 오랜 친구가 사실 장인 위르겐이긴 하지만.

"그럼요, 아티엔느 양. 이건 틀림없는 신작이랍니다. 아 아, 정말이지 참을 수 없어요. 모두에게 이 기쁜 소식을 알리고 싶네요!"

기뻐하는 모습을 보니 기분이 좋아졌다. 다행히 황후는 티팟 세트에 정신이 팔려 출처에 대해 내가 모호하게 대답한 것도 알아차리지 못한 듯했다.

황후는 꽤 시간이 지나고 나서야 흥분을 가라앉혔다.

그사이에 마리에 공주가 내게 살갑게 말을 걸어왔다.

"오빠가 못되게 굴면 바로 나한테 말해요. 알았죠, 언니?"

"네. 그럴게요. 공주님."

"어머, 공주님이 뭐예요. 너무 거리감 든다. 마리에라고 이름 불러 주세요."

"어…… 그러니까……."

예전에 모시던 상사와 맞먹으려니 기분이 이상했다.

어떻게 해야 할지 모르겠네.

다시 아드리안의 눈치를 봤지만 그는 아무런 말도 없이 계속 나만 쳐다보고 있었다.

실수하면 안 된다. 어떻게 이 위기를 넘겨야 하지?

"마리에!라고 불러 주세요. 마리에!"

"그래, 새아가. 이름으로 부르렴."

황후 폐하마저!

아무래도 선물의 효과가 좋아도 너무 좋았다. 내가 무슨 짓을 하더라도 용서해 줄 것처럼 눈빛이 인자하게 변한 후였다.

그래도 그렇지. 이렇게 쉽게 맞먹을 순 없었다.

괜히 분위기 파악 못 하고 이름 불렀다가 나중에 책잡힐 수도 있다고.

마담 루시가 나에게 신신당부했던 것이 떠올랐다. 그녀는 황궁의 누구도 믿으면 안 된다고 나에게 경고했다.

물론 자신조차도 믿으면 안 된다고……. 잠깐, 그럼 마담 루시가 해 준 말도 믿으면 안 되는 건가?

머릿속이 복잡해졌다.

내가 허허 웃고 있으니 마리에 공주가 나를 더 압박했다.

"저도 아티엔느 언니라고 부를게요. 아니다, 아티 언니라고 불러도 되나요?"

마리에 공주님이 이렇게 사교성이 좋은 사람이었나.

허락해도 되는 걸까 아드리안 황태자의 눈치를 봤으나 황태자는 대체 무슨 생각인 건지 나만 빤히 쳐다볼 뿐 어떤 반응도 보이지 않았다.

그때 나를 구해 준 건 다른 목소리였다.

"가족 간의 예의가 있지. 마리에. 며늘아기에게 그게 무슨 무례더냐."

짐짓 엄한 목소리로 카를로만 황제가 마리에 공주를 꾸짖었다.

물론 마리에 공주는 무슨 방해냐는 듯 인상을 찌푸릴 뿐이었다.

"아빠."

"왜 부르냐, 우리 딸."

"아까 새언니한테 아빠라고 부르라고 한 거 내가 방해해서 지금 복수하는 거지?"

"아, 아닌데."

카를로만 황제는 모르는 척 다른 곳을 보았다. 마리에 공주는 그에 굴하지 않고 계속 황제 폐하를 노려보았다.

대단한 공주님이야.

관심의 중심에서 멀어진 내가 메인 디쉬로 시선을 옮겼다.

두꺼운 돼지고기 등심을 부드럽게 튀겨 머스터드 소스를 바른 요리였는데 고기가 아이스크림처럼 입에서 녹았다.

이렇게 맛있는 걸 먹을 수 있다니, 만찬도 그리 썩 나쁘지 않은 거 같아.

입 안을 가득 메운 행복에 감격에 가득 차 있을 때였다. 돌연 황후와 시선이 마주쳤다. 윽.

"그러고 보니 아드리안, 새아가."

와인으로 입을 축인 황후가 우리를 주시했다.

"이제 슬슬 결혼 날짜도 잡고 정식으로 둘이 혼인도 해야 하지 않겠니?"

어쩐지 예감이 안 좋더라.

생각지도 못한 질문에 얼굴에 핏기가 가시는 게 느껴졌다.

결혼이라니. 곧 에센 경이 돌아온다고 했으니 이제 내 역할이 끝날 때가 되었다. 그러니 결혼은 최대한 피하고 싶은 주제였다.

슬쩍 옆을 보았다가 나를 빤히 보고 있던 황태자와 눈이 마주쳤다.

뭔가 못마땅한 듯 눈가를 찌푸리던 남자가 들릴 듯 말 듯 한 한숨을 내쉬더니 내게서 시선을 돌렸다.

"아직은 이른 듯합니다."

"이르다니?"

이해가 가지 않는다는 듯 황후가 되물었다.

아드리안의 커다란 손이 내 손을 붙잡았다. 연기일 뿐이라는 걸 알지만 심장이 덜컹거렸다.

"제 약혼녀가 아직 황궁 생활에 적응이 덜 되기도 했고, 무거운 책임을 최대한 미뤄 주고 싶은 심정이라, 좀 더 시간을 둔 후에 결혼하고 싶습니다."

내 손을 붙잡은 황태자의 손에 힘이 들어갔다.

"어머나."

그런 우리를 본 황후는 감격했고, 황제는 뿌듯해했으며, 마리에 공주는 썩은 표정을 지었다.

정말로 나를 위하는 듯한 말이라 순간 착각할 뻔했지만 마음을 다잡았다.

착각하면 안 돼. 에센 경이 돌아오면 나는 원래 위치로 돌아가야만 하니까.

✦ ♕ ✦

그 누구도 약혼녀 연기를 그만둘 필요가 없다고 말해 주지 않았다. 따로 말해 주지 않는 이상 계속 이 생활을 지속할 수밖에 없었다.

그나마 낙이 하나 있다면 약혼녀 연기를 시작한 가장 처음보다는 목숨의 위협을 덜 느낀다는 것이었다.

그때는 하루에 수십 번도 넘게 느꼈다면, 지금은 하루에 한두 번 정도 느끼는 상태였다.

뜬금없이 찾아와서 빤히 바라보고 가는 황태자의 기행도 여전하지만, 적어도 죽인다는 말은 하지 않았다.

사실 최근 죽음의 위협을 느낀 건 황태자가 방문한 탓이 매우 컸다.

아무 말도 안 하고 빤히 쳐다만 보는 게 얼마나 무서운데!

아드리안 황태자는 하루에 한 번은 꼭 빠짐없이 내 방에 찾아왔다.

그리고 오늘도 어김없이 찾아온 그 시간.

"오, 오셨어요?"

하하. 어색하게 웃으며 황태자를 맞았다. 아드리안은 늘 그랬듯 방의 주인인 양 소파에 앉았다.

나는 안절부절못하며 황태자의 근처에 섰다.

매일같이 찾아오는 이 시간이 익숙해질 법도 하건만, 여전히 무서웠다.

"앉아."

"……네?"

고개를 갸웃했다. 단 한 번도 내게 앉으라는 말을 한 적이 없었다.

그런데 무슨 심경의 변화일까?

황태자의 의중을 파악하기 위해 쉽게 맞은편에 앉지 못

했다. 그러자 그의 얼굴이 눈에 띄게 굳었다.

"앉으라고."

"네!"

서둘러 황태자의 맞은편에 앉았다. 그러자 황태자의 표정이 조금 누그러졌다.

휴, 또 한 번 목숨을 건졌다.

나는 조심스러운 눈길로 아드리안을 살폈다. 왤까? 어째선지 오늘 저 인간의 분위기가 달랐다.

그 이유가 뭔지 몰라 힐끔힐끔 황태자를 보았다.

평소와 다름없이 잘생겼다. 아니, 더 잘생긴 것 같기도 했다. 늘 생각하는 거지만 정복이 정말 잘 어울렸다.

새삼 감탄하고 있는데, 아드리안이 싸늘하게 입꼬리를 올렸다.

"뭘 봐."

"……."

신속히 눈을 깔았다. 감히 황태자 전하의 귀한 얼굴을 본 내 눈이 잘못이다.

"고개 숙이지 마."

반사적으로 고개를 들었다. 황태자는 그제야 흡족한 듯 고개를 끄덕였다.

나는 어리둥절 그 자체였다.

지금 뭐 하자는 걸까? 뭘 보냐기에 눈을 깔았더니 고개를 숙이지 말란다.

휴, 부조리한 일투성이였지만 감히 따질 수 없는 처지였다. 그저 그가 명령한 대로 얼굴은 보지 않되 고개를 든 애매한 상태로 있어야 했다.

또다시 침묵이 흘렀다.

내 얼굴을 보는 시선이 바로 정면에서 느껴지니 그야말로 죽을 맛이었다.

하지만 오늘 황태자와의 시간은 그리 길지 않았다.

툭. 테이블 위에 무언가 무성의하게 던져졌다.

"이게 뭐예요?"

상자였다.

척 보기에도 고급 나무로 만들어진 검은 상자.

보이지 않는 곳까지 섬세하게 장식되어 있는 게 아주 비쌀 것 같았다.

이걸 내 앞에 던졌다는 건, 열어 보라는 뜻이겠지?

하지만 차마 용기가 나지 않았다. 아니, 그냥 나보고 구경이나 하라고 던진 걸 수도 있고.

다른 사람이면 모를까 황태자라면 충분히 그러고도 남을 인간이었다.

나는 상자를 멀뚱멀뚱 바라보았다.

가벼운 한숨 소리가 들려 고개를 들자 그가 한 손으로 얼굴을 가리고 있었다.

……뭐지?

"가져. 필요 없으면 버리든가."

"네? 저, 전하?"

"간다."

"저……!"

쾅. 가타부타 부연 설명도 없이 황태자가 퇴장했다.

어처구니가 없는 나머지 몇 분간 그대로 굳어 있었다. 남은 건 나와 이 정체불명의 상자뿐이었다.

안녕, 상자야. 참 예쁘게도 생겼구나.

그러나 중요한 건 껍데기가 아니었다. 내용물이지. 과연 저 안에 무엇이 들어 있을까.

"벌써 무서운데."

오들오들 떨며 조심스럽게 상자를 앞으로 끌어왔다.

열기가 두려웠다. 그렇다고 확인하지 않고 방치해 둘 수는 없었다.

나중에 황태자가 이 상자에 대해 추궁하기라도 하면 곤란하니까.

손끝으로 상자 표면을 쓸었다. 고급 유약을 바른 겉은 아주 반질반질했다.

열기 전에 무엇이 들어 있을지 먼저 추측해 보았지만 아무리 생각해도 떠오르는 게 없었다.

하아. 무섭다. 정말 무서워.

깊게 심호흡을 하며 마음을 다스리다 두 눈을 질끈 감고 상자를 열었다.

"흐앗!"

겁먹었던 것과 달리 상자 뚜껑은 아주 손쉽게 열렸다. 그리고 아무 일도 벌어지지 않았다.

얼떨떨한 얼굴로 상자 내부를 보았다.

"······단도?"

아주 호화롭고 비싸 보이는 단도가 가지런히 놓여 있었다.

화려한 겉모습에 장식용 단도인가 싶었지만 날이 아주 예리하게 들어 있는 걸 보니 그런 것만은 아닌 모양이었다.

단도 주제에 쓸데없이 예뻤다.

나는 혼돈에 빠지고 말았다.

"허어······."

다짜고짜 이 단도를 던지고 간 이유가 뭘까? 설마 과일이나 깎아 먹으라고 준 건 아닐 테고.

분명 뭔가 이유가 있는 게 틀림없었다.

그 이유가 뭘까.

그 고민은 오래가지 않았다. 단도의 의미를 깨달아 버렸기 때문이다.

"······살해 예고!"

난데없는 단검을 선물할 이유는 그것밖에 없었다.

얼굴에 핏기가 가셨다. 오늘도 어김없이 삶과 죽음의 난관에 봉착했다.

Chapter 9. **살해당하기 좋은 날**

Chapter 9. 살해당하기 좋은 날

웬일로 아드리안은 기분이 좋았다.

오랫동안 고민해 왔던 일을 처리해서 그런지, 혹은 기대하고 있는 바가 있어서 그런지 스스로도 알 수 없었다.

어쨌든 기분이 좋았기 때문에 오늘 자 테르니와 디아노의 만행에도 검을 뽑지 않았다.

"전하께서 왜 저러시지?"

"내 말이. 쟤 좀 이상해."

두 사람은 불길한 것을 보듯 아드리안을 슬금슬금 피했다.

아드리안은 자신의 안목에 만족했다.

'좋아하겠지. 예쁘고 실용적이니까.'

거기다 요즘 세상이 너무 흉흉했다. 만약의 상황을 대비하여 이런 무기 하나쯤 소지하고 있는 것도 나쁘지 않을 것이다.

'혹시라도 위험에 처할 수 있으니까⋯⋯.'

아드리안은 그 마음이 걱정이라는 것을 인정하고 싶지 않았다.

일전에 디아노에게 조언을 들은 이후로 아드리안은 아티에게 어떤 선물을 줄지에 대해 고민했다.

심사숙고 끝에 고른 것은 보석으로 장식한 단검이었다.

손잡이에 박힌 커다란 보석의 이름은 누르아르.

평소에는 푸른색의 보석이지만, 햇볕에 노출되면 붉은색으로 물드는 아주 희귀한 보석이었다.

붉게 물드는 순간이 넋을 놓을 정도로 아름다워 '악마의 보석'이라는 별칭까지 있을 정도로 예뻤다.

그 귀한 보석을 고작 단검에 박아 넣는다는 사실에 장인은 손을 떨었지만, 아드리안에게 그딴 건 알 바 아니었다.

단검을 준 후 아드리안은 며칠 동안 아티를 관찰했다. 그런데 어째서인지 얼굴 보는 게 쉽지 않았다.

아드리안은 지나가던 마담 루시를 붙잡았다.

"어디 갔지?"

"누굴 말씀하시는 걸까요? 오호호."

"내 약혼녀."

전에는 죽어도 입 밖으로 내뱉고 싶지 않던 말이 이제는 자연스럽게 나왔다.

마담 루시가 의미심장한 눈으로 아드리안을 바라보았다. 어쩐지 기분이 나빠진 아드리안이 미간을 찌푸렸다.

"왜 그렇게 봐?"

"흐음. 아무것도 아니랍니다. 아티 아가씨께선 잠깐 외출하셨어요."

"외출? 어디로?"

"그건 저도 모르죠! 오호호호!"

특유의 웃음만 남긴 마담 루시는 어딘가를 향해 바삐 걸어갔다.

'대체 어딜 나가 있는 거야?'

처음 아티를 보지 못했을 때는 우연이겠거니 했다. 그런데 그 시간이 일주일이나 흘렀을 때, 아드리안은 비로소 깨달았다.

"……나를 피하는 거로군."

어째서?

이유를 알 수 없었다.

아무리 과거를 떠올려 봐도 자신을 피할 만한 사건 따위는 없었다.

처음엔 분노했고, 그 이후엔 허탈해졌다.

아티가 좋아할 거라고 기대하며 선물을 준비했던 스스로가 머저리 같았다.

환심을 사려고 선물했던 것 따위 모두 소용없었다는 말인가?

아드리안은 모든 분야에서 완벽했다. 어렸던 순간부터 천재 소리를 듣고 자랐고, 스스로도 그에 대한 자부심이 있었다.

태어난 이래 한 번도 멍청하다는 소리를 들은 적 없었

다. 그랬는데.

지금은 정말로 멍청이가 되어 버린 기분이었다.

아무것도 알 수 없었으니까.

자신을 피하는 이유도, 이제 어떻게 해야 할지도.

"빌어먹을."

왜 피하는 건데?

"……휴우."

심장이 세차게 두근거렸다.

나는 주변을 두리번거리다가 아드리안 황태자가 없다는 사실을 확인한 후에야 스르륵 주저앉았다.

이렇게 살다간 정말로 단명하겠어.

황태자를 피해 다닌 지도 벌써 일주일이 지났다.

피해 다닌다고 근본적인 해결책이 나오는 건 아니지만, 도무지 어떻게 해야 할지 알 수 없었다.

"하라는 대로 다 했는데, 왜……."

생각하면 할수록 서럽고 억울했다.

아무도 내가 진짜 약혼녀가 아니라는 걸 알아채지 못했는데, 왜 죽이려는 걸까?

죽어야 할 정도로 연기를 못 하진 않았단 말이야!

나는 나무에 기댄 채 다리를 끌어안고 고개를 묻었다. 정원에 숨어 있으면 당분간은 나를 못 찾겠지.

아주 잠깐의 시간이 흘렀을 때였다. 바닥에 그림자가 지는 게 보여 고개를 들었다.

"여기서 뭐 하고 계십니까?"

햇볕이 내리쬐는 선명한 금발이 너무도 찬란하여 눈을 아프게 찔렀다. 말을 건 상대는 나름대로 익숙한 얼굴이었다.

나는 옅게 웃으며 그를 향해 인사했다.

"안녕하세요, 미카엘 님."

"예. 오랜만입니다. 그……."

뒷말을 끄는 미카엘을 보며 나를 뭐라고 칭해야 할지 난감해한다는 것을 깨달았다.

아티엔느라는 이름을 말해 주려다가, 이번에도 면사를 쓰지 않았다는 사실을 깨달았다.

이미 얼굴을 보였으니 내가 황태자의 약혼녀라는 사실은 감추는 게 좋을 거였다.

"라라. 그렇게 불러 주세요."

"라라…… 말입니까?"

"네."

어쩐지 미카엘의 반응이 얼떨떨한 것 같아 그를 빤히 올려다보았다.

그러자 미카엘은 언제 그런 반응을 보였냐는 듯 작게 웃으며 고개를 끄덕였다.

"예쁜 이름이네요, 라라."

으윽. 미카엘이 너무 예쁘게 웃어서 갑자기 양심이 아팠다.

나에게 다정하게 대해 주는 미카엘을 속이고 싶지 않았

지만, 살기 위해서는 어쩔 수 없었다.

"고마워요, 미카엘."

"그래서. 여기서 뭐 하고 계시냐는 질문에 답은 언제 주실 건가요?"

"그냥 이것저것 생각할 게 있어서요……."

미카엘과 인사하며 잊고 있었던 걱정거리들이 다시금 떠올랐다.

"하아……."

목숨 걱정 없는 세상에서 살고 싶다.

서글픈 얼굴로 나무에 기대자 미카엘이 내 옆에 나란히 앉았다.

"괜찮다면, 제가 고민 상담을 해 드려도 될까요?"

"미카엘이요?"

"이래 봬도 다른 사람 이야기 들어 주는 걸 잘하는 편입니다."

하긴. 다른 사람의 고백을 잘 들어 주는 편이긴 하지.

나는 힐끔 미카엘을 쳐다보았다. 정말 천사처럼 선량하고 아름답게 생겼다.

자상하고 배려심이 넘치니까, 아마 내 고민을 잘 들어 줄지도 모른다.

그리고 무엇보다 내가 누군지 모르는 사람이니까, 조금은 속마음을 드러내도 된다는 생각이 들었다.

"그게, 사실 고민이 있어요."

"무슨 고민인가요?"

"단검을 선물한다는 건 무슨 뜻일까요?"

이미 뜻을 짐작하고 있지만, 혹시나 내 억측일 수도 있으니까.

미카엘은 나와 함께 단검의 의미에 대해 진지하게 고민했다.

신중하게 생각하는 건지 대답은 바로 나오지 않았다.

"보통 선물로 단검을 택하지는 않죠."

"그런데 단검을 받는걸요. ……역시 죽으라는 의미일까요?"

나는 울상을 지으며 두 손에 얼굴을 파묻었다. 아무리 좋게 생각하려 해도 결론은 하나였다.

이 검으로 널 찔러 버리겠다.

혹은, 이 검으로 스스로 찔러 죽어라.

결국은 다 죽는 거잖아!

미카엘이 내 어깨를 토닥이며 위로했다.

"그런 건 아닐 거예요……."

미카엘의 따뜻한 위로에도 전혀 마음의 위안이 되지 않았다. 역시 황태자는 나를 죽이려고 하는 게 틀림없었다.

나는 서럽게 외쳤다.

"아니에요! 당신은 그 사람을 몰라요! 내가 죽으면……양지바른 곳에 묻어 줘요!"

"……예?"

내 사정을 모르는 미카엘이 영문 모를 표정을 지었지만, 다른 사람의 반응을 신경 쓸 상태가 아니었다.

"흐흑……."

나는 슬프게 울었고, 미카엘은 내 옆을 지키며 그런 나를 위로하려 애썼다.

"이제 좀 괜찮아요?"

나는 미카엘이 건넨 손수건을 받았다.

"고마워요."

"뭘요. 고작 옆에 있어 주는 것밖에 못 했는데요."

미카엘은 '고작 옆에 있어 주는 것'이라고 했지만, 내게는 그 무엇보다 큰 위로였다.

아무리 전보다 대하기 편해졌다고 한들 테르니나 디아노는 상대하기 껄끄러운 사람들이었고, 나는 의지할 만한 곳이 어디에도 없었다.

그들이 내게 잘해 준다고 한들, 결국은 황태자의 심복이었으니까.

차라리 나에 대해 아무것도 모르는 미카엘이라서, 같이 있는 게 마음 편했다.

상담이라기에는 그저 신세 한탄만 했는데, 마음이 훨씬 가벼워졌다.

나는 작게 웃으며 미카엘을 돌아보았다.

"미카엘은 정말 자상한 것 같아요."

"……그런가요?"

"네. 그래서 다들 미카엘을 좋아하나 봐요. 저번에 고백을 받으셨잖아요. 평소에도 고백을 많이 받으시나요?"

머뭇거리던 미카엘이 고개를 끄덕였다.

역시 인기남! 역시 황태자와 달리 상냥하고 다정해서 인기가 많나 보다. 거기다 잘생기기까지.

나는 생각 없이 말을 내뱉었다.

"왜 영애들이 미카엘을 좋아하는지 알 것 같아요."

"……."

"미카엘?"

돌아보자 미카엘이 황급히 자리에서 일어났다.

뭔가 불편한 것처럼 얼굴이 붉어져 있었다.

어, 내가 뭔가 잘못한 건가?

"다음에 만나도록 해요, 라라."

"네? 잠깐만요!"

갑자기 왜 그러지?

붙잡기도 전에 미카엘은 빠르게 사라졌다. 나는 아직도 내 손에 들린 미카엘의 손수건을 내려다보았다.

"음, 어쩔 수 없지."

세탁해 뒀다가 다음에 또 만나면 줘야겠다.

✦ ♛ ✦

이해를 할 수 없는 나날들이 이어지자 아드리안은 답답함에 돌아 버릴 것만 같았다.

혼자 열을 내는 것도 이제 한계에 다다랐다.

아드리안은 테르니가 아티에게 가 있는 동안 디아노를 붙잡아 앞에 앉혀 두었다.

두근. 전하의 박력 있는 몸짓에 디아노의 심장이 뛰었다.

"물어볼 게 있는데."

"예, 말씀만 하십시오! 전하를 가로막는 것이라면 누구든 처단해 버리겠습니다!"

"……?"

갑자기 얜 또 왜 이래?

순간 이 자식에게 물어보지 말까 갈등이 들었지만, 달리 물어볼 다른 상대도 없었다.

"처단할 상대 같은 건 없어."

"……아."

디아노는 급격히 실망했다.

"정말 없습니까?"

"어."

아드리안은 디아노가 그러든 말든 신경도 쓰지 않고 본론을 꺼냈다.

"저번에 말했던 거 말이야. 예쁘고 실용적인 것. 네 말대로 줬는데, 안 들고 다니더라고. 왜 그런 거지?"

내키지 않아서 누구에게 줬는지는 말하지 않았다. 다행히 디아노는 상대가 누구인지 별로 궁금해하지 않았다.

사실 누군지 알고 있기 때문이지만, 아드리안은 그 사실을 몰랐다.

"선물을 줬는데 안 들고 다닌다……?"

심각한 표정으로 추리하던 디아노가 두 눈을 휘둥그레 떴다.

"그, 그건……!"

"그건?"

아드리안은 긴장하며 디아노의 답을 기다렸다. 하지만.

"선물이 마음에 들지 않아서 그런 게 아닐까요?"

돌아온 대답은 형편없었다…….

아드리안이 인상을 찌푸리자 디아노가 황급히 말을 덧붙였다.

"선물이 마음에 들었다면 들고 다녔을 테니까요. 혹은 너무 좋은 선물이라 감히 들고 다니지 못할 수도 있고요."

"너무 좋아서 들고 다니지 못한다고? 어째서?"

아드리안은 이해할 수 없었다.

좋으면 좋은 대로 들고 다녀야지, 왜 모셔 두는 거지?

"어쨌든 그런 경우에는 어째서 들고 다니지 않는지 직접 물어보는 편이 좋습니다. 혼자 고민하고 끙끙 앓는 것보다는요."

디아노의 말에 고개를 주억거리던 아드리안은 디아노가 덧붙인 마지막 말에 눈을 날카롭게 치떴다.

"끙끙 앓은 적 없는데."

"아, 네."

"없다고."

디아노는 수더분하게 웃으며 머리를 긁적였다.

"예에……."

본인만 모르나 보다. 혼자 고민하면서 주변 사람 괴롭게 했다는 것을.

디아노의 조언 아닌 조언을 받아들인 아드리안은 곧바로 아티를 찾아 나섰다.

하지만 이번에도 어김없이 아티는 털끝 하나 보이지 않았다.

일부러 피해 다닌다는 것을 안 이상 쉬이 포기할 수 없었다.

아드리안은 인내심을 가지고 아티를 찾아다녔다. 하지만 몇 시간을 돌아다녀도 눈에 보이지 않았다.

"도대체 어딜 그렇게 돌아다니는 거야?"

총총거리며 자신을 피해 도망 다닐 아티를 생각하니 기분이 나쁘다가도, 참새 같아서 귀엽게 느껴졌다.

'망할. 이 와중에도 귀엽다는 생각이 들다니. 어지간히도 중증이군.'

아티가 있을 법한 곳은 다 뒤졌다. 침실, 도서관, 집무실, 그리고 후원.

행동반경이 넓지 않으니 끈질기게 돌아다니면 찾을 수 있을 거라 생각했건만, 뜻대로 되지 않았다.

머리를 헝클어뜨리며 한숨을 내쉬는 아드리안의 앞으로 몇 명의 기사단원이 다가와 예를 취했다.

"황태자 전하를 뵙습니다! 아르칸젤로의 축복이 함께하기를."

"그래."

고개를 끄덕인 아드리안은 대수롭지 않게 기사들을 지나쳤다. 그러다가 우뚝 걸음을 멈췄다.

"잠깐."

"?!"

황태자의 명령에 기사들은 못 박힌 듯 멈춰 섰다.

기사들은 서로의 눈을 쳐다보며 무언의 대화를 나누기 시작했다.

'무슨 일이지? 너 뭐 잘못했냐?'

'사실 제복을 안 빨아 입긴 했는데…….'

'더러운 자식.'

그들이 아웅다웅 다투는 동안 아드리안은 천천히 다가와 앞에 섰다.

표정이 너무 무시무시해서, 그들은 황태자가 역정을 내리라고 예상했다.

하지만 이어진 말은 역정과는 거리가 멀었다.

"내 약혼녀를 보지 못했나?"

"??"

황태자의 약혼녀는 여러 의미에서 유명했다.

오비에도 후작가의 베일에 감싸인 영양. 온실 속 화초처럼 아련한 분위기의 미녀.

어느 날 나타나 황태자와 약혼하게 된 사건은 세기의 스캔들로 회자되기까지 했다.

공식적인 행사 때마다 얼굴에 반투명한 면사를 쓰고 있는 게 특징인데, 가려도 아름다움이 숨겨지지 않아 기사단

원들 중에도 남몰래 흠모하는 자들이 있었다.

최근에 분위기가 많이 바뀌었다는 말이 돌았지만, 다들 그편을 더 좋아했다.

이전의 레이디 오비에도가 범접할 수 없는 느낌이었다면, 지금의 레이디 오비에도는 좀 더 상냥했다.

기사들이 얼떨떨하게 서로를 쳐다보며 대답을 미루는 동안, 아드리안의 표정은 점점 험악해졌다.

"봤냐고."

"못 봤습니다!"

"못 봤어?"

"예!"

아드리안이 또다시 머리를 짚고 깊은 한숨을 내쉬었다. 그 반응에 전전긍긍하는 것은 기사들이었다.

아무래도 약혼녀께 무슨 문제가 생긴 듯했다.

기사 한 놈이 눈치껏 황태자에게 고개를 조아렸다.

"당장 수색하도록 하겠습니다!"

당장 튀어 나가려 한 발짝 떼었지만, 그럴 수 없었다.

"멈춰."

"예?"

아드리안이 마음에 들지 않는다는 얼굴로 기사를 응시했다.

"걘 내가 찾아."

"⋯⋯예?"

아드리안은 신경질적인 걸음으로 기사들을 지나쳤다.

나 지금 기분 더럽다, 하고 온몸으로 외치는 것과 다름이 없어서 기사들은 숨을 죽였다.

괜히 불똥이 튈까 봐.

황태자의 뒷모습을 지켜보던 그들은, 황태자의 모습이 완전히 사라지고 나서야 숨을 쉬었다.

"갑자기 부르셔서 깜짝 놀랐네."

"난 또 너한테 냄새나서 그러시는 줄."

"냄새는 너한테 나겠지!"

"그런데 레이디 오비에도는 왜 찾으시는 거지? 역시, 사라지신 건가?"

황태자의 약혼녀가 사라졌다!

그 사실이 시사하는 바는 한 가지였다.

"싸우셨구나!"

그렇게 생각하니 모든 게 딱딱 맞아떨어졌다.

사라질 리 없는 레이디 오비에도가 모습을 감추고, 그 뒤를 애절하게(?) 쫓는 황태자 전하.

분명히 사랑의 추격전이다!

사태 파악을 끝낸 기사들이 하나둘 외쳤다.

"황태자 전하께서 잘못하셨겠지!"

"레이디 오비에도, 힘내세요!"

아티는 영문 모를 응원을 받고 말았다.

아드리안의 종착지는 릴리 궁 근처의 정원이었다.

사람이 종종 오가는 장소라 눈에 띄면 안 되는 아티가 이곳에 있을 거라고는 생각지 않았지만, 뒤지지 않은 곳은 이곳밖에 남지 않았다.

　기대 없이 걷기를 수 분, 아드리안의 걸음이 서서히 느려졌다.

　'왜 저기서 자고 있는 거지?'

　아름드리나무에 비스듬히 기댄 아티가 엄청난 두께의 책을 끌어안고 잠들어 있었다.

　우거진 나뭇잎 사이로 비친 햇빛이 조그마한 아티의 얼굴에 드문드문 내려앉았다.

　쏴아아—.

　바람이 살랑이며 불자 얼굴에 드리운 잎의 그림자도 함께 흔들렸다.

　그 평화로운 광경에 아드리안은 숨죽인 채 아티의 모습을 바라보았다.

　문득 씁쓸함이 몰려왔다.

　'……내 앞에선 한 번도 저런 얼굴 보인 적 없었는데.'

　아드리안의 곁에 있는 아티는 애쓴다고는 하지만 늘 불안을 숨기지 못했다.

　그런 두려움이 여실히 느껴질 때마다 아드리안은 답답해졌다.

　하지만 도저히 어떻게 해야 아티가 자신을 두려워하지 않을 수 있는지 몰랐다.

　디아노의 조언에 선물을 주었지만, 결과는 이렇게 피해

다니는 것이지 않나.

마음을 좀먹는 자조적인 미소를 지으며 아드리안은 아티의 자는 모습을 감상했다.

'잘도 자는군.'

아티가 자는 모습을 보는 건 이번이 처음이었다.

귀여웠다. 동시에 이렇게 무방비하게 정원에서 잠들었다는 사실에 혼자 짜증이 치밀었다.

'왜 이렇게 귀엽고 난리지?'

심지어 아티는 얼굴에 면사도 쓰고 있지 않은 상태였다.

'이 맨얼굴은 나만 봐야 하는데.'

깨워야 하건만, 새근새근 잠든 얼굴이 근심이라고는 없이 행복해 보여서 아드리안은 차마 아티를 깨울 수가 없었다.

그림 같은 이 장면을 깨트리는 것조차 죄책감이 들어서.

그래서 아드리안은 이 평화로운 시간을 좀 더 누리기로 했다. 깨어나면 분명히 이렇게 있을 수 없을 테니까.

그렇게 얼마간의 시간이 흐르고, 아티가 뒤척이기 시작했다. 아드리안은 흠칫, 하며 걸음을 뒤로 물렀다.

'대체 얼마나 이러고 있었던 거지?'

새삼스러운 깨달음을 느끼며 아드리안은 미간을 찌푸렸다. 아티를 보느라 시간이 오랫동안 흐르는지도 몰랐다.

"으음……."

아티는 눈을 비비며 서서히 눈을 떴다.

'나도 모르게 잠들어 버렸네.'

이건 다 책 내용이 지루한 탓이다.

불편한 자세로 오래 잠들었더니 온몸이 다 아팠다.

지금쯤이면 슬슬 아드리안도 포인세티아 궁으로 돌아갔을 테니, 일어날 때가 되었다.

'가서 맛있는 거 먹어야지.'

가벼운 마음으로 고개를 든 아티는 두 눈을 휘둥그레 떴다.

그곳에는, 있어서는 안 될 사람이 있었다.

"……헙."

'아직 꿈을 꾸고 있는 건가? 왜 여기에 황태자가 있지? 정원에 온 적은 단 한 번도 없었는데!'

그동안 황태자를 피해 도망쳤던 것이 허사가 되어 버리는 순간이었다.

이게 꿈인지 현실인지 분간되지 않는 바람에 아티는 꽤 오래 아드리안을 넋 놓고 보았다.

어째서인지 아드리안도 아티를 빤히 쳐다보기만 할 뿐, 아무런 움직임이 없었다.

두 사람의 시선이 마주치고, 꽤 오랜 시간이 지났다.

'이때다!'

아티는 품에 안겨 있던 책까지 내버리고 내달리기 시작했다.

'……?'

그 광경을 본 아드리안은 황당하고 어이가 없어서 쫓아갈 생각도 하지 못했다.

대체 뭐 하자는 걸까?

황당하다는 감정은 이내 진짜로 자신을 피해 다녔다는

사실을 확신하면서 분노로 바뀌었다.

짐작하던 것이 확신으로 바뀐 것뿐이건만, 속에서 화가 들끓었다.

'감히 날 피해?'

직접 저 예쁜 입으로 이유를 들어야 직성이 풀릴 것 같았다.

아드리안은 무시무시한 기세로 아티를 뒤쫓기 시작했다.

황태자가 자신을 쫓지 않는다는 사실에 안심하며 달리던 아티는 아드리안이 쫓아오기 시작하자 물벼락을 맞은 듯 화들짝 놀라 발을 더 재게 놀렸다.

'흐으윽. 쫓아오지 말라고!'

잡히면 죽는다. 그 사실만은 확실했다.

아티는 필사적으로 달렸다. 하지만 점점 거리가 좁혀졌다. 너무 필사적인 탓이었을까.

"앗!"

털썩, 넘어지고 말았다……!

그에 쫓아오던 아드리안이 놀라 달리는 걸 멈추었다.

'이 씨……!'

아티는 그 틈을 타 벌떡 일어나 다시 달리기 시작했다.

까진 무릎이 아프고 황태자의 앞에서 넘어진 게 부끄러웠지만 지금은 그걸 따질 때가 아니었다.

목숨이 걸려 있다고!

너무나 필사적으로 자신에게서 도주하는 아티를 본 아드리안은 더더욱 어이가 없어졌다.

'내가 뭐, 잡아먹기라도 해?'

뭐랄까, 억울했다.

잡아먹어 버리고 싶다는 생각을 안 해 본 건 아니지만, 그게 적어도 지금은 아니었다.

그런 심정도 모르는 아티는 폐가 터질 것 같은 고통에도 열심히 뛰었다.

하지만 아무리 열심히 달려도 기초 체력부터가 다른 터라 두 사람 사이의 간격은 빠르게 좁혀졌다.

"앗!"

결국 아티는 아드리안에게 붙잡히고 말았다.

두 사람이 멈춘 곳은 탁 트인 회랑이었다. 붙잡힌 아티는 점점 뒷걸음질을 치다가 기둥에 부딪혔다.

"도망갈 생각 하지 마."

낮게 억눌린 음성으로 아드리안이 경고했다. 그리고 왼팔로 기둥을 짚고 아티를 더욱 몰아붙였다.

아티는 흠칫, 몸을 떨며 아드리안을 올려다보았다.

'너, 너무 가까워⋯⋯.'

황태자의 얼굴이 바로 앞에 있었다.

미묘한 분위기가 흘렀다.

아티는 자신을 집요하게 바라보는 아드리안의 시선을 피하며 거친 숨을 골랐다.

짧은 추격전이었지만 갑자기 뛰어서 숨이 너무 벅찼다.

아드리안은 빨갛게 달아오른 아티의 뺨을 보며 이를 악물었다.

'이 상황에서도 오랜만에 만나서 좋다고 생각하는 내가

싫다.'

겁먹은 듯 눈을 피하는 모습에 아드리안은 미간을 좁혔다.

"왜 나를 피하는 거지?"

"아니에요……."

"피했잖아."

"아, 안 피했는데."

자신의 질문에 제대로 대답하지 않고 그저 회피만 하고 보는 아티의 행동에 아드리안은 분노를 삼켰다.

직접 물어보면 알 수 있을 거라 생각했는데, 오히려 더 모르겠다.

저 작은 머리통으로 무슨 생각을 하고 있는지 하나도 모르겠다고.

아드리안은 당장에라도 답을 받아 내고 싶은 마음을 억누르며 입을 열었다. 그게 그 나름대로의 배려였다.

"그래. 네 말대로 안 피했다고 치자. 그럼 지금은 왜 도망친 건데?"

"그, 그건……."

아티는 할 말이 없어서 입을 꾹 닫았다.

정말로 피한 게 맞으니까.

이제 쓸모가 없으니 죽이겠다는 사람과 최대한 마주치고 싶지 않았다.

그저 살고 싶다는 마음이 앞섰을 뿐인데, 그렇게 잘못한 걸까?

아티가 우물쭈물 더욱 고개를 푹 숙일 때였다. 낮은 음성이 귓전을 때렸다.

"날 봐."

"……네?"

"내 눈. 피하지 마."

황태자의 명령은 너무 간단하고, 평소에도 종종 하던 것이지만 이번만큼은 따르기가 힘들었다.

하지만 명령을 따르지 않았다가 죽을 것 같아서 아티는 가까스로 시선을 들어 올렸다.

오로지 자신만 내려다보는 붉은 눈동자.

핏빛의 눈동자 속에 새겨진 황가의 문양이 선명했다.

그 속에 자신의 모습이 어렴풋이 비쳤다.

"다시 한번 묻지. 도대체 날 왜 피한 거야?"

무조건 답을 들어야겠다는 듯 완고한 태도에 아티는 두 눈을 질끈 감았다.

눈을 피하지 말라고 했지만, 도무지 마주칠 수가 없었다.

'이대로 대답을 회피할 순 없겠지?'

아드리안에게 갇혀 옴짝달싹 못 하는 상황에다가, 집착적인 추궁이 이어지고 있으니 이 상황을 벗어날 수 없을 것이다.

그저 죽기 싫었을 뿐이다.

아무리 열심히 해도 황태자가 마음만 먹으면 자신을 죽일 수 있다는 걸 알기 때문에, 곁에 있기가 두려웠다.

'어차피 우리는 절대 같이 있을 수 없는 관계니까.'

생각이 복잡해지면서 눈물이 터져 나왔다. 미처 막을 새도 없었다.

아티가 난데없이 울음을 터트리자 아드리안은 당혹스러움을 감추지 못했다.

"······왜 울어?"

단 한 번도 우는 사람을 달래 본 기억이 없다.

아드리안은 어색하게 오른손을 들어 올렸다가 뒤이어 들려오는 아티의 대답에 멈칫, 동작을 멈추었다.

"황후 폐하 탄신 파티만 끝나면 보내 주신다고 했잖아요······. 그런데 대체 저한테 왜 이러시는 거예요?"

아드리안은 천천히 손을 내렸다.

누가 주먹으로 세게 친 것처럼 가슴이 욱신거렸다. 썩 유쾌하지 않은 기분이었다.

자신이 아티를 울렸다는 사실에 세상 최악의 쓰레기가 된 기분을 지울 수 없었다.

그 외에도 우는 약혼녀에게 아무것도 해 줄 수 없다는 게 화가 났다.

'내가 그렇게 싫은 건가?'

그런 예감이 들었다. 그가 무슨 짓을 저지르더라도 저 머릿속에 무슨 생각이 들었는지 알 수 없을 것이라는.

자신을 꺼려 하는 건 알았지만, 이렇게 울 정도로 싫어하는 줄은 몰랐다.

다른 사람이었다면 윽박지르고 화를 냈을 테지만, 상대가 아티라 그럴 수 없다는 사실이 절망스러웠다.

'같이 있는 것조차 끔찍하겠지.'

아드리안은 떨리는 손으로 아티를 놓아주며 한 발짝 뒤로 물러났다.

그리고 굳은 표정으로 아티를 응시했다.

우느라 빨개진 눈으로 자신을 보는 푸른 눈동자 탓에 또다시 가슴이 욱신거렸다.

"알았어. 진짜 마지막이니까 에센 찾을 때까지만 기다려."

아티의 두 눈이 커졌다. 당연히 죽이겠다는 말이 나올 줄 알았는데 그게 아니었다.

"아직 에센이 없으니까, 네가 대역을 할 수밖에 없잖아."

에센 경이 돌아올 때까지만. 딱 그때까지만 황태자의 곁에 있을 수 있다.

아티는 눈물을 닦으며 고개를 주억거렸다.

"알겠어요."

복잡한 눈으로 아티를 바라보던 아드리안은 휙 몸을 돌려 회랑을 떠났다.

서로 다른 생각을 하는 두 사람의 마음이 엇갈렸다.

'죽인다는 게 아니라서 다행이다. 그런데 단검은 대체 뭐였을까……?'

아티는 끝까지 단검의 의미를 물어보지 못했다.

Chapter 10. 당신이 없는 사이에

Chapter 10. 당신이 없는 사이에

무슨 이유에서인지 황태자는 갑자기 내 앞에 나타나지 않았다.

파티에 가야 한다며 나를 소환하지도 않았고, 가끔 마주칠 땐 가벼운 눈인사를 하는 것이 전부였다.

내 생활은 전에 없이 평화로워졌다. 예비 황태자비의 소양을 쌓기 위해 하던 교육도 느슨해져서 쉬는 시간도 많이 늘어났다.

그런데, 왜 이렇게 뭔가 허전하지?

아, 역시 아카시아가 떠난다는 소식을 들은 것 때문인가.

"아카시아, 꼭 영지로 내려가야 해? 안 내려가면 안 돼?"

파티가 끝나고 시간도 한가해져서 아카시아와 더 놀 수 있겠다 싶어 계획까지 세워 놓았는데 청천벽력 같은 소리를 듣게 된 것이다.

"아카시아, 언니랑 있자!"

"저도 언니랑 떨어지기 싫어요!"

"그럼 나랑 같이 있자. 응?"

"하지만, 오빠랑 부모님이……."

시시뉴가 영지로 내려가야 해서 어쩔 수 없이 아카시아도 영지로 내려가야 한다는 것이었다.

"수도 저택에 디아노 경이 있잖아?"

"하지만 오빠는 매일 출근을 해야 하니까요."

디아노가 수도 저택에서 살고 있으면 뭐 하는가?!

디아노는 매일 황궁으로 출근을 하니 결국 아카시아는 제대로 돌봐 줄 집안 어른이 없어 내려가야 한다는 것이었다.

부모님이 디아노에게 아카시아를 맡기는 것은 불안하다며 반대했다고.

"아카시아, 네가 가 버리면 정말 슬플 거야."

"저두요, 아티 언니."

한바탕 우는소리를 나눈 우리는 곧 시리우스에서 선물했다는 차를 마셨다.

"황후 폐하께서 보내 주셨어. 어때. 맛있니?"

"진짜 달아요, 언니!"

"그치, 가향도 좋아."

"와, 맛있다!"

"조금 챙겨 줄까?"

"그래도 돼요?"

"아, 당연히 되지."

옆에 서 있던 시녀에게 눈짓을 하니 시녀가 자리를 비웠다.

이런 일도 자주 하다 보니 익숙해졌다. 처음엔 이것도 불편했는데.

"아, 언니. 시리우스 하니까 생각난 건데, 로넨이 제게 편지를 보냈어요."

"편지?"

"네. 언니는 못 받으셨어요?"

"어……. 난 못 받았는데."

"이상하다. 로넨이 보냈다고 했는데? 엄청 많이 보냈대요."

"그렇구나."

받은 건 아무것도 없었다.

나중에 황태자를 보면 물어보자고 생각하면서 고개를 끄덕였다.

✦ 👑 ✦

시간이 남으니까 산책을 나가는 일도 늘어났다. 자주 다니니까 이제는 길을 잃어버리지 않을 자신이 있었다.

"앗, 미카엘 님. 또 만났네요. 반가워요."

"라라. 오늘도 길을 잃어버리셨습니까?"

"저도 이제 대충 길 알아요."

오늘도 미카엘은 어김없이 친절했다. 다정하고 상냥한 미남. 최고였다.

이런 남자와 친구가 될 수 있어서 다행이라고 생각했다.

"안 그래도 미카엘에게 의논할 게 있어서 왔어요."

"상담이로군요."

"상담이라고 하는 게 좋을까요?"

"뭐든 상관없습니다. 이번엔 무엇인가요?"

깊은 사정은 털어놓을 수 없었지만 이렇게라도 이야기를 할 수 있는 상대가 있다는 건 무척이나 마음의 평화를 가져다주었다.

상담이 끝나고 사라지는 미카엘의 뒷모습을 보며 깨달았다.

"아, 그러고 보니 손수건을 안 들고 왔네?"

나중에 미카엘을 보면 꼭 돌려줘야겠다고 생각했다.

여전히 아드리안 황태자는 보지 못했지만 나에겐 다른 사람들이 있었다.

가령 덕질 친구라든가.

비록 절대 다른 화제는 입에 올리지 않지만 나의 아사모(아카시아를 사랑하는 모임)의 초대 회원인 디아노가 그랬다.

"이게 아카시아가 처음 선물한 꽃입니다."

"책갈피로 만들었군요! 정말 잘 말렸네요, 디아노 경!"

"누가 준 건데, 당연하죠."

디아노가 후후 웃으며 자랑하듯 다른 것을 꺼내 들었다.

"이건 어제 준 선물입니다."

"그건……."

빈 병이었다. 내가 고개를 갸웃하자 디아노가 자랑스럽게 말했다.

"길 가다가 마시고 싶다면서 사 달라고 하더니, 다 먹고 나서 아카시아가 선물이라면서 저에게 줬습니다."

그건 너에게 쓰레기를 버린 게 아닐까?

전혀 부럽지 않은 선물이었다. 그래도 아카시아 귀여워.
어쩜 디아노를 쓰레기통으로 쓸 생각을 다 했을까.

역시 아카시아는 미래다.

물론 이렇게 좋은 상황만 있는 것은 아니었다.

"오호호홋, 아티 양! 이걸 보세요! 황후 폐하께서 친히
하사품을 내리셨어요."

"하사품이요?"

벨벳이 깔린 네모난 쟁반 위엔 척 보기에도 고급스러워
보이는 실들이 있었다.

금실, 은실, 그 외에도 척 봐도 비싸 보이는 유색의 실크 실.

하지만 내가 주목해야 하는 것은 따로 있었다.

"아티엔느 양께서 주신 선물이 마음에 드신다면서 무려!
릴럿 새의 털로 만든 실을 하사하셨답니다."

"릴럿 새요?!"

털이 아름답기로 유명한 새였다.

무엇보다 그 오묘한 광택이 무척이나 오래가서 희귀한
것을 좋아하는 수집가와 귀족의 탐욕으로 멸종 위기에 처
한 새였다.

지금은 황실과 황실이 관리하는 몇몇 숲에서밖에 살지
않는다는 소리를 들은 적이 있었다.

가히 천문학적인 금액이었지.

"이렇게 귀한 건 받을 수 없어요."

"오호홋. 하사품은 거절하는 것이 무례랍니다. 받아 두세요. 아티 양이 아드리안 황태자 전하께 자수를 선물한다는 약속을 기억하시고 특별히 준비하신 거니까요."

아, 자수…….

"다른 자수를 하고 싶네요."

"네?"

"아, 아니. 아니에요."

요즘 황태자 얼굴도 못 보는데 자수가 웬 말이냐 싶었지만, 무려 황후 앞에서 약속한 거라서 모르는 척할 수가 없었다.

양심이 찔려.

"근데 저 자수 놓을 줄 몰라요."

"어머나. 지금 앞에 있는 제가 누구라고 생각하시는 거죠?"

"마, 마담 루시?"

"그렇죠. 사교계에서 가장 수를 놓는 솜씨가 뛰어난 백작!"

"스승님!"

대뜸 마담 루시의 손을 붙잡자, 마담 루시가 다 안다는 듯 미소를 지으며 내 손을 다독여 주었다.

흑흑, 구세주!

"그럼 내일부터 교육을 시작할 거예요."

"좋아요!"

"잘하실 거라 믿어요. 오호홋."

"자신 없는데……."

마담 루시는 늘 그렇듯 잘할 거라며 웃었다.

나에게 이런 시련이 찾아오다니.

"아티, 아티."

"아, 왜요."

"아티, 아티~!"

"아, 뭔데요."

"아티, 나한테 왜 그렇게 매정해?"

물론 이런 시련도 언제나 찾아왔다.

무시하고 싶은 마음이 굴뚝같았지만 참아 내고 간신히 은은한 미소를 지었다.

"무슨 일이신가요, 오라버니."

"오, 역시! 이래야 나의 아티답지."

"됐고, 진짜 무슨 일인데요."

"큰 건 아냐."

테르니가 한 말에 인상을 찡그렸다. 없으면 '없지롱!' 하면서 도망칠 인간이었는데 갑자기 큰 건 아니라니.

테르니를 보는 눈이 가늘어졌다.

"무슨 사고를 치신 거예요?"

"사고 아닌데."

"황태자 전하께 진짜 죽을 수도 있어요?"

"음. 아마도?"

테르니가 심각하게 고개를 끄덕였다.

"그래서 네가 필요하단다! 나의 동생!"

내가 이럴 줄 알았지.

"저 바빠요."

"아, 도와줘."

"싫어요."

"흑흑. 우리 아티 너무 매정해."

테르니가 훌쩍이며 나 보란 듯 힐긋 바라보았다. 속이 뻔히 보이는 작전이었지만 나는 결국 무시할 수 없었다.

이 인간, 이럴 줄 알고 맨날 이러는 거 아니야?

"도대체 뭔데요?"

"내가 뭘 좀 잃어버렸어. 찾아야 돼."

"그게 뭔데요?"

"황태자 금인(金印)."

나도 모르게 표정이 일그러졌다.

"네? 뭐라고요?"

"금인(金印)을 잃어버렸어."

"도대체 어쩌다가요!"

"그러니까, 갑자기 궁금해지는 거야."

"갑자기 거기서 궁금한 이야기가 왜 나오죠?"

불길한 예감은 틀리지 않았다.

"금인(金印)은 정말 이름처럼 금으로 만들어진 걸까? 그래서 이빨로 살짝 테두리를 깨물어 봤는데."

"그걸 왜 깨물어요!"

"자국이 남더라. 진짜 금으로 만들었어."

짜잔! 궁금증 해결!

—이라고 외치는 테르니의 목을 조르고 싶었다.

"근데 대체 어쩌다 잃어버린 거예요? 지금까지의 이야기엔 잃어버린 이야기가 없는데요."

"그건 지금부터 시작될 거야. 생각보다 성격이 급하네, 아디."

"본론부터 이야기하시라고요!"

"그럼 재미가 없잖아."

대체 어느 부분에서 재미있어야 하는데!

답답한 마음에 인상을 썼다. 테르니는 그러거나 말거나 여전히 싱글벙글이었다.

"자국이 남은 티를 지우려고 하는데 안 지워지더라고."

"애초에 깨물지를 말았어야죠."

"그래서 생각했지! 사고로 살짝 박살 났다고 하면 용서해 주지 않을까?"

"그게 더 위험한 거 아니에요?"

"그래서 2층에서 던졌는데."

"네?!"

"안 보여."

"······."

머리를 짚었다. 답이 없다.

진짜 이 인간은 간을 배 밖에 두고 사는 걸까? 애초에 겁이라는 게 없는 게 아닐까?

"그니까 찾는 거 도와줘, 내 동생!"

"잘 가요. 멀리 안 나갈게요."

"아티!"

테르니가 내 팔을 붙잡고 훌쩍였다. 정말 징글징글한데

이렇게 굴면 또 마음이 약해졌다.

이 인간, 다 알고 이러는 거겠지.

깊은 한숨을 내쉬었다.

"어서 찾으러 가요."

"히히, 응!"

언제 울먹였냐는 듯 테르니가 싱긋 웃었다.

"그래서 어디로 던졌는데요."

"어, 어디더라."

그냥 지금이라도 그만둘까?

✦ ♛ ✦

포인세티아 궁에 도착한 테르니는 내게 신신당부했다.

"아티, 너는 숨어 다녀야 해."

"왜요?"

"지금 아드리안 기분이 안 좋거든. 무척, 많이! 혹시라도 눈에 띄면 죽을지도 몰라."

"아……."

일순 황태자를 볼 수 있다는 생각에 소란스러웠던 마음이 한순간에 정리되었다.

차가운 현실을 상기하고 고개를 끄덕였다.

"일단 잃어버린 곳으로 가요."

"응!"

테르니를 따라 걷던 중이었다. 갑자기 테르니가 내 어깨를 밀쳤다.

"아드리안, 아드리안!"

"악!"

"숨어!"

테르니의 성화에 어쩔 수 없이 아무 방이나 들어가서 몸을 숨겼다.

문을 닫고 문가에 귀를 기울이자 곧 황태자의 목소리를 들을 수 있었다.

"여기서 뭐 하냐?"

"아, 일하고 있었지! 바쁘다, 바빠."

"수상한데."

"하나도 안 수상한데. 아드리안! 어서 집무실로 가자! 보고할 거 있어!"

뒤이어 테르니가 황태자를 질질 끌고 가는 소리가 들렸다.

"건강한가 보네."

오랜만에 듣는 목소리에 왜 괜히 내 마음이 심란한 건지, 이유를 알 수 없었다.

바깥이 조용해지자 문을 열었다.

"없어."

같이 사라진 금인(金印)을 찾자던 테르니도 보이지 않았다.

"진짜, 하."

어이가 없어서.

결국 테르니가 말했던 정원에는 나 혼자 가서 뒤져야 했다.

"찾았다!"

정원을 뒤지기 시작한 지 약 30분이 지났다.

나는 무성한 수풀 사이에 걸려 있는 황금으로 만들어진 황태자의 금인(金印)을 찾을 수 있었다.

이걸 정말로 여기서 찾은 것도 어이가 없었다.

"어서 갖다 놓고 가지."

황태자의 집무실로 가야 할지, 아니면 테르니가 쓰는 보좌관의 집무실로 가야 할지 헷갈렸다.

테르니가 잃어버린 거니, 테르니 집무실에 갖다 놔야겠지.

이런 중요한 걸 대체 왜 던진 건지, 테르니를 이해할 수 없었다.

"그런데 포인세티아 궁에 원래 이렇게 사람이 없었던가?"

왠지 모르게 분위기가 스산했다. 얼른 갖다 놓고 돌아가자고 생각했다.

정말 그러면 모든 것이 깔끔하게 해결될 뻔했으나.

"······방을 잘못 찾은 것 같은데."

테르니의 집무실이라고 알고 있던 문을 열자마자 완전히 다른 풍경이 펼쳐졌다.

암막 커튼으로 어둡게 쳐진 공간.

알고 있는 것과 전혀 다른 방에 설마 잘못 왔나 싶어서 문을 닫고 나가려고 했을 때였다.

"아드리안~!"

바깥에서 들린 목소리에 절로 몸이 멈칫했다.

황태자의 목소리는 들려오지 않았지만 문 앞을 지나가던 목소리는 금방 사라졌다.

"휴."

느닷없이 이게 무슨 상황일까.

문을 닫아 버리자 어둠에 익숙해진 눈에 방 안이 명확히 보였다.

집무실 책상이 저쪽이구나.

누구의 책상이든 이 금인(金印)을 놓고 나가 버리려고 생각했을 때였다.

"읍! 읍읍!"

어딘가에서 들린 소리에 깜짝 놀랐다.

뭐야, 뭐가 있는 거야?

주변을 돌아보니 집무실과 연결된 다른 방의 문이 살짝 열려 있었다.

그 너머에서 계속 소리가 들려왔다.

뭐지?

살짝 열린 문을 밀어 보니 안에 누군가가 있었다.

깜짝 놀라 도망가려고 했는데 나를 붙잡는 소리에 발걸음이 잡혔다.

"읍! 읍! 으으읍!"

뭐지? 살려 달라는 걸까?

무서웠지만 용기를 내어 방 안으로 들어가니 누군가가 손

발이 묶인 채, 눈도 가려지고 입에도 재갈을 물고 있었다.

불쌍해. 누가 이렇게 해 놓은 거지?

"읍! 으으읍!"

"풀어 줘요?"

일순 남자의 몸이 경직되었다.

날 선 공기에 나도 모르게 몸을 움츠린 순간 남자가 거세게 고개를 끄덕였다.

"으으읍! 으읍!"

나는 머뭇거리며 남자의 입에 물려 있던 재갈을 풀어 주었다. 그러자 그가 숨을 거칠게 몰아쉬었다.

"테르니, 개자식……."

생각보다 곱고 소년 같은 미성이었다.

"괜찮으세요? 어쩌다 묶여 계신 거예요?"

아무래도 테르니와 관련된 사람인 것 같은데, 섣불리 풀어 주기가 조심스러웠다.

"테르니, 그 자식이 나를 속였어."

"아, 그렇군요."

테르니라면 그럴 인간이지.

"부탁 하나만 더 해도 될까?"

"뭔데요?"

"나 좀 풀어 줘."

"그건 좀……."

남자가 무슨 일로 묶여 있는 건지는 모르겠지만 내가 함부로 풀어 줘서는 안 될 것 같았다.

"그럼 조금만 느슨하게 해 줄래? 손목이 쓸려서 아파서 그래."

정말 손목이 꽉 묶여 있어 마찰 때문인지 까져서 피가 흐르고 있었다. 아주 아파 보였다.

"그럼 조금만 느슨하게 풀어 드릴게요."

"그래, 고마워."

피가 통하는지 의심될 정도로 꽉 묶인 밧줄을 조금 느슨하게 풀어 주었다.

"이 정도면 될까요?"

"충분해."

"다행……?"

그것은 순식간에 벌어진 일이었다.

내가 느슨하게 풀어 준 밧줄을 그대로 벗어 버린 남자는 시야를 가린 안대와 자신의 발을 묶은 밧줄까지 풀어 버렸다.

"……?"

정신을 차려 보니 밧줄은 모두 바닥에 흩어진 채였다.

"고맙다. 이 은혜는 잊지 않을게."

내가 놀라서 두 눈을 동그랗게 뜨자 남자가 이를 갈며 그대로 커튼을 걷었다.

일순 쏟아지는 빛에 남자의 얼굴이 환하게 빛났다.

와. 아름답다.

생각지도 못한 미모에 두 눈을 동그랗게 뜬 순간, 남자가 창문을 열더니 그대로 창문 밖으로 몸을 날렸다.

"어?"

자살?

놀라서 창가로 달려가니 이미 아래에 남자는 없었다.

"나, 망한 건가?"

아무래도 그런 것 같은데.

◆ ♛ ◆

"악마 같은 새끼."

창문 밖으로 뛰어내린 에셴은 상처가 난 입술을 혀로 훑다가 인상을 썼다.

귓가에 며칠 전에 했던 테르니의 말이 아른거렸다.

테르니는 이대로 에셴을 쫓기만 하면 절대 잡을 수 없을 거라 판단하여 묘수를 냈다.

바로 에셴을 유혹해서 먼저 모습을 드러내도록 꼬드긴 것이다.

"언제까지 도망만 칠 수 없잖아. 내 말을 아주 잘 들으면 너한테도 좋은 일이 있을 거야."

에셴 역시 평생 도망칠 생각은 없었기 때문에 테르니의 그 유혹에 귀가 솔깃해졌다.

테르니는 자신에게 지금 현 상황을 해결할 수 있는 좋은 방법이 있다고 했다.

그 말을 있는 그대로 믿은 자신의 잘못이었다.

에센 본인이 직접 나와야 방법을 말해 준다고 했을 때부터 눈치를 챘어야 했는데.

"이렇게 뒤통수를 칠 줄 알았으면 절대 거기 안 나갔어."

테르니의 말만 믿고 나갔다가 에센이 만난 건 자신을 잡기 위한 함정이었다.

홀로 30명의 장정을 상대해야 하는 상황에서 에센은 처음 전부 때려눕히는 기염을 토했으나, 그다음에 몰려온 장정들은 무리였다.

자신을 체포하며 짓던 테르니의 그 악마 같은 미소라니.

"처음부터 이럴 속셈이었겠지."

결국 그대로 잡혀 와 버린 것이 며칠 전의 일이었다.

막상 붙잡아 온 테르니는 지금 분위기가 좋지 않다며 며칠 동안 에센을 집무실에 방치했다.

그리고 또다시 탈출한 현재.

테르니와 어릴 때부터 같이 자랐으나 그 자식은 무슨 생각을 하는 건지 도통 모르겠다고 생각하면서 에센은 자연스럽게 궁을 순찰하는 근위병들을 피했다.

붙잡혀 와서는 묶여 있어서 문제였지만 손과 발만 자유로워진다면 다른 건 문제가 되지 않았다.

창가에 비치는 자신의 얼굴을 보고 에센은 저도 모르게 표정을 굳혔다.

'절세미인.'

그놈의 절세미인이라는 소리는 어릴 적부터 들어와서 아주 신물이 났다.

"절세미인 같은 소리 하고 있네."

아주 어린 나이엔 예쁘다는 말이 마냥 좋았다.

그게 무슨 소리인지 잘 몰라도 일단 좋은 의미라고 생각했으니까.

하지만 나이를 먹고 에센은 자신의 곱상하고 화려한 미모가 점차 짜증 나기 시작했다.

모두 얼굴만 보고 다가오고, 모두 얼굴만 보고 그의 성격을 재단한다.

멋대로 기대하다가 멋대로 실망하는 게 짜증 났다.

일부러 검을 배운 것도, 기사가 되려고 한 것도 다 그런 게 짜증 나서였다.

'소용없었지.'

남자가 고백하는 경험은 끔찍하기 이를 데 없었다.

에센은 자신의 성격이 이 모양이 된 건 전부 아드리안과 이 얼굴 때문이라고 생각했다.

그런데…….

"약혼녀가 필요해."

"어디서 구하게?"

"비밀을 아는 사람은 최대한 적은 게 좋겠지."

"엉?"

"붙잡아!"

에센은 그렇게 황태자의 약혼녀가 되었다.

"그 인성 파탄 난 자식!"

결코 남 말할 입장은 아니었으나 에센은 다시 한번 이를 갈았다.

"절대 안 해. 붙잡혀 돌아간다고 해도 절대 안 할 거야."

이번엔 다른 방향으로 튀어 볼 생각이었다.

에센은 황궁을 떠나면서 마지막으로 자신을 도와준 선한 시녀에게 감사했다.

'집무실을 청소하려고 온 시녀가 아니었으면 죽었을 거야.'

그게 자신의 대타인 줄은 꿈에도 모른 채.

✦ ♛ ✦

'이상한 사람이었어.'

시체는 없었으니 죽진 않은 거겠지?

"설마 자살 방조죄, 뭐 이런 걸로 나중에 잡혀가진 않겠지?"

그것보다는 실수로 풀어 줬다는 사실에 죽음을 맞이하는 게 더 빠를 것 같았다.

오싹한 기분이 들어서 그대로 돌아가려고 방을 나왔다가 곧 가려던 방향에서 사람들이 오는 발소리를 듣고 황급히 반대편 코너로 몸을 숨겼다.

"자자, 에센은 여기 있어!"

테르니의 목소리가 들렸다.

나는 그대로 경직된 채로 숨을 죽였다.

근데 에센……?

그 사람이 에셴이라고?

잘못 들은 걸까 싶었는데 아니었다.

"에셴이 여기 있다고?"

"그렇다니까! 내가 다 잡아 놓았지."

뭔가 불길한 예감이 들었다. 그리고 역시나 불길한 예감은 비껴가지 않았다.

안에서 들리는 우당탕탕 소리에 슬그머니 도망치려다가 다시 숨었다.

"없는데?"

"어, 분명 있었는데……?"

테르니가 얼떨떨한 목소리로 소리쳤다.

"문 앞에 지키고 있으라고 한 사람들 다 어디 갔어!"

"아까 잠깐 볼일이 있으시다며 테르니 백작 각하께서 다 나가라고 하셔서……."

"아. 맞다. 그랬지."

금인(金印) 때문에 그랬던 모양이었다.

스릉.

누군가가 칼을 뽑아 드는 섬뜩한 소리가 들렸다.

"아니, 아드리안! 나 아냐!"

"잡아 놓았다는 것도 거짓말이었지?"

"그게, 아니, 진짜 잡았는데!"

"닥쳐. 변명 따윈 필요 없다."

"악! 아드리안!"

테르니가 도망쳐 멀리 사라지는 소리가 들렸다. 그 뒤를 따라 살벌하게 쫓아가는 누군가의 발걸음도.

"내가 지금 무슨 짓을 저지른 거지……?"

돌아온 에센 님을 다시 풀어 줬단 말이야?

에센 님이 돌아와야 내가 약혼녀를 그만둘 수 있는데! 스스로 무덤을 파 버린 기분이었다.

그래도 황궁 내라면 금세 붙잡히지 않을까. 일전에 몰래 탈출을 고민할 때 테르니가 황궁의 경비가 삼엄하다고 경고한 적이 있었다.

"음……."

나는 입을 다물고 잠깐 고민했다.

"들키면 죽겠지……?"

아드리안 황태자가 나를 용서할 거라고는 생각하지 않았다. 그렇다면 남은 방법은 하나밖에 없었다.

"역시 비밀로 하자!"

오늘 일은 나만 아는 걸로.

✦ ♛ ✦

오늘 저녁은 플로렌스 궁에서 황후가 주최하는 파티가 있는 날이었다.

가벼운 분위기의 황궁 파티로, 이번 황후의 탄신 파티 때 외국에서 선물 받은 귀한 음식과 식음료를 나눈다는 모양이었다.

맛있고 신기한 음식을 먹으러 가는 것은 좋았지만 아드

리안 황태자와 얼굴을 마주칠 생각을 하니 벌써부터 마음이 무거웠다.

"오호호홋! 표정을 펴세요! 기껏 꾸민 보람이 없잖아요!"

"하, 하지만……."

"자, 이 머리 장식을 보세요. 잘 어울리죠?"

"못 보던 장신구인데요?"

처음 보는 보석으로 치장된 장신구였다.

"이 장신구의 이름은 '비녀'라고 해요. 이번에 황후 폐하의 탄신일에 맞춰서 잔뜩 들어온 선물입니다. 오늘 폐하께서 아티 양께서 이걸 장식하고 오면 좋겠다고 하사하셨어요!"

마담 루시가 두 눈을 반짝였다.

"정말 가문의 영광이죠!? 오호호호홋."

거울에 비친 비녀는 아름다웠지만 나에겐 파티에 꼭 가야 할 족쇄처럼 느껴져서 마음이 불편했다.

"다 됐나?"

듣기 좋은 중저음의 목소리에 몸이 움찔했다.

"예, 다 준비되었답니다! 짠!"

마담 루시의 말에 천천히 몸을 돌렸다.

가장 불편한 건 이것이었다.

황태자와 오랜만에 만나는 것.

"……."

아드리안 황태자는 나를 보고도 아무 말도 하지 않았다.

마담 루시가 오호호호 웃으면서 눈짓으로 뭐라도 한마디 하라고 계속 재촉하는데도 입을 꾹 다물고 어떤 말도 하지 않았다.

이상한가?

"……가지."

한참 동안 아무 말도 하지 않던 황태자가 내게 손을 내밀었다.

조심스럽게 손을 얹으니 가벼운 접촉임에도 황태자의 표정이 일순 일그러졌다.

나랑 접촉하기 싫은 건가?

다른 때라면 타박이라도 한마디 정도는 했을 텐데, 오늘 황태자는 달랐다.

죽음의 침묵이 계속되는 와중에 나는 부디 오늘 아무 일도 없게 해 달라고 신께 빌었다.

✦ ♛ ✦

아드리안은 곤혹스러웠다.

'손이 너무 작아.'

이전엔 단 한 번도 신경 쓴 적 없던 부분에 괜히 신경이 쏠린 아드리안은 포위당해 포박된 죄인처럼 꼼짝없이 붙들린 채 자신의 죄명이 무엇인지 기다리는 처지로 전락했다.

'내가 누군가의 눈치를 보는 날이 올 줄이야.'

아티의 시선은 올곧게 앞만 보고 있었다.

그 시선이 자신을 향하면 좋겠다는 생각도 잠시.

'이런 옆모습마저 예쁘다니.'

한편 아티는 자신에게 향하는 아드리안의 시선에 잔뜩 긴장해 있었다.

'에센 님 풀어 준 걸 들키면 어떡하지?'

아직 모르는 눈치였지만, 행여나 눈이 마주치고 몇 마디 대화를 나누게 된다면 들킬 것 같아서 조마조마했다.

'들키면 진짜 죽겠지.'

절대로 들키지 말아야겠다고 다짐하면서 아티가 몸을 움츠렸다.

그 사소한 행동마저 자신이 싫어서 저러나 인상을 찌푸리던 아드리안은 곧 파티 장소인 플로렌스 궁에 도착할 수 있었다.

"위대한 아펜니노의 미래, 아드리안 황태자와 그의 파트너로 참석하신 예비 황태자비 오비에도가의 영양, 레이디 아티엔느이십니다!"

언젠가 들었던 시종의 외침을 신호로 열려 있던 파티장 안으로 걸어 들어갔다.

'가벼운 파티라더니.'

처음 보는 외국 장식품으로 꾸며진 작은 파티장은 슬쩍 보기만 해도 으리으리했다.

확실히 황후 탄신 파티만큼 크진 않았지만, 아티는 이것을 가볍고 작은 파티라고 말하는 황궁 사람들을 이해할 수 없었다.

"호호. 어서 와요. 많이 먹고 실컷 즐기다가 돌아가도록 해요."

루드밀라 황후의 옆엔 웬일로 마담 루시가 자리를 지키고 있었다.

둘이 친하다더니, 진짜였다.

"편하게 말씀해 주세요, 황후 폐하."

"그럴까? 그럼 아티 양도 나에게 어머니라고 부르는 건 어때?"

"엄마, 주책이야!"

옆에서 마리에 공주가 노골적으로 표정을 굳히며 인상을 찡그렸다.

"요즘이 어떤 시대인데, 딸 같은 며느리 같은 걸 하려고 해? 며느리는 며느리라고. 며느리로서 대우해 주는 게 요즘 분위기야."

"어머, 그러니? 그래도 역시 좀 딱딱한 것 같아 서운한데."

"새언니도 뭐라고 말 좀 해 보세요. 뭐가 됐든 솔직한 게 최고라고요."

두 사람의 시선이 나란히 아티에게 꽂혔다.

보라색의 눈동자와 붉은 눈동자가 동시에 향하니 알 수 없는 압박감에 아티가 몸을 떨었다.

"……저, 저는 괜찮은데."

마리에 공주가 인상을 쓰고 루드밀라 황후가 환호를 하려는 순간이었다.

"그쯤 하시죠."

여태껏 아무 말도 하지 않던 아드리안 황태자가 돌연 아티의 어깨를 붙잡아 감싸고 보호하듯 끌어당겼다.

아티가 화들짝 놀라서 두 눈을 동그랗게 떴다. 아드리안이 심히 귀찮다는 표정으로 두 사람을 보았다.

"어머, 어머. 자기 부인 될 사람이라고 감싸는 것 좀 봐."

루드밀라 황후는 격하게 좋아했고,

"재수 없어."

마리에 공주는 어이없어했다.

마리에 공주와 아드리안 황태자 사이에 불꽃이 튀었다.

"마담 루시, 저거 봤어?"

"오호홋. 당연히 보았지요."

"아드리안이 나한테 그만 좀 하라고 하는 거 봤어?"

"당연히 보았지요. 호호호호."

"어쩜 내 아들이지만 저렇게 완벽한지."

눈싸움을 하는 두 사람에게 일말의 관심도 주지 않고 루드밀라 황후는 마담 루시와 함께 열심히 수다를 떨고 있었다.

'이 황실, 괜찮은 걸까?'

아티는 진심으로 걱정했다.

"가서 쉬고 있어."

아드리안 황태자가 팔을 열어 주었다.

정말 가도 괜찮은 걸까 의심스러웠지만 아티는 이 분위기에서 버티고 있는 것이 곤혹스러웠으므로 조용히 빠져나왔다.

"후우……."

벌써부터 심신이 지치는데 과연 이 파티를 무사히 보낼 수 있을까?

"……아티."

우울을 가득 담고 있는 음울한 목소리에 아티가 몸을 굳혔다.

슬그머니 뒤를 돌아보니 아티의 시야에 어깨를 축 늘어뜨린 테르니가 보였다.

혼자만 다른 세상에 사는 것처럼 어두운 분위기를 폴폴 풍기던 테르니가 아티를 보지도 않고 말을 이었다.

"정말 슬픈 날이야. 그렇다고 생각하지 않니? 나는 무척이나 슬퍼. 무척이나 엄청 많이 슬프단다."

"오, 오라버니……."

"너는 아주 행복해 보이는구나. 나를 이렇게 만든 놈이랑 아주 행복해 보여! 네가 이러고도 나랑 가족이야?!"

애초에 가족인 적이 없었어요.

"어렸을 땐 나를 그렇게나 잘 따랐으면서. 그렇게 귀여웠으면서! 흑흑. 어떻게 황태자의 약혼녀가 되었다고 오라버니를 이렇게 방치할 수가 있어?"

아티는 어렸을 때 우리는 모르는 사이였다는 말이 목구멍까지 올라왔지만, 장소를 기억해 내고 간신히 밀어 넣었다.

테르니의 몰골은 심각했다.

왼쪽 눈이 시퍼렇게 부어 있었다. 분명 맞은 거겠지.

"황태자 전하께서 때리셨나요?"

"응!"

테르니가 고개를 아주 크게 흔들었다.

"흑흑. 아티! 아드리안이 나를 때렸어! 아파!"

테르니가 거침없이 아티를 끌어안고 훌쩍였다.

낯선 남자와의 스킨십…… 이니 어떤 반응이 있어야 했는데 아티는 너무나 익숙하고 지겹고 짜증 난다는 감각을 느끼는 자신이 의아했다.

"이것 좀 봐! 내가 아무리 잘못을 했기로서니 이렇게 막 팰 수가 있어? 어떻게 이 귀하고 잘생긴 얼굴에 이런 멍을 만들 수 있냐는 말이야! 이건 인류의 손실이야!"

"네, 네."

대충 대답하며 아티가 테르니의 등을 토닥여 주었다.

테르니는 더욱 아티의 품에 파고들며 훌쩍였다.

"흑흑. 난 진짜 안 풀어 줬어. 안 풀어 줬다고!"

"네, 그래요. 알아요."

"난 진짜 안 풀어 줬다고~! 억울해!"

"네, 네."

대충 테르니의 말을 흘려 넘기고 있을 때였다.

테르니가 아티에게서 몸을 떼고 뭔가를 생각하는 듯 말이 없었다.

"혹시 말이야, 아티 네가 풀어 준 건…… 아니지?"

뜨끔.

아티의 표정이 굳었다.

'설마 들킨 건가?'

그러고 보니 금인(金印)을 테르니의 집무실에 두고 왔다. 그것으로 눈치챈 모양이었다.

대체 뭐라고 말해야 할지 알 수 없을 때 테르니가 해죽 웃었다.

"농담이야~!"

아티가 어색하게 웃었다.

"아까까지만 해도 세상 다 멸망했으면 좋겠다고 생각했는데 기분이 나아졌어! 역시 우리 아티 덕분이야~!"

"하하. 뭔진 모르겠지만 다행이네요."

"그렇지?"

테르니가 아티의 팔을 붙잡았다.

"자, 맛있는 음식을 먹으러 가자! 출발!"

아티는 놔 달라고 하고 싶었지만 어쩔 수 없이 한숨을 내쉬며 그대로 테르니에게 질질 끌려갔다.

"어~ 디아노~!"

테르니가 자신에게 다가오는 다른 사람들의 기척을 자연스럽게 무시하고 다가간 곳은 바로 디아노와 시시뉴, 아카시아가 있는 곳이었다.

벌써 한가득 접시에 음식을 담아 우물우물 먹고 있던 디아노는 간단하게 고개를 끄덕였다.

"뭘 먹고 있었냐?"

"이것저것."

"뭐가 젤 맛있어?"

"저거."

"좋아. 먹어 본다."

테르니가 바로 접시를 들었다. 아티는 예의 바르게 테르니가 생략한 인사를 했다.

"안녕하세요, 베네데토 자작님."

"편하게 시시뉴라고 부르십시오. 아티엔느 님."

"그럼 저도 아티라고 불러 주세요."

"알겠습니다."

시시뉴와 인사가 끝나자마자 아카시아가 먹던 그릇을 내려놓고 아티에게 달려와 폭 안겼다.

"언니~!"

"아카시아! 맛있게 먹고 있었어?"

"응!"

아카시아가 눈을 반짝였다.

"언니, 저 영지에 안 내려가도 된대요!"

"꺄~ 정말?"

"네!"

"잘됐다, 아카시아~!"

아티와 아카시아가 서로의 손을 잡고 빙글빙글 돌았다.

테르니가 아티의 어깨를 붙잡았다.

"자, 아."

포크로 뭔가를 찍어서 주자 아티가 입을 벌렸다.

"오, 맛있어요."

"그치?"

테르니가 마치 제가 만든 것처럼 뿌듯하게 웃었다.

디아노도 아카시아에게 그릇을 내밀었다.

"다 먹어."

"응!"

그렇게 나란히 이국의 새로운 음식들을 맛보고 있을 때

였다.

돌연 파티장 어디선가 작은 종이 울렸다. 모두의 시선이 그쪽으로 돌아간 것은 당연했다.

"자, 모두 위대한 아펜니노의 존귀한 태양인 루드밀라 황후께 예를 표하십시오."

초대받아 입장한 손님들이 전부 먹던 식기를 내려놓고 예를 표했다.

그건 디아노 남매를 비롯한 테르니와 아티엔느도 마찬가지였다.

"모두들 이렇게 참석해 주셔서 감사드립니다. 자, 그럼 모두가 고대하셨던 오늘의 메인 요리를 소개하겠어요."

황후가 고개를 끄덕였다.

한 시종이 손뼉을 쳤고 파티장 한편에서 나온 새로운 음식들이 테이블 위에 올라오기 시작했다.

하지만 사람들의 시선을 사로잡은 것은 새로운 음식도, 화려한 음악도 아니었다.

바로 황후에게 진상된 음식이 들어 있는 식기였다.

"저것은……!"

모두의 눈이 휘둥그레졌다.

그 식기를 알아보지 못하는 자는 거의 없었다.

장인 위르겐의 16번째 그릇 세트가 아닌가!

데뷔와 동시에 제국의 유행을 휩쓴 전설적인 장인의 한정판 작품!

10년 전 홀연히 사라져 버린 위르겐의 작품은 그대로 가

치가 폭등해서 재력만으로 가질 수 없는 희귀한 것이 되어 버렸다.

모두가 경탄 어린 시선으로 황후를 우러러보자 황후의 얼굴에 웃음꽃이 활짝 피었다.

"호호. 음식이 그렇게나 맛있어 보이는 건가요?"

황후는 사람들이 왜 놀랐는지 뻔히 알고 있으면서 모르는 척 능청을 떨었다.

그러자 사람들은 기다렸다는 듯 황후를 향해 찬사를 쏟아 내기 시작했다.

"황후 폐하. 이렇게 귀한 작품을 가지고 계셨으면서 왜 지금에서야 보여 주신 건가요?"

"무려 장인 위르겐의 16번째 작품이지 않습니까!"

"몇 점만 더 모으면 정말로 황후 폐하께서 모든 작품을 다 모으실 수 있겠군요!"

호호, 하며 황후가 웃고 있는 가운데 그보다 더 우쭐함을 뽐내고 있는 사람이 있었다.

바로 가브리엘 플로라 네벨.

"이 정도야 뭐, 우리 네벨이 구해다 드릴 수 없는 건 없잖아요?"

자신이 황후께 선물한 것이라는 사실을 감추지 않는 모습에 주위에 포진해 있던 사람들이 감탄사를 내뱉었다.

"도대체 어떻게 구하신 건가요? 16번째 작품은 우리 가문에서도 구할 수가 없었는데요."

"휴, 다 제 실력이죠. 너무 유능한 것도 죄라니까~."

가브리엘은 푸른 머리칼을 화려하게 휘날리며 수줍은 듯 웃었다.

"뭐래. 아랫사람들 시켜서 구한 거면서."

테르니가 차갑게 중얼거렸다.

아티는 어색하게 웃으며 그릇에 든 음식으로 시선을 옮겼다.

'정말로 헬머 아저씨 작품이 대단하긴 한가 보네.'

모두의 관심이 황후와 가브리엘에게로 옮겨 갔다.

황후는 사람들의 관심이 기꺼운지 우아하게 웃으며 가브리엘에게 웃음을 지어 보였다.

"가브리엘 양 덕분에 이렇게 귀한 그릇을 구할 수 있게 돼서 참으로 기쁩답니다. 다시 한번 고마워요, 가브리엘 양."

"황후 폐하께서 제가 드린 선물을 이렇게 사용해 주셔서 가브리엘은 얼마나 기쁜지 몰라요."

가브리엘의 말에 테르니가 웃으며 한마디 했다.

"테르니는 하나도 안 기뻐요."

가브리엘의 말투를 따라 하며 비꼬는 모습에 아티는 테르니에게 눈치를 주었다.

황후의 옆에 앉아 있던 가브리엘이 주변을 두리번거리더니 아티를 보며 보란 듯 웃었다.

그 모습을 함께 본 테르니가 인상을 구겼다.

"또 왜 저래?"

"하하……."

내가 이런 사람이다, 하고 과시하는 모습에 아티는 딱히 아무 생각이 없었다.

가브리엘은 가만히 앉아만 있는 아티를 보며 더욱 신나서 웃었다.

"오호호! 정말 별거 아니에요!"

'역시나 황후 폐하의 총애는 내가 꽉 붙든 모양이군!'

그때, 황후 근처에 앉아 있던 귀족 하나가 위르겐의 작품에 시선을 떼지 못하고 황홀한 듯 말했다.

"황후 폐하의 소장품 중 가장 귀한 것을 저희에게도 보여 주시다니, 이런 영광이 또 있겠습니까? 황후 폐하의 은혜에 눈이 정말 즐겁습니다!"

"호호. 좋은 것은 함께 보면 더 기쁜 법이지요. 그대들이 이렇게 기뻐하다니, 이 자리를 마련한 보람이 있군요. ……그나저나 이걸 어쩐담?"

계속 기분이 좋던 황후의 표정이 갑자기 어두워졌다.

뭔가 곤혹스러운 것이 있는 듯 한숨을 연거푸 내쉬기까지 했다.

"왜 그러시는지요, 폐하?"

"휴우……. 이렇게 모두가 좋아하니, 고민이 되는걸요. 이건 정말로 나만 보고 싶었지만, 안 되겠군요."

뜻 모를 말을 중얼거린 황후가 아티를 보더니 갑자기 윙크를 했다.

"?!"

졸지에 황후의 윙크를 받은 아티가 두 눈을 휘둥그레 떴다.

황후는 귀엽다는 듯 후후 웃으며 대기하고 있던 시종에

게 우아하게 손짓했다.

"'그것'을 가지고 오렴."

그것?

아티를 비롯한 모든 사람들의 이목이 집중됐다.

테르니마저도 식기를 내려놓고 흥미진진한 얼굴로 시종이 돌아오길 기다렸다.

마침내 시종이 등장했다.

그의 손 위에는 쟁반이 있었는데, 천으로 덮여 뭐가 들었는지 보이지 않았다.

기다렸다는 듯 일어난 황후가 친히 천을 거둬들였다.

"!"

좌중에 소란이 일었다.

마치 꽃처럼 화사한 찻잔 세트는 전에는 없던 형식의 작품이었다.

형태부터 꽃송이를 떠올리도록 조형된 자태, 꽃잎 같은 느낌이 사라지지 않도록 새겨 넣은 섬세한 문양.

어렵다는 수금 기법과 더불어 기법을 알 수 없는 묘한 광택을 내는 투명한 여울 빛은 전에 없던 새로운 기술이었다.

아름다운 찻잔의 모습에 놀란 사람들은, 이내 황후가 들어 올린 잔 아래의 서명을 보고 더욱 놀랐다.

"장인 위르겐의 신작?!"

존재할 리가 없는 그 물건이 버젓이 눈앞에 있는 것이다!

"역시 다들 알아보는군요."

황후는 손끝으로 찻잔 세트를 쓸어 보았다. 무척이나 귀중하게 여기는 듯 조심스러운 손길이었다.

"황후 폐하. 장인 위르겐은 자취를 감춘 후 그 누구와도 접촉되지 않는다고 들었사온데…… 어떻게 구하셨습니까?"

덧붙이는 말이 길었지만, 결론은 '어떻게 구했느냐'였다.

장인 위르겐은 10년 전 사교계의 유행을 휩쓸다 어느 날 문득 잠적했다. 그 이후로 그의 행방을 아는 이는 아무도 없었다.

권세가들이 장인 위르겐의 작품 한 점을 갖기 위해 수소문해도 흔적도 캐 볼 수 없었는데, 어떻게 신작이?

열망 어린 시선을 느낀 황후가 다시 천으로 찻잔 세트를 가렸다.

"역시 모두가 기뻐할 줄 알았답니다. 나도 우연찮게 구하게 되었지요."

"우연찮게라면……?"

황후의 시선이 멀뚱하게 상황을 지켜보던 아티에게로 향했다.

갑자기 홀 내의 모든 사람들의 시선을 한 몸에 받게 된 아티는 흠칫 놀라며 몸을 뒤로 뺐다.

"나의 사랑스러운 예비 며느리인 아티엔느 양이 직접 선물해 주었지요."

황후의 지목에 아티가 어쩔 수 없이 옅게 미소 지으며 황후에게 묵례했다.

아티가 우아하게 고개를 숙이자 아티의 머리에서 빛나는 비녀가 사람들의 시선을 사로잡았다.

'황족만 쓸 수 있는 보석…….'

'황후께서 직접 하사하신 비녀라니.'

'역시 예비 황태자비답군요!'

졸지에 시선을 같이 받게 된 테르니가 어깨를 으쓱이며 으스댔다.

아티는 어색하게 웃으며 곤혹스러워했다.

그중에는 매서운 가브리엘의 눈빛도 있었다. 그녀는 자신에게 향하던 관심을 빼앗아 간 아티를 노려보았다.

"저런 귀한 걸 도대체 어떻게 구한 거지?"

가브리엘은 아티에 대한 평가를 약간 수정했다. 얕보았던 것이 잘못이었다.

"역시 제법 하는군."

역시 자신에게서 아드리안 황태자를 채 간 여자다웠다.

'만만히 볼 수 없다 이거지?'

가브리엘은 뒤에 있던 시종에게 명령했다.

"위르겐의 신작을 대체 어디서 구한 건지 알아 와."

"예."

시종이 은밀히 사라지자 가브리엘은 벌떡 일어나 곧바로 아티에게로 향했다.

푸른 눈동자를 깜빡이며 아무것도 모른다는 듯 앉아 있는 모습에 부아가 치밀었다.

가브리엘은 아티에게만 들릴 정도로 작은 목소리로 그녀에게 선전 포고했다.

"이 정도로 나를 이겼다고 생각하면 오산이에요."

그러고는 곧바로 홀을 빠져나가 버렸다.

"……?"

어리둥절한 아티의 곁에 테르니가 바짝 붙었다.

"뭐래?"

"이겼다고 생각하면 오산이래요."

"뭐? 뭐 이겼어?"

"저도 잘 모르겠어요……."

도무지 상황이 왜 이렇게 돌아가는지 알 수 없다는 생각을 하며 아티는 고개를 절레절레 저었다.

도대체 가브리엘은 왜 화가 났을까?

아직 황족이 아무도 자리를 비우지 않았는데 먼저 나가다니.

무례도 이런 무례가 없었다.

가브리엘의 갑작스러운 퇴장은 몇몇 사람에게 동요를 주었지만 정작 루드밀라 황후는 신경도 쓰지 않았다.

'아싸! 드디어 이 상석에서 해방이다.'

오히려 마리에는 기뻐서 쾌재를 불렀다.

기분이 좋은 황후 폐하의 비위를 맞추기 위해 상석으로 사람들이 몰리는 틈을 타 빠져나온 마리에가 향한 곳은 바로 아티가 있는 장소였다.

"언니, 새언니!"

"아, 마리에 공주님."

"새언니, 도와줘요!"

갑작스러운 마리에의 요청에 아티가 고개를 갸웃했다.

마리에는 그러거나 말거나 대뜸 아티의 팔짱을 낀 채로

가까워진 만큼 낮은 목소리로 자신의 할 말을 속삭였다.

"쟤네랑 있기 싫거든요."

마리에가 은근하게 시선을 주고 있는 곳을 자연스럽게 곁눈질한 아티가 고개를 갸웃했다.

'쟤네'는 다름 아닌 클레스 남작 영애와 이바나 백작 영애였다.

"……두 분 다 공주님의 말벗 아닌가요?"

"쟨 아니지만 쟨 맞아요."

이바나 백작 영애를 가리키며 마리에가 고개를 끄덕였다. 마리에가 불평했다.

"대화가 안 통한단 말이에요."

"그런가요?"

전 상사의 말에 감히 토를 달 용기가 없었으므로 아티는 적당히 수긍했다.

그런 마리에를 막는 것은 다름 아닌 같은 타이밍에 황후의 곁에서 빠져나온 아드리안이었다.

"내 피앙세를 괴롭히지 마."

"가장 괴롭히는 건 오라버니 같은데?"

마리에와 아드리안의 사이에 또 불꽃이 튀었다.

평소 같으면 까분다면서 아드리안이 마리에에게 이미 한마디 했을 타이밍이었는데, 어째서인지 아드리안은 입을 꾹 다물고 마리에를 노려보기만 했다.

이미 몇 마디 설전이 오고 가야 하는데 평소와 다른 느낌에 마리에가 고개를 갸웃하다가 옆에서 눈을 동그랗게 뜨고 화이트 와인을 홀짝이고 있는 새언니를 보았다.

'아하. 그렇게 된 거구나.'

눈치 빠른 마리에의 입가에 짓궂은 미소가 떠올랐다.

"새언니, 이것 좀 먹어 보세요. 신기한 맛이 나더라고요."

마리에가 일부러 아티에게 팔짱까지 끼며 치근덕거렸다. 아드리안의 눈에서 불꽃이 튀었다.

"향이 너무 강해서 입맛에 안 맞을 것 같아서 안 먹었는데……."

"에이, 이럴 때 아니면 이런 걸 또 언제 먹어 보겠어요. 많이 먹을 필요 없어요. 한 입만 드셔 보세요."

"그럴까요?"

아티가 조심스럽게 처음 보는 향이 강한 수프를 마셨다.

미미하게 좁혀지는 미간을 보니 취향에 맞진 않는 모양이었다.

'잘 보니까 새언니 좀 괜찮네.'

그동안은 관심도 없었는데, 마리에는 새삼 아티가 같이 지내기 나쁘지 않다는 생각을 했다.

'까칠한 사람인 줄 알았는데.'

마리에의 노골적인 시선을 받고 아티가 내심 불편해했다.

아드리안은 더 노골적이었다. 얼른 가 버리라는 노골적인 눈빛에도 마리에는 아랑곳하지 않았다.

"말씀 편하게 하세요, 공주님."

"아, 그럴까?"

"마리에."

아드리안이 거기까지만 하라는 의미로 마리에를 불렀으

나, 마리에는 개의치 않았다.

"새언니도 나한테 말 편하게 해."

"예? 하지만……."

"나만 하는 건 좀 그렇거든요, 네? 새언니."

마리에가 친근하게 말을 붙이자 아티는 어쩔 줄을 몰라
했다.

아드리안이 이마를 짚으며 한숨을 내쉬었다.

"쟤가 말하는 대로 해 줘."

아드리안이 허락했는데 또 뭐가 필요하겠는가?

마리에가 노골적으로 '오빠도 허락했으니까 어서 제게
반말을!' 같은 초롱초롱한 눈빛으로 아티를 보았다.

아티는 그 기세에 밀렸다.

"그럴게요…… 가 아니라, 그럴게."

전 상사에게 감히 반말이라니.

아티는 과하게 콩닥거리는 심장을 느끼며 가슴을 내리눌
렀다.

"우린 왜인지 잘 맞을 것 같다는 예감이 들어요, 새언니."

"그런가요?"

"예전에는 좀 불편한 느낌이었는데 왜 그랬을까? 내가
너무 낯가렸나?"

마리에의 말에 아티는 그냥 웃었다. 뜨끔했지만 여기서
뭔 말이라도 하면 들킬 것 같았다.

아드리안은 그런 마리에를 그저 말없이 노려볼 뿐이었다.

마리에는 아드리안이 저렇게까지 심기에 거슬리는 일을

오래도록 참고 있는 걸 처음 보았다.

'왜 참지? 괜히 불안하게.'

저렇게 불편한 티를 팍팍 내는데 왜 저러는지 마리에는 이해를 할 수 없었다.

"아."

"여기."

아티가 뜨거운 음식을 먹고 놀라기도 전에 아드리안이 칼같이 찬물을 주었다.

아드리안이 준 찬물을 그대로 다 마신 아티가 이제야 놀란 게 가시는지 한숨을 내쉬었다.

아드리안은 그 모습을 옆에서 열심히 지켜보았다.

'아주 한시도 시선이 떨어지지 않는구만.'

누가 사랑에 빠진 남자 아니랄까 봐 아주 눈꼴이 시렸다.

마리에 자신이 여기 있는데도 아랑곳하지 않고 아드리안은 아티밖에 보이지 않는지 아티만 보고 있었다.

몸짓 하나, 숨소리 하나, 눈빛 하나에도 집중하는 것이 느껴질 정도였다.

'설마 계속 가라고 한 이유가…… 둘만 있는데 내가 방해되니까 꺼지라는 거였어?'

마리에가 눈을 가늘게 떴다.

그렇게 쉽게 꺼질 줄 알고? 흥!

"전하도 좀 드실래요?"

"어."

연신 혼자 먹는 것만 같아서 예의상 물어본 건데 아드리안이 고개를 끄덕이자 아티는 당황했다.

아드리안은 먹는다고 답해 놓고 아티를 빤히 쳐다보기만 했다.

그 시선의 의미는 정확히 알 수 없지만 아티는 어색하게 회를 뜬 연어를 포크로 찍었다.

'아까 테르니가 먹여 줬을 땐 아무 생각 없었는데.'

막상 자신이 아드리안에게 해 주려고 하니 괜히 의식되었다.

'내가 과민 반응 하는 거겠지?'

이래도 되나 싶은 마음에 조심스럽게 연어를 내미는데 내밀자마자 아드리안이 덥석 받아먹었다.

"먹어 줄 만하네."

감상은 그것뿐이고 시선은 여전히 아티에게 붙어 있었다.

눈에서 설탕이 녹는 줄 알았다.

'눈꼴시어 못 보겠네.'

마리에는 커플의 행태가 조금 짜증 났다.

"그러고 보니 언니도 저처럼 오빠가 하나네요."

마리에가 둘 사이에 끼어들어 말했다. 아티는 오빠 같은 거 없다고 말하려다가 뒤늦게 테르니를 떠올렸다.

"네. 그러네요."

"신기하네. 가브리엘도 오빠가 하나 있거든요."

"네? 정말요?"

웬일로 아드리안이 말을 얹었다.

"네 벨답지 않게 점잖고 괜찮아."

"그렇군요. 저는 당연히 외동인 줄 알았어요."

"외동 같은 건 테르니겠지."

"아⋯⋯."

거기는 진짜다. 심지어 몇 대 독자라고 했어.

마리에는 기껏 자신이 시작한 화제를 쏙 빼앗아 간 아드리안을 한번 노려보고 다시 아티를 향해 웃었다.

"새언니, 이거 마셔 봐요. 맛있어요."

음료를 들고 지나가는 시종의 쟁반에서 와인 잔을 두 개 들어서 마리에가 아티에게 하나를 넘겼다.

도수가 있긴 하지만 그게 느껴지지 않을 정도로 음료수 같은 술이었다.

"정말 달고 맛있어요."

"그렇죠?"

아티가 좋아하니까 마리에가 하나 더 잔을 들어서 건네주었다.

발그레한 아티의 뺨을 보고 새언니는 술을 잘 못 하는구나 생각하며 즐거워하는데, 마리에가 준비해 놓은 와인을 아드리안이 다른 것으로 바꿔 놓았다.

"아, 이것도 맛있다."

아티의 귀여움으로 마음이 너그러워져 있었지만, 마리에는 자연스럽게 아티의 시중을 들고 있는 아드리안이 기이해서 인상을 썼다.

맛있는 음식과 이국적인 음악으로 분위기가 차츰 달아오르고 파티장의 한편에 댄스 플로어가 마련되었다.

마리에는 다른 때 같았으면 커플을 찢어 놓는 걸 즐겼을 텐데 오빠와 새언니라서 봐주었다.

"둘도 함께 춤추는 게 어때요?"

아티가 난감한 표정으로 고개를 가로저었다. 하지만 아드리안은 좋은 생각이라는 듯 아티에게 손을 내밀었다.

"저와 춤을 춰 주시겠습니까?"

아티는 아드리안이 대체 무슨 생각을 하고 있는 건지 알 수 없었다.

'왜 춤을 신청하는 거지?'

하지만 내심 이 분위기가 싫지 않았으므로 작게 고개를 끄덕였다.

"기꺼이."

아티가 손을 올리자 아드리안의 입가에 옅은 미소가 스쳤다.

'좋아 죽네.'

아티는 못 보았어도 마리에는 그 모습을 보았기에 그저 아니꼬웠다.

'오빠가 정말로 새언니를 좋아하는구나.'

당연히 연극일 줄 알았던 마리에는 새삼스러운 눈길로 아드리안을 보았다.

아티는 아드리안과 춤을 추기 위해 자세를 취하면서 새삼 아드리안과의 거리를 의식했다.

'거리가 너무 가까워.'

발그레한 뺨이 술 때문인지 아니면 다른 것 때문인지 알 수 없었다.

익숙한 곡이 흘러나왔다.

아티도 오늘 아드리안이 평소와 다르다는 걸 알고 있었다. 그리고 그것이 전부 에센이 돌아왔기 때문이라고 생각했다.

'이제 에센 님도 돌아왔으니까, 정말로 다 끝이겠지?'

에센을 생각하자 아티는 갑자기 우울해지는 기분을 느꼈다.

이 순간이 다 환상 같다.

'그냥 춤만 추는 거야.'

일부러 아티는 마음을 다잡았다.

아드리안은 저와 시선을 마주치지 못해서 내리깐 아티의 길고 유려한 속눈썹을 빤히 바라보았다.

이런 사소한 것 하나까지 예뻐 보이다니, 자신의 시력이 어떻게 된 게 아닌가 의심스러웠다.

그래도 아티가 자신에게 집중하는 느낌은 아드리안에게 알 수 없는 뿌듯함을 주었다.

'이 정도는 싫지 않다는 의미일까?'

일생 타인에게 맞춰 본 기억도 이유도 없는 아드리안은 난생처음 누군가의 눈치를 보고 있었다.

"아."

곡조에 따라 춤을 추던 아티가 발을 잘못 디뎠다.

술기운에 비틀거리는 몸이 넘어지려는 순간, 아드리안이 아티의 허리를 붙잡아 끌어당겼다.

넘어지지 않게 잡아 준 것까진 좋았지만 아티는 일순 가까워진 아드리안의 얼굴에 숨을 죽였다.

눈이 마주친 순간, 아드리안 한 사람밖에 보이지 않았다.

지금 이 장소가 어디인지 상관없었다. 주변이 전부 지워지고 아드리안만 남았다.

"괜찮나?"

"아."

아드리안이 아티를 일으켜 세워 주었다.

'순간 키스하는 줄 알았어.'

아티는 붉어진 뺨을 어쩔 줄 몰라 했다.

그나마 다행인 건 술을 마셔 이미 뺨이 붉어져 있어 티가 안 났다는 점이었다.

춤은 끝났다. 아드리안은 아티를 어딘가에 앉히고 싶어 했다.

아드리안 황태자의 에스코트로 마리에 공주가 있는 곳으로 돌아가면서 아티는 문득 발코니로 나가는 익숙한 뒷모습을 보았다.

'어? 저건 미카엘 님?'

아티가 어딘가를 보고 고개를 갸웃하자 아드리안이 아티를 쳐다보았다.

"뭔데?"

"아니, 아무것도 아니에요."

잘못 봤나 보다.

아티가 고개를 가로젓자 아드리안은 자신에게 숨기는 것이 있는 듯하여 불편해졌다.

'남자였는데.'

아드리안이 아티의 시선을 놓칠 리가 없었다.

'아는 남자인가?'

왜인지는 알 수 없었지만 아드리안의 기분이 뚝 떨어졌다.

"새언니, 뺨이 무척 빨개요."

"진짜요?"

아티가 제 뺨에 손을 대 보았다. 열이 올라 있었다. 그 원인이 무엇인지는 알 수 없었지만.

발그레한 뺨과 아티의 은은한 미소는 더할 나위 없이 좋았으나 아드리안은 아티가 약하다는 걸 기억해 냈다.

저번 파티에서도 다리를 삐끗하고 넘어지지를 않나, 발목이 접질리지 않나.

이전이라면 짜증스럽고 한심한 부분이었을 텐데 지금 아드리안에게는 그저 걱정스러울 뿐이었다.

"이만 돌아가지."

"아, 그럼 나도 갈래."

"넌 좀 더 자리를 지켜."

마리에가 입술을 샐쭉거렸다.

'또 둘만 있으려고 저러지!'

커플의 얕은 수작에 짜증이 났으나 아티가 귀여워서 봐주기로 했다.

아드리안이 아티를 데리고 플로렌스 궁을 나왔다.

릴리 궁과 포인세티아 궁은 가까우니 도중까지는 같이 갔지만 포인세티아 궁이 플로렌스 궁과 더 가까웠다.

"데려다줄게."

"아니에요. 혼자 갈 수 있어요."

아티가 강하게 고개를 가로저었다. 심장 소리가 너무 커서 들길 것 같았다.

온몸이 긴장되어서 아무런 말도 못 했다. 지금도 아드리안의 바로 옆에 있는 게 조마조마했다.

'이런 상태인 거 들키고 싶지 않아.'

필사적인 아티와 달리 아드리안은 그렇지 않아도 지옥을 헤매던 기분이 더 나락으로 떨어졌다.

'나와 있는 게 그렇게 싫은 건가.'

다른 때 같으면 다른 사람의 의사 따위 가볍게 무시했겠지만, 이제는 그럴 수 없었다.

아티는 다른 사람이 아니라 아티엔느가 되어 버렸으니까.

"괜찮아요. 먼 길도 아닌걸요."

"……그래."

거절당해 기분이 가라앉는 와중에도 마지막 자존심이 자신의 동요를 드러내는 걸 허용하지 않았다.

그래서 아드리안은 그저 무뚝뚝하게 고개를 끄덕이고 가 버렸다.

아드리안이 뒤돌아서 한참을 걸어가 모습이 보이지 않게 되자 아티는 참았던 숨을 내쉬었다.

"아아아……."

아드리안이 시야에서 사라졌는데도 아직도 심장 소리가 크게 들렸다.

'이렇게 있다가는 머지않아 내가 이상해진 걸 들켜 버릴

지도 몰라.'

"으음. 아냐 이렇게 침울해 있을 때가 아니다."

어서 궁으로 돌아가 쉬자고 생각하며 아티가 익숙한 발걸음을 옮겼다.

그런데 뭔가 궁의 분위기가 다르게 느껴졌다.

"저기에 서 있던 근위병들 어디 갔지?"

사람들이 왜 이렇게 없는 것 같지? 기분 탓인가?

아티가 약간의 의아함을 느끼던 찰나 회랑 끝에서 검은 인영이 모습을 드러냈다.

'······은발?'

고개를 갸웃하는데 검은 인영이 그녀를 보았다.

달그림자 때문에 얼굴을 볼 수 없었지만 시선이 마주쳤다는 것 정도는 알 수 있었다.

"잡아라!"

도망치고 있었던 것인지 어디선가 들려온 목소리에 인영이 움직였다.

아티를 낚아채 도망친 인영이 어느 텅 빈 방의 창문 밑으로 몸을 숨겼다.

창문에서 들이치는 은은한 달빛이 마치 부서진 다이아몬드처럼 빛났다.

상황이 이해되지 않아 두 눈을 깜빡이던 아티가 무슨 말을 하려 하자 남자가 그녀의 입가에 검지를 가져다 댔다.

"쉿."

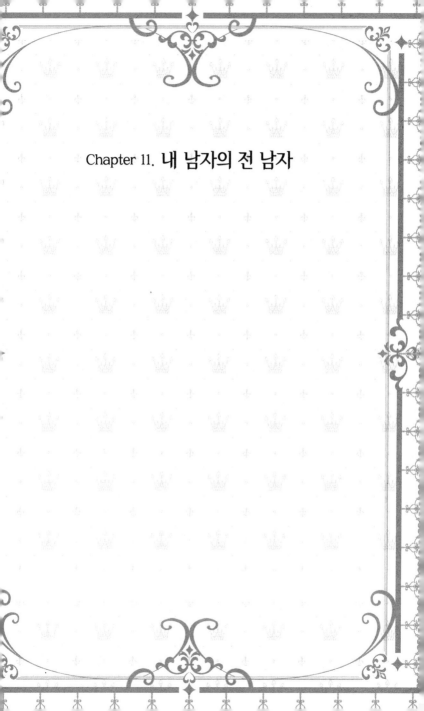

Chapter 11. 내 남자의 전 남자

Chapter 11. 내 남자의 전 남자

에센은 성도를 나가 보지도 못하고 다시 붙잡혀 왔다.

"아하하. 나를 엿 먹이고 성도를 벗어날 수 있을 거라 생각했나, 에센?"

"그 삼류 악당 같은 대사는 뭐냐?"

"네가 도망치는 바람에 내가 맞았다고. 보여?! 내 얼굴! 잘생긴 내 얼굴이 엉망이 됐잖아!"

"누가 잘생겼는데?"

"나!"

부끄러움도 없는지 테르니가 자신만만하게 대답했다. 에센은 그저 착각의 늪에 빠져 있는 테르니가 웃기고 불쌍할 뿐이었다.

"아무튼! 파티에 가 봐야 해서 잠깐 다녀올 테니까 여기 얌전히 붙들려 있어! 알았지?"

"아, 예."

"얌전히 기다리고 있으면 이 몸께서 네가 한 번도 먹어 본 적 없는 맛있는 것을 들고 오겠다!"

"아, 그것참 기대되네요."

에센의 영혼 없는 대답에도 만족스러운지 테르니가 한껏 기분이 좋아져서 방을 빠져나갔다.

'이럴 줄 알고 준비해 둔 게 있지.'

소매 안에 숨겨 놓았던 작은 날붙이를 꺼낸 에센은 자신의 손을 구속하고 있는 밧줄을 단번에 풀어냈다.

"나를 믿는 건지, 아니면 얕보는 건지⋯⋯."

수갑을 채워 놨어도 락픽이 있으니 어떻게든 땄겠지만.

에센은 밧줄 자국으로 빨갛게 부은 손목을 만지작거리며 다리와 발목의 밧줄도 풀었다.

"창문이 없군."

그 녀석, 학습 능력은 쓸데없이 좋단 말이야.

이번엔 안쪽에서 소리를 내서 병사들을 하나씩 꾀어 목덜미를 치는 작전으로 탈출에 성공했다.

솔직히 에센은 그때까진 자만하고 있었다. 하지만.

'이 자식⋯⋯!'

포인세티아 궁의 근위병이 두 배는 늘어났다.

분명 이건 테르니 짓이겠지!

"저기 있다!"

"잡아라!"

"절대 놓치지 마라!"

도대체 뭐 때문인지 모두가 에센을 보자마자 달려들었다.

꼬리에 꼬리를 물고 쫓아오는 근위병들 때문에 포인세티아 궁을 배경으로 난데없이 추격전이 시작되었다.

"하. 진짜 가지가지 하는군."

이곳이 하필이면 황궁인 바람에 국가 반역죄를 뒤집어쓰지 않으려면 상처 없이 깨끗하게 기절시키는 것만이 답이었다.

하지만 그것도 1:2 상황 정도나 가능한 거고.

그나마 이 상황에서 에센에게 다행인 점은 도주 중인 이 장소가 너무나도 구석구석 잘 알고 있는 궁이었다는 것이었다.

병사들을 따돌리고 회랑에 접어든 순간이었다.

'어?'

근위병이 아닌 듯한 드레스 차림의 레이디가 에센을 보고 멈춰 섰다.

'망했다.'

달그림자에 가려 실루엣밖에 볼 수 없었지만 에센은 뭔가 레이디가 낯이 익다고 생각했다.

그것도 잠시.

"잡아라!"

바로 뒤에서 들려오는 근위병들의 소리에 에센은 둘도 생각할 것 없이 달려가 레이디의 몸을 낚아채 숨었다.

"쉿."

어디선가 맡아 보았던 듯한 달콤한 체향이 훅 풍겨 왔다.

하도 달려서 그런가, 자신의 심장 소리가 크게 들린다.

크게 떠진 눈동자가 달빛에 푸르게 반짝이고 발그레한 뺨과 보드라운 입술이 에센의 시야에 들어왔다.

시선이 마주친 순간, 숨을 쉬는 것조차 잊었다.

에센은 그 순간 깨달았다.

언젠가 이 순간을 후회할 날이 분명 오게 되리라는 것을.

◆ ♛ ◆

에센 님이 돌아온 지도 벌써 3주가 지났다.

분명히 이에 대해서 황태자가 내게 무슨 말을 할 거라 예상했건만, 하루하루 고요하기만 했다.

"에센 님이 돌아오면 보내 준다고 했는데……."

도대체 얼마나 기다려야 하는 걸까?

어둠 속에서 제대로 얼굴을 보지는 못했지만, 그 목소리의 주인은 분명 내가 테르니의 집무실에서 풀어 주었던 그 사람이 맞았다.

"혹시 또 도망치신 건가?"

만날 때마다 도망치는 상황이었으니 그럴 가능성이 아예 없지는 않다.

어쨌든 이렇게 아무것도 모른 채 지낼 수 없으니 황태자에게 직접 물어볼 생각이었다.

평소에는 마주칠 일이 없지만, 오늘은 건국제가 열리기 일주일 전의 전야 파티가 개최되는 날이었다. 황태자의 파트너로 참석해야 한다는 명분이 있었다.

"오호호호! 오늘도 완벽해요. 아티 양은 정말 꾸미는 보람이 있는 분이시라니까요?"

"하하. 마담 루시가 대단한 게 아닐까요?"

"그것도 맞는 말이지요! 호호. 어서 나가 보세요. 테르니 공자께서 기다리고 계시답니다~!"

내 치장을 끝낸 마담 루시가 나를 밖으로 떠밀었다.

"아티! 내 동생!"

나가자마자 손을 흔들며 나를 반기는 테르니를 보며 고개를 갸웃했다.

왜 황태자가 오지 않은 걸까?

오며 가며 마주친 적은 있지만, 전에 황후 폐하의 시식 파티 이후로 제대로 된 대화를 나눈 적은 없었다.

사실 바로 에셴 님에 대해 이야기하기는 무서우니까 잘된 걸지도 모르는데, 왜일까 기분이 묘한 이유는.

나한테 가까이 다가온 테르니가 나를 보며 고개를 갸웃했다.

"어라? 아티, 내가 안 반가워? 표정이 왜 그래?"

"아니에요, 반가워요."

"전혀 반가운 표정이 아닌데? 혹시, 서얼마……? 아드리안 대신 내가 와서……?"

갑자기 테르니가 헛소리를 하기 시작했다.

이러다 더 이상한 소리를 하기 전에 팔을 잡고 질질 끌고 가기 시작했다.

"늦기 전에 얼른 가요!"

"아니, 아직 시간 많은데? 더 천천히 가도 된다고!"

시간이 많이 남았다고? 그런데 왜 밖에서 나를 기다리고 있었던 거야?

"왜 이렇게 일찍 왔어요?"

"나도 몰라. 아드리안이 너한테 가 있으래."

일부러 테르니를 보냈다는 말인가. 황태자가 무슨 생각을 하고 있는지 알 수 없었다.

그럼 대체 언제 물어봐야 하지?

"저, 혹시⋯⋯."

"응?"

"아니에요."

테르니에게 에센 경에 관해 물어보려다가 그냥 말았다. 물어볼 사람이 따로 있지, 테르니라니.

향후 내 처우에 대해서는 좀 이따 황태자를 만나면 물어보자!

"뭐야? 뭔데? 아티 설마 나한테 비밀 만드는 거야? 이 오빠한테?"

예상대로 테르니가 귀찮게 들러붙기 시작했다.

"아니에요, 정말로."

"아닌 게 아닌 것 같은 얼굴인데? 뭔데 그러냐고! 궁금하잖아. 응? 으응? 아티이이이~!"

괜히 말 꺼냈다⋯⋯. 후회했지만 이미 늦은 후였다.

이미 건수를 잡은 테르니는 내게 딱 달라붙어서는 끈질

기게 물어보기 시작했다.

내게 매달린 테르니를 추처럼 달고 한 걸음 한 걸음 플로렌스 궁을 향해 힘겹게 내디디고 있을 때였다.

꺾인 복도 끝에서 누군가 모습을 드러냈다.

우뚝.

나는 나타난 사람을 보고 걸음을 멈출 수밖에 없었다. 그건 상대방도 마찬가지였다.

"……."

"……."

화려한 은발에 살짝 치켜 올라간 아이스 블루의 눈동자. 눈을 의심하게 만드는 엄청난 미인이 내 눈앞에 있었다.

내가 꿈을 꾸는 걸까?

나와 상대방이 당황해서 침묵을 지키고 있을 때, 오로지 테르니만이 천진하게 그녀에게 말을 걸었다.

"어? 너 왜 그러고 있냐?"

"아드리안이. 아니, 그것보다—."

당황하며 답하던 그녀의 시선이 이내 내게 닿았다. 노골적으로 바라보는 시선에 나도 모르게 한 발짝 뒤로 물러났다.

그나저나 이 목소리, 어디선가 들은 적이 있는데?

어디서 들었는지 떠올리기도 전에 테르니가 와하하 웃으며 내게 어깨동무를 했다. 그리고 나를 손가락으로 가리키며 크게 외쳤다.

"아, 넌 처음 보나? 인사해! 내 새로운 여동생 아티엔느야!"

"뭐?!"

아주 예쁜 미인이 어이없다는 듯 표정을 찡그리며 되물었지만 테르니는 눈 하나 깜짝하지 않고 나를 내려다보았다.

"아티, 너도 처음 보겠구나. 저 사람은 바로 내 여동생 아티엔느야!"

"……네?!"

이번에는 내가 깜짝 놀라 되물었다.

엄청난 것을 들어 버렸다.

나는 황망한 눈으로 또 다른 아티엔느 님을 보았다.

그녀, 아니 그도 마찬가지로 나를 가만히 바라보았다. 말로만 듣던 그녀의 모습을 실물로 보니 감회가 새로웠다.

처음 만난 당신, 왠지 낯설지 않군요.

남자인 모습을 보긴 했지만, 아주 잠깐이라 기억에서 점점 흐려지고 있던 찰나였다. 테르니의 집무실이 너무 어두워서 뭐가 제대로 잘 보이지 않기도 했고.

"하하하! 아하하!"

테르니는 나와 또 다른 아티엔느 님을 끌어당기더니 어깨동무를 하며 우리의 목을 조였다.

"내 동생이 둘이나 되었네~! 꺄! 너무 신나! 자, 아티와 아티! 나를 오빠라고 불러 보렴!"

오로지 테르니만이 신이 나 방방 뛰었다.

예기치도 못하게 진짜 아티엔느 님을 만나 버린 나는 반항도 하지 못한 채 테르니에게 속절없이 딸려 흔들렸다.

"아, 징그러우니까 좀 꺼져!"

하지만 진짜 아티엔느는 강했다!

테르니의 팔을 뿌리치더니 꺼지라는 막말까지 했다. 그러고는 한 팔로 테르니의 목을 감고 힘껏 조르기까지 했다.

그 덕에 테르니의 마수에서 벗어난 나는 조용히 진짜 아티엔느 님을 응원했다.

조금만, 조금만 더 패 주세요!

"아악, 살려 줘! 오빠한테 이러기야? 아티! 아티가 날 죽이려고 해! 살려 줘, 아티!"

테르니가 말하는 아티가 대체 무슨 아티인지 알 수 없었다. 저 싸움에 휘말리고 싶지 않아 세 발짝 뒤로 물러났다.

진짜 아티엔느 님은 사정없이 테르니의 목을 졸랐다.

"다 너 때문이잖아, 이 악마 같은 새끼야!"

"아니, 그게 무슨 소리야? 억울해! 억울하다고!"

"자기 좋을 대로 기억하는 버릇은 언제 고칠 생각이냐? 죽여 버릴 거다!"

"악! 아아악! 사람 살려! 테르니 살려! 아티, 아티이~!"

나는 애절하게 나를 향해 손을 뻗어 오는 테르니를 간단하게 외면했다.

그렇게 릴리 궁 복도 한편에서는 차마 눈 뜨고는 보지 못할 참극이 벌어지고 말았다.

한참을 테르니가 얻어터지고 나서야 소강상태에 접어드는 듯했으나, 테르니는 또다시 제 무덤을 파고 말았다.

"그래도 오랜만에 여장하니까 좋지? 그거 사실 내 아이디어야~!"

"……죽일 거야."

음산하게 중얼거린 진짜 아티엔느 님이 테르니의 뒷덜미를 붙잡고 질질 끌고 가기 시작했다.

"아티~! 제발 나 좀 살려 줘!"

끌려가면서도 내게 애원하는 테르니를 보며 작게 한숨을 내쉰 후 조용히 뒤를 따랐다.

✦ ♛ ✦

"빌어먹을 자식들."

에센은 거칠게 문을 열었다.

치렁치렁한 드레스와 가발을 벗고 답답한 화장을 지워 내고 나니 속이 홀가분했다.

'애초에 대역 약혼녀를 만들었으면서 난 왜 여장시킨 거야?!'

분명 자신을 골리기 위한 일일 게 뻔하다고 생각했다.

그러고도 남을 악질적인 놈들이니까.

에센은 평소의 기사단 정복으로 갈아입은 후 방에 돌아왔다.

그곳에는 한껏 얻어터진 테르니와 새로운 아티엔느라는 여자 한 명이 소파에 앉아 있었다.

시녀인 줄 알았던 사람이 자신을 대신해서 아티엔느 역을 하고 있었다니, 기분이 이상했다.

"아, 아쉽다. 내 동생이 한 명 사라졌어!"

"그 입 다물어라."

"흑흑. 아티. 에센이 나 괴롭혀!"

테르니가 징징대며 옆에 앉아 있던 여자를 와락 껴안았다.

그녀는 잠깐 당황하더니 어색하게 웃으며 테르니의 어깨를 두드려 주었다. 그녀가 테르니에게 물었다.

"그런데 왜 에센 님이 여기 계시는 거예요?"

"아티가 두 명이면 안 되니까."

하지만 대답한 건 에센이었다. 우는 소리를 내며 아티에게 달라붙어 있던 테르니가 설명을 덧붙였다.

"다른 궁에 있으면 아티가 둘이 되잖아. 하지만 릴리 궁은 사람도 별로 없고 대부분 비밀을 알고 있기 때문에 안전해~!"

모든 것은 아드리안의 계략이었다.

에센을 엿 먹이고는 싶은데 여장을 시키기에는 아티가 두 명이라는 점이 위험했다.

그래서 일부러 릴리 궁에 보내서 다른 사람의 눈에 띌 위험을 차단한 후 엿을 먹인 것이다.

에센의 시선이 그 여자에게 잠시 머물렀다.

건국제 전야 파티에 참석할 계획이었는지 잔뜩 차려입은 여자의 모습은 아주 예뻤다.

차분하게 내려오는 은색의 머리칼과, 호수의 수면처럼 잔잔한 푸른 눈동자.

순간 이전의 도주에서 보았던 그 얼굴이 떠올랐다. 달빛 아래에서의 그 눈동자가.

"……센."

"……."

"에센!"

"아."

넋을 놓고 있는 줄도 몰랐다. 뒤늦게 정신을 차리니 자신을 올려다보는 말간 얼굴이 보였다.

이 여자가 자신을 대신해 아티엔느가 되었다니.

이제 아티엔느 역을 연기할 필요가 없으니 잘되었다는 생각이 들어야 하는데, 그저 어이가 없기만 했다.

'언제는 믿을 사람 없다고 안 된다더니, 잘도 구했잖아?'

결국 자신은 이용당했다는 생각에 이가 빠드득 갈렸다.

본인들 편하자고 자신을 여장시키더니, 튀니까 기다렸다는 듯 대역을 구하다니.

먼저 시선을 피한 것은 에센이었다. 딱히 새로운 아티엔느에게 할 말이 생각나지도 않았다.

"야, 테르니. 새로운 아티엔느라니, 나한테는 그런 말 안 했잖아?"

"에엥? 에센 네가 안 물어봤잖아?"

퍽! 에센에게 한 대 또 얻어맞은 테르니가 울상을 지으며 또다시 아티에게 달라붙었다.

"흑흑. 아티, 이거 봐. 이 오빠가 맞고 산다고. 서러워서 못 살겠다, 서러워서!"

"살지 마."

에센은 징징대는 테르니가 얄미워서 괜히 한 대 더 때렸다. 하지만 역시 분은 풀리지 않았다.

새로운 약혼녀 대역도 생겼겠다. 이제 여장할 일이 없으니 모두 자신이 바라는 대로 되었을 텐데 왜 이렇게 기분이 나쁘지?

다시 에센의 시선을 받은 아티가 흠칫하며 몸을 움츠렸다.

"안녕하세요, 에센 님. 처음…… 뵈어요."

그녀가 테르니의 눈치를 보며 그에게 인사했다.

예상보다 더 작고 가느다란 음성은 그녀의 소심한 성격을 고스란히 드러내었다.

처음 만나는 건 아니지만, 아무래도 에센 자신을 풀어 준 게 들통나면 곤란하겠지.

나름 눈치가 있는 터라 에센은 아티에게 맞춰 적당히 대꾸했다.

"그래, 반가워."

"와, 싸가지 좀 봐. 초면에 바로 반말이라니!"

테르니의 시비에 아티가 어이없다는 얼굴로 그를 돌아보았다.

분명 테르니도 초면부터 그녀에게 반말을 했었다.

"뭐야, 아티. 왜 그렇게 봐?"

"……아니에요."

불만스럽게 테르니를 노려보는 아티를 보며 에센은 은근히 성격도 있는 것 같다고 그녀를 평가했다.

에센은 극도의 피로감을 느끼며 맞은편 소파에 털썩 앉았다. 지금쯤이면 건국제의 전야 파티가 시작되었을 것이었다.

'조금쯤 늦어도 상관없겠지.'

도주 생활이 제법 길었던 데다 소식을 접할 곳이 없어 황궁이 어떻게 돌아가고 있는지 알고 있는 게 아무것도 없었다.

'그래서 아무것도 모르고 하라는 대로 여장했는데, 날 속인 걸 줄이야.'

가장 먼저 난데없이 나타난 새로운 아티엔느에 대해서 알아 둘 필요가 있었다.

"이름이 뭐야?"

아티가 마치 허락을 구하듯 테르니를 쳐다보았다. 테르니가 거만하게 고개를 끄덕였다.

"비올라 빌바오예요."

"신분은?"

"시녀였어요."

"시녀? 귀족이야?"

"네, 몰락했긴 하지만……."

에센의 질문 세례에 아티는 당황하면서도 차근차근 답해 주었다.

에센은 새삼스럽게 아티를 보았다.

신분이야 확실하니 임시 약혼녀로 삼은 걸 테지만, 어떤 경위로 약혼녀가 되었는지가 궁금했다.

무엇보다 '그 아드리안'의 약혼녀 행세를 하며 지금까지 살아 있다는 게 놀라웠다.

"어쩌다가 약혼녀가 되었는데?"

"그건 제가 심부름을 왔다가 실수로 다 들어 버—."

아티가 황태자의 약혼녀가 된 경위를 설명하려는데, 갑

자기 테르니가 끼어들었다.

"아티는 어릴 때부터 아드리안이랑 알던 사이였어."

"……?"

"아드리안이 아티를 만나기 위해 오비에도가에 자주 놀러 왔었지."

"미쳤냐?"

에센이 어이없다는 듯 물어도 테르니의 기억 조작은 멈추지 않았다.

"아아. 그때의 아티는 너무 귀엽고 사랑스러웠지! 우리는 종종 저택 뒤에 있는 동산에 올라서 소꿉놀이를 하곤 했어."

"제정신이 아니네."

아티는 이미 면역이 되었는지 어색하게 웃을 뿐이었다.

에센은 눈앞의 여자를 마음 깊이 동정했다.

보아하니 어쩌다 말려들어 이 위험한 일에 끼어든 것 같은데, 감당하느라 힘들겠다 싶었다.

다혈질에다가 저밖에 모르는 아드리안의 약혼녀가 된 데다, 걸어 다니는 사고의 근원 테르니의 동생 행세까지 해야 한다니.

이미 한 번 해 본 경험이 있기에 더 마음 깊이 이해할 수 있었다.

"……고생 많았겠네."

에센의 말에 아티는 감격에 겨워 버렸다.

처음이었으니까. 자신의 마음을 이해해 주는 사람은.

'에센 님은 정말 상냥한 사람이구나.'

모두가 완벽한 약혼녀가 되어야 한다며 부담을 주기만 했었던 터라 에센의 말이 큰 위로가 되었다.

어째서 에센이 황태자의 약혼녀가 될 수밖에 없었는지 알 것 같았다.

저렇게 상냥한 사람을 좋아하지 않는 게 이상했다. 황태자가 에센을 사랑하는 이유를 납득할 수 있었다.

누군가 아티의 속마음을 읽을 수 있었다면 기겁했을 생각이었다. 에센은 지랄 맞은 성격으로 유명했기 때문에.

아티는 에센을 보며 밝게 웃었다.

"괜찮아요!"

'에센 님이 돌아오셨으니까.'

이제 원래 약혼녀가 돌아왔으니, 자신도 더 이상 살얼음판 같은 하루하루를 보내지 않아도 괜찮다.

어쩐지 가슴이 꽉 조여드는 건 왜일까?

'아카시아를 더 이상 못 만날 테니까, 그래서 그런 걸 거야.'

비올라 빌바오로 돌아가게 된다면 이곳에서의 모든 관계를 버려야 하니까.

있어야 할 곳으로 돌아가는 건 당연한 일이다.

유구한 역사를 자랑하는 유서 깊은 오비에도 후작가의 영양 아티엔느가 아니라, 몰락해서 겨우 귀족이라는 이름만 유지하는 비올라로.

'너무 당연한 건데, 왜 이렇게 씁쓸한 걸까.'

자연스럽게 아티의 표정이 흐려졌다. 그녀의 표정을 살

피던 에센은 당황하며 저도 모르게 손을 뻗었다.

그때, 예고도 없이 문이 열렸다.

"지금, 뭐 하는 짓이지?"

잔뜩 화가 난 아드리안이 방 안의 인간들을 차례차례 노려보았다.

테르니를 먼저 보내 두었으니 당연히 홀에 있을 거라고 생각했으나 그곳에 아티는 없었다.

파티가 시작되고 꽤 오래 기다렸지만 그들은 오지 않았다.

그 이후로도 상당히 오래 기다렸으나 코빼기도 보이지 않았다.

분노한 아드리안은 직접, 손수, 사라진 약혼녀와 보좌관을 찾기 위해 행차했다.

테르니와 에센을 노려본 아드리안의 시선이 마지막으로 아티엔느에게 미끄러져 닿았다.

'표정이 왜 저래?'

아티의 표정이 금방이라도 울 것처럼 어두웠다. 그는 일말의 고민도 없이 아티에게 다가갔다.

"으악!"

아티의 옆에 앉아 있던 테르니를 밀쳐 낸 아드리안은 자신이 그 자리에 앉았다.

그리고 뺨을 감싸 아티의 시선이 자신을 향하게 했다.

"날 봐."

어리둥절한 시선이 그를 바라보았다. 금방까지 짓고 있던 우울한 얼굴은 온데간데없었다.

하지만 아드리안은 이미 아티의 어두운 표정을 보았다.

"누가 뭐라고 했어?"

"네?"

"저 자식이야?"

아드리안이 바닥에 내동댕이쳐진 테르니를 턱짓했다. 충격에 얼어 있던 테르니가 벌떡 일어나 아드리안에게 따지고 들었다.

"아드리안 네가 어떻게 나를 이렇게 매정하게 밀칠 수가 있어? 나 너 그렇게 안 키웠다!"

아드리안은 테르니의 항의를 한 귀로 듣고 한 귀로 흘렸다. 그의 주의는 오로지 아티에게만 향해 있었다.

우물쭈물하던 아티가 고개를 저었다.

"아니요. 그냥 처음 에센 님을 만나서 인사 나누고 있었어요."

"그래?"

"네."

그렇다고 하기엔 아티의 표정이 심상치 않았다. 아드리안은 납득하지 못했지만 일단 아티를 놓아주었다.

그사이에도 테르니는 아드리안에게 항의를 하고 있었다.

"너 내 말 듣고 있어? 안 듣고 있지? 이래서 자식 키워봤자 소용없다더니, 딱 그 짝이네!"

에센은 팔짱을 낀 채 저들끼리의 세상에 들어간 황태자와 아티엔느, 그리고 그 사이에 끼고 싶어서 안달 난 테르니를 관전했다.

'가관이네.'

저 아수라장에 끼어들고 싶지 않다는 생각이 가장 먼저 들었다.

"그만 놔주지 그래?"

에센이 아티를 꼭 붙들고 있는 아드리안에게 한마디 던졌다.

"어? 너 있었냐."

"아까 봤잖아."

"기억 안 나. 넌 왜 드레스 차림이 아니지?"

한바탕 욕을 퍼부어 주고 싶은 기분이었으나 에센은 아티를 보고 꾹 참았다.

"갈아입었다."

그 무뚝뚝한 대답에 아드리안은 웬일로 에센이 신경질을 부리지 않는지 의아해했다.

"그런데 아드리안 너 플로렌스 궁에 있던 거 아니었어? 아직 파티는 끝나지 않았잖아?"

테르니의 그 말에 아드리안은 자신이 이곳까지 친히 왔던 이유를 떠올렸다.

아무리 기다려도 오지 않는 자들을 직접 찾으러 왔었지.

아티의 표정에 시선을 빼앗겨서 화가 났다는 사실마저 잊었다.

"왜요?"

아티가 고개를 갸웃하며 조심스럽게 물어 오는 모습에 남은 화의 잔불마저 사라졌다.

"아냐. 빨리 가자. 늦었어."

아드리안이 손을 내밀자 아티는 조금의 머뭇거림도 없이 바로 맞잡았다.

아드리안은 일순 만족스러운 미소를 지었다.

처음부터 끝까지 모든 광경을 지켜본 에센은 자신의 눈을 의심했다.

'……저 자식, 아드리안 맞아?'

아드리안의 껍데기를 뒤집어쓴 다른 사람인 줄 알았다. 에센의 눈에 비친 아드리안은 '염려'라는 것을 하고 있었다.

아드리안이 염려를 한다고? 차라리 자신이 미쳐 버린 게 더 신빙성 있었다.

하지만 그런 자신을 놀리기라도 하듯 아드리안의 기행은 멈추지 않았다.

오로지 자신의 가짜 약혼녀만 이곳에 존재한다는 듯 시선을 떼지 못했다.

아니, 떼지 못하는 정도가 아니라 애정이 뚝뚝 넘쳐흘렀다.

하지만 상대는 어지간히 눈치가 없는지 아드리안의 마음을 전혀 짐작도 못 하는 듯했다.

'대체 내가 없는 동안 무슨 일이 있었던 거야?'

에센은 충격에 빠졌다. 고작 몇 개월 도주 좀 했을 뿐인데, 돌아오니 제일 미쳐 있던 인간이 완전히 사람으로 바뀌어 버렸다.

에센은 이러다 세계 종말이 오는 건 아닐까. 두려웠다.

'그 아드리안'이, 사랑에 빠지다니. 꿈이지?

어느새 아티를 챙겨 방을 나서던 아드리안이 뒤를 돌아 보았다.

"안 와?"

"어, 가."

에센은 멍하게 내답하며 자신의 뺨을 꼬집어 보았다.

더럽게 아팠다.

'젠장. 꿈이 아니잖아?!'

이번에야말로 진짜 에센 님이 돌아왔다.

마음의 준비를 하고 있었던 덕분에 그렇게 충격적이지는 않았다.

이제 내가 할 일을 다 끝냈으니, 남은 건 제자리로 돌아 가는 것밖에 없었다.

하지만 건국제 전야 파티가 열리는 며칠간 황태자를 만 났지만, 그에 대해서 한마디의 말도 듣지 못했다.

"설마 잊은 건 아니겠지?"

아냐. 지금은 건국제 기간이니 정신이 없어서 그런 걸 거야.

초조하고 불안했지만 조금이라도 시간을 미루고 싶어서 먼저 말을 꺼내지는 않았다.

하지만 내게도 혼자 마음을 정리할 시간이 필요했다.

"미리 준비해 두자."

어차피 나가게 될 테니까 짐 정도는 미리 싸 둬도 괜찮겠지?

눈에 띄지 않는 곳에 처음 시녀로 입궁할 때 들고 왔던 가방을 펴 두고는 생각날 때마다 내 물건을 하나씩 담아서 정리했다.

얼마 없는 짐이 쌓일수록 기분은 더더욱 울적해졌다.

이상하지. 처음엔 죽기 싫어서 그렇게 여길 빗어나고 싶었는데.

"이건 어떻게 해야 하지……?"

역시 두고 가야 하나?

전에 황태자가 내게 뜬금없이 주고 간 단검을 보며 고민할 때였다.

똑똑.

노크 소리에 가방을 침대 밑에 넣어 두고 몸을 일으켰다.

"네. 들어오세요."

노크를 한 걸 보니 당연히 다른 시녀나 하녀일 거라고 생각했다.

하지만 들어선 사람은 생각지도 못한 인물이었다.

"에센 님?"

"안녕. 시간 있지?"

얼떨떨하게 고개를 끄덕이며 한 걸음 물러나자 에센이 침실 안으로 들어왔다.

그는 새삼스럽다는 듯 침실을 둘러보았다.

"예전 그대로네."

마담 루시는 방 구조와 인테리어를 바꾸고 싶어 했지만, 나는 그럴 때마다 뜯어말렸다.

언젠가 원래 방의 주인이 돌아오면 떠나야 할 테니까, 차마 그럴 수 없었다.

나는 대꾸하는 대신 에센을 보며 방긋 웃었다. 그러자 에센의 표정이 살짝 굳었다.

왜 그러시지?

뭔가 마음에 들지 않는 게 있나 싶었지만, 그건 아닌 듯했다.

에센은 몇 번 헛기침을 하더니 내게 물었다.

"그건 그렇고, 뭐 갖고 싶은 거라도 있어?"

"네에? 갑자기 갖고 싶은 건 왜요?"

"……그. 저번에 집무실에서 나 풀어 준 거, 너 맞지?"

금인 사건 때 풀어 준 그때를 말하는 것 같았다.

내가 고개를 끄덕이자 에센의 표정이 아주 살짝 밝아졌다.

"그때 내가 은혜는 안 잊겠다고 했잖아? 받은 건 그래도 돌려줘야겠더라고."

그냥 흘러가듯 말한 줄 알았는데, 그 말을 지키겠다고 나를 찾아왔다는 말이야?

나는 그만 감격해 버리고 말았다.

이 제정신이 아닌 황성에서도, 멀쩡한 인간이 있긴 있구나! 그동안 만난 정상인이라고는 미카엘밖에 없어서 너무 슬펐다.

거기다가 은혜에 보답할 줄 아는 착한 마음씨까지!

나는 두 눈을 반짝반짝 빛내며 에센을 올려다보았다.

"에센 님은 천사인 게 분명해요!"

"뭐, 뭐?"

"그동안 여기서 만난 사람 중에 두 번째로 상냥하세요!"

"……?"

아무래도 첫 번째로 상냥한 사람의 자리는 미카엘의 것이니 양보할 수가 없었다.

알 수 없는 표정으로 나를 보던 에센이 한숨을 푹 내쉬었다.

"너도 정상은 아니구나."

"네……?"

졸지에 이유도 모르고 정상이 아닌 사람이 되어 버리고 말았다.

"어쨌든, 바라는 거라도 있어?"

바라는 거라.

곰곰이 생각해 봤지만 마땅히 떠오르는 게 없었다.

내가 원했던 건 그저 자유로운 일상 속의 소소한 행복 정도였으니까.

그리고 그건 이미 이루어졌다.

"괜찮아요."

"괜찮다니?"

"에센 님이 무사히 돌아오신 걸로 됐어요."

나는 에센을 보며 환하게 웃었다.

이제 내가 대신했던 사람이 돌아왔으니까, 원래 있던 곳으로 돌아갈 수 있게 되었다.

이제 조마조마함과는 거리가 먼 삶을 살게 되겠지.

하지만 에센은 굳이 내게 무엇을 주고 싶어 했다.

"그건 좀 곤란한데."

"하지만 정말 바라는 게 없어요."

"그럼…… 이미 내뱉은 말도 있고, 은혜를 갚긴 해야 하니까, 나중에 내 나름대로 도울게. 그건 상관없지?"

할 말도 잃게 만드는 깔끔한 정리였다. 나는 고개를 끄덕일 수밖에 없었다.

역시 내가 인정한 상냥한 사람다워.

성품이 아주 올바르고 곧은 도덕적인 사람이었다.

나도 모르게 또 반짝거리는 눈으로 에셴을 본 모양이다. 그가 흠칫하며 나를 내려다보았다.

"왜 그런 눈으로 봐?"

"아니에요."

"……뭔가 착각하고 있나 본데, 나는 네가 생각하는 것처럼 착한 사람이 아냐."

"저 아무 말도 안 했어요."

그렇게 대답했지만, 이미 내 머릿속의 에셴은 '상냥한 사람'으로 등록되었다.

"하……."

에셴이 나를 빤히 쳐다보다가 한숨을 푹 내쉬었다.

"너, 아니……. 그러니까 아티."

진짜 아티에게서 아티라고 불리니 기분이 묘했다.

그런 내 시선을 오해한 걸까. 에셴이 서둘러 한마디 덧붙였다.

"어쨌든 지금 아티엔느는 너니까."

"네, 그런데 왜요?"

"혹시 지내면서 도와줄 거 있으면 말하라고. 네가 아드리안의 약혼자가 된 데에는 내 책임도 조금은 있으니까 최대한 도와줄게."

사실 전적으로 에셴의 책임이긴 하지만 조용히 하는 게 좋겠지?

✦ ♛ ✦

생각날 때마다 가방 속에 하나둘 짐을 넣었더니 어느새 가득 찼다.

전부 황궁에 시녀로 들어오면서 가지고 온 것들이었다. 아티엔느가 되면서 가지게 된 건 단 하나도 챙기지 않았다.

예를 들어 황태자가 주고 간 단검이라든가, 단검이라든가, 단검 같은 것.

단검은 대체 무슨 의미로 준 걸까? 아직도 그 이유를 알지 못했다.

"어쨌든 이건 다 빌린 거니까……."

하지만 단검은 받은 거라서 예외라고나 할까.

나는 단검을 침대 위에 올려 두고 침실을 나섰다. 도서관에 반납해야 할 책이 제법 많았다.

새로 책을 몇 권 더 빌려 릴리 궁으로 돌아가는데, 얼마 떨어지지 않은 곳에서 하녀들의 수다가 들려왔다.

"에셴 경께서 돌아오셨다는 소식 들었어?"

에센 님?

멈춰 서며 슬며시 기둥 뒤로 숨었다.

"이번에 남부 쪽에 토벌 다녀오셨다면서?"

"어라. 나는 황태자 전하께서 보내셔서 비밀 임무 다녀오셨다고 들었는데."

"병에 걸리신 거 아니셨어? 난 요양 중이시라고 들었었는데!"

부재중이던 에센이 어디를 다녀왔는지에 대해 의견이 분분했다.

아무래도 당사자가 직접 밝히지 못하니 뜬소문이 도는 것 같았다.

"어쨌든 오랜만에 에센 경을 보니까 눈이 즐겁지 않니?"

"당연하지. 나 에사모 회원인 거 몰라?"

"야. 내가 너보다 먼저 가입했거든?"

에사모라. 아사모처럼 에센 경을 사랑하는 모임이라도 있는 모양이었다.

하녀들은 그 후로도 한참 에센에 대해서 호들갑을 떨며 수다를 떨었다.

나는 그들의 말에 고개를 끄덕이며 속으로 열심히 동의했다.

맞아. 에센 님은 정말 멋지고 상냥하신 분이라고!

"오늘도 에센 경은 엄청 예뻤어."

"맞아. 나보다 더 예쁜데, 차원이 다른 예쁨이라 질투도 안 나."

여장을 해도 위화감이 없을 정도로 엄청난 미인이긴 했다.

마담 루시 왈, 에센의 여장한 모습이 아펜니노 최고의 미인이라고 했으니까.

거기다 그 까다로운 황태자의 짝사랑 상대인 만큼, 웬만큼 아름답지 않고서는 안 될 것 같기도 하고.

이제 슬슬 릴리 궁으로 돌아가고 싶은데, 언제쯤 나가면 좋을까?

타이밍을 잴 때였다.

"너 이번에 에센 님이랑 아티엔느 님이랑 같이 있는 거 봤어?"

"봤지, 봤지. 그 조합은 처음 아냐?"

뜨끔!

갑자기 내 이야기가 나와서 순간 숨을 멈추었다.

"두 사람, 닮았다고 생각하는 거 나뿐이야?"

"아냐. 그러고 보니 머리 색이나 눈동자 색이 비슷해. 분위기는 다르긴 한데⋯⋯."

내가 황태자의 약혼녀가 된 이유가 바로 에센과 머리 색과 눈 색이 비슷하다는 이유니 함께 있으면 겹쳐 보일 만도 했다.

그게 나중에 문제가 되진 않겠지⋯⋯?

"오히려 테르니 님이랑 안 닮으신 거 같아."

그쪽은 친남매 아니니까.

얼마간 더 나에 대해서 수다를 떨던 하녀들은 곧 바쁘게 사라졌다.

"에센 님이 유명 인사긴 하네."

황태자의 측근들이 아닌 황궁 사람들의 입을 통해 듣는 에센의 이야기는 처음이라 재미있었다.

의외의 정보를 몇 개 알아내기도 했고.

도서관에서 빌린 책을 끌어안고 릴리 궁에 들어서는데, 어쩐지 분위기가 심상치 않았다.

어쩐지 소란스럽고, 붕 뜬 것 같은 분위기.

무슨 일이 벌어졌음을 직감했다.

✦ 👑 ✦

하루에도 몇 번이나 아티의 방에 들르는 것은 테르니의 오랜 습관이었다.

이유 같은 건 필요 없었다. 심심하면 아티를 보러 출동했다.

"아티!"

힘차게 문을 연 테르니는 침실 안에 아무도 없다는 걸 깨닫자마자 한껏 투덜댔다.

"심심해 죽겠는데, 어딜 간 거야?"

테이블의 과자를 하나 입에 문 그는 침대에 벌러덩 누웠다.

"키야. 역시 아티 침대가 푹신하고 좋다니까?"

누워서 뒹굴거리던 테르니의 눈에 무언가가 들어왔다.

침대 아래 삐쭉 나와 있는.

'……가방?'

"이게 뭐야."

테르니는 활짝 열려 있는 가방을 침대 아래에서 빼내었다.

그 안에는 온갖 옷가지와 자질구레한 물건들이 담겨 있었다. 전부 아티의 물건들이었다.

테르니의 머리가 빠르게 돌아갔다. 그는 어렵지 않게 한 가지 가정을 도출해 냈다.

'아티. 가방.'

"도망?!"

방 안을 둘러본 테르니는 가방 안에 있는 물건들이 아티의 짐 전부라는 것을 깨달았다.

테르니는 패닉에 빠졌다.

'에센이 돌아왔다고 설마 내 동생이 튀려는 건가?'

"싫어!!"

테르니는 비명을 내지르며 방문을 열며 뛰쳐나갔다.

'한 번 동생은 영원한 동생이다!'

그는 절대 아티를 순순히 놓아줄 생각이 없었다.

혼란에 빠진 테르니가 도착한 곳은 포인세티아 궁이었다. 테르니는 곧바로 아드리안의 집무실에 쳐들어갔다.

"아드리안!"

"뭐야? 귀찮게 할 거면 꺼져."

테르니를 한번 쳐다본 아드리안은 다시 서류에 시선을 돌렸다.

"야, 아드리안! 진짜 심각한 문제라고!"

지금 아드리안에게는 테르니의 존재가 심각한 문제였다.

그는 자신의 옆에 서 있던 디아노에게 눈짓했다. 그리고 눈으로 명령했다.

'내쫓아.'

"옙!"

디아노가 존재감을 뽐내며 테르니에게 천천히 다가갔다.

테르니는 질색하며 요리조리 피해 아드리안에게 기어코 도착했다.

"뭐야?"

아드리안이 다소 공격적으로 테르니를 노려보았다. 테르니는 전혀 신경도 쓰지 않고 두 손으로 집무실 책상을 쾅! 내리쳤다.

"아티가……."

아티? 아드리안의 표정이 변했다.

"왜? 아파?"

"아티가 도망치려고 해!"

아드리안의 미간이 살짝 좁혀졌다. 테르니의 말이 바로 해석이 되지 않았기 때문에.

쾅! 테르니가 다시 한번 책상을 내리쳤다.

"아티가 떠나려고 한다니까?!"

"……뭐?"

그제야 그 말이 표면적 의미의 '떠나려 한다.'라고 해석되었다.

아드리안의 심경이 엉킨 실타래처럼 무자비하게 흐트러졌다. 머릿속이 차게 식고 얼굴의 표정이 점차 사라졌다.

'떠나려 한다고?'

약속하기는 했다. 에센이 돌아온다면 바라는 대로 보내 주겠다고.

어떤 날은 차라리 에센을 찾지 말까 하는 충동적 생각까지 했었다.

그런 갈등과 별개로 에센은 돌아왔다.

아드리안은 아티와 했던 약속을 지키고 싶지 않았다. 그래서 일부러 모른 척 시일을 유예하기만 했다.

마치 두 사람 사이의 약속을 잊은 것처럼 아티도 별말을 하지 않아서 방심한 탓도 있었다.

'……조금만 더.'

그렇게 간절히 바랐었는데.

"아티가 짐을 싸고 있었어. 거의 다 쌌던데, 금방이라도 떠날 것처럼!"

몰래 떠날 준비를 하고 있었다니.

왜인지 배신감이 느껴져서 이를 악물었다. 아티는 그저 약속한 대로 떠나려 했을 뿐이니 배신한 게 아닌데도.

'하. 그렇게도 내가 싫은 건가?'

아드리안은 그대로 집무실을 박차고 나왔다. 그의 걸음이 향한 곳은 릴리 궁이었다.

살벌한 표정으로 복도를 걷는 아드리안을 발견한 사용인들은 사색이 된 채 고개를 조아렸다.

"황태자 전하를 뵙습니다. 아르칸젤로의—."

"비켜."

아드리안은 예를 취하는 이들을 싸늘하게 지나쳤다. 머

지않아 그는 아티가 사용하는 침실에 도착했다.

평소와 다를 바 없는 침실의 풍경. 그곳을 살피던 아드리안은 침대 아래 삐쭉 나와 있는 가방을 발견했다.

테르니의 말대로 정말로 금방이라도 떠날 듯 모든 짐을 챙긴 후였다.

'저건……'

흐트러진 침대 시트 위에 반질거리는 무언가가 눈에 들어왔다. 모를 수 없는 물건이었다.

아드리안이 처음으로 아티에게 선물로 주었던 단검이 든 상자.

"내가 준 건 들고 가기도 싫다, 이건가."

불붙는 것처럼 분노가 치솟았다. 그와 동시에 가슴이 욱신거렸다.

지금 당장 아티를 보지 않으면 미칠 것만 같았다.

그 길로 아드리안은 릴리 궁을 들쑤셨다. 아티가 있을 법한 곳을 모두 뒤졌지만 코빼기도 보이지 않았다.

그런 아드리안의 앞으로 마담 루시가 달려왔다.

"어머, 태자님? 왜 이렇게 화가 나셨을까요?"

"어디 갔어."

"네?"

"어디 갔냐고, 내 약혼녀!"

아직 떠난 것도 아니고, 떠날 마음만 엿본 것뿐인데, 엄청난 초조함이 그를 덮쳤다.

"도서관에 가셨을 텐데요."

마담 루시의 말에 아드리안은 곧바로 궁 출입문 쪽으로 발길을 돌렸다.

계단을 내려와 막 출입문이 보일 때, 그는 발견했다.

깜짝 놀란 얼굴로 자신을 응시하는 아티를.

'왜 그런 얼굴로 나를 보는 거지?'

자괴감이 들었다. 그래. 처음부터 아티는 자신을 보며 환하게 웃은 적이 없었다.

역시 자신을 싫어하는 게 분명했다.

아드리안은 아티를 향해 빠르게 다가갔다. 그러자 아티가 저도 모르게 뒷걸음질을 쳤다.

더 안달 났다.

이 여자는 알까? 자신의 존재가 그를 숨 막히도록 미치게 한다는 것을.

하지만 아티가 아무리 자신을 싫어한다 해도, 아드리안은 아티가 좋으니 어쩔 수가 없었다.

'애초에 난 남 생각 따위 안 하고 이기적이니까.'

그러니까 아티의 사정 따위 알 바 아니라고. 그는 그렇게 자기 합리화를 했다.

"저, 전하?"

아티가 더욱 뒤로 물러났다. 벌어지는 거리에 초조함이 더해졌다. 더 이상의 거리는 허용할 수 없었다.

"가지 마."

아드리안은 손을 뻗어 멀어지려는 아티를 붙잡았다.

"넌 이제 어디에도 못 가."

어쩔 줄 몰라 하는 아티의 얼굴에 아드리안은 동요하는 마음을 감출 수가 없었다.

울먹이는 얼굴로 올려다보는 건 반칙이잖아.

"그런 표정 지어도 소용없어."

다급하고 긴박한 손길. 아드리안은 아티가 달아날 수 없도록 그녀를 끌어당겼다.

"이제 내 약혼녀는 너뿐이니까."

정말로 아드리안은, 아티를 보내고 싶지 않았다.

✦ ♕ ✦

황태자에게 붙잡힌 나는 그대로 집무실에 끌려갔다.

"아티!"

어째서인지 나를 붙잡고 우는 건 테르니였다. 남자가 우는 건 처음 봤다.

"아티! 가면 안 돼! 사라지면 안 돼! 영원히 내 곁에 있어 줘야 해! 절대 안 보내 줄 거야! 흐어엉……."

대관절 이건 도대체 무슨 일이란 말인가?

황태자는 갑자기 나를 붙들더니 가지 말라고 말하지 않나, 테르니는 나를 붙잡고 절대 안 보내 줄 거라고 울고 있었다.

"두 분 다, 무슨 소리를 하고 계신 거예요?"

평소라면 절대 하지 않을 말을 해 버리고 만 나는 한숨을 내쉬었다.

테르니가 울먹이며 외쳤다.

"하지만 아티 네가 도망치려고 했잖아!"

"제가요? 언제요?"

금시초문이라 의아해하는 내게 테르니가 얼굴을 가까이 들이밀었다.

"아니면 대체 짐은 왜 싼 건데? 어?! 내가 그거 발견하고 얼마나 놀란 줄 알아?!"

테르니의 추궁에 나는 황태자를 돌아보았다.

그도 말은 없지만 테르니와 비슷한 눈빛으로 나를 보고 있었다.

"제가 싼 짐 때문에 이러신 거예요?"

두 사람이 동시에 고개를 끄덕였다.

테르니가 특히 열성적으로 끄덕였다. 절로 한숨이 흘러나왔다.

"그건 에셴 님이 돌아오시면 보내 주신다고 해서……."

"안 돼! 에셴은 에셴이고 아티는 아티라고!"

테르니가 다시 나를 붙잡았다. 솔직히 진상이나 다름없는 짓이었는데, 묘하게 감동적이었다.

그새 정이라도 들었던 걸까?

"하지만, 그래도 이제 에셴 님이……."

"그 문제 말인데."

지금까지 조용했던 아드리안 황태자가 입을 열었다. 평소보다 경직된 분위기에 나도 모르게 어깨를 움츠렸다.

황태자가 나를 지그시 바라보다가 툭 내뱉듯 말했다.

"계약을 갱신하지."

—2권에서 계속

황태자의 약혼녀 1

초판 인쇄 2022년 11월 8일
초판 발행 2022년 12월 15일

지은이 윤슬, 이휜
펴낸이 신현호
편집장 예숙영
편집 최은지
편집디자인 한방울
영업 김민원
물류 이순우 박찬수

펴낸곳 ㈜디앤씨미디어
출판등록 2002년 5월 1일 제117-90-51792호
주소 서울시 구로구 디지털로 26길 111 JnK디지털타워 503호
대표전화 (02)333-2513 팩스 (02)333-2514
전자우편 dncbooks@dncmedia.co.kr
디앤씨북스 블로그 http://blog.naver.com/dncbooks

ISBN 979-11-264-6263-6 (04810)
ISBN 979-11-264-6262-9 (세트)